TAYLOR SMITH

Dodelijk zwijgen

MIRA BOOKS AMSTERDAM

MIRA

© 1995 M.G. Smith
Oorspronkelijke titel: Guilt by Silence
Originele uitgave: Mira Books, Canada

© Nederlandse uitgave: Mira Books, Amsterdam
Vertaling: Yvon Koelman
Eerder verschenen onder het imprint IBS
Omslagontwerp: Studio Jan de Boer BNO
© Illustratie: Hollandse Hoogte/Photonica
Opmaak binnenwerk: Mat-Zet, Soest

Eerste druk mei 2005

ISBN 90 8550 032 X
NUR 332

www.mirabooks.nl

1

Mariah was het gebouw al drie keer voorbijgereden. Niet omdat ze geen parkeerplaats kon vinden – er was plaats zat – maar omdat ze er elke keer weer zo vreselijk tegen opzag om David te zien. Zou er ooit een moment komen waarop dat niet meer zo was, vroeg ze zich vol zelfverwijt af. Eigenlijk zou ze zo langzamerhand aan deze nieuwe situatie gewend moeten zijn; toch leek het wel of ze zich maar niet bij de feiten neer kon leggen.

Nog één rondje, dacht ze, terwijl ze de ingang opnieuw voorbijreed. Nog één rondje, en dan zou ze naar binnen gaan en doen alsof er niets aan de hand was; alsof er niets veranderd was en ze een gewoon gezinnetje als ieder ander waren. Ze zou doen alsof het de normaalste zaak van de wereld was dat hij nu hier woonde, alsof ze het niet erg vond dat ze nooit meer in elkaars armen zouden liggen en het bed zouden delen; alsof Lindsay zijn geintjes, zijn ijshockeylessen en hun samenzweerderige onderonsjes niet iedere dag miste.

David zat te wachten, wist ze – hij deed niet anders. Hij kon ook niet anders.

Tien maanden waren er sinds het ongeluk in Wenen verstreken, waarvan zes sinds hun terugkeer naar Virginia. De eerste weken ze volop bezoek van familie en vrienden hadden gekregen, die stuk voor stuk geen spier vertrokken wanneer ze met David werden geconfronteerd, en krampachtig bleven glimlachen. Maar uit hun ogen spraken schrik en afschuw, ook al had Mariah haar best gedaan om ze zo goed mogelijk voor te bereiden op wat hun te wachten stond. Zelfs degenen die de moed hadden om zijn knokige arm of zijn vervormde handen aan te raken, trokken schielijk hun hand terug.

Niet goed raad wetend met hun houding, kletsten ze dan maar wat tegen hem over dingen die hem voor geen meter interesseerden, iets waarvan ze zich pijnlijk bewust waren. Maar wat moest je anders zeggen tegen iemand die op geen enkele manier reageerde?

In de wanhopige blikken die ze dan in haar richting wierpen, lag de vraag of hij enig idee had wie hij voor zich had en waar ze het over hadden, maar ook zij moest het antwoord daarop schuldig blijven. Ze wist net zomin als het bezoek wat er wel tot hem doordrong en wat niet. Er waren momenten waarop hij zijn omgeving in zich leek op te nemen. Dan flikkerde er een lichtje in zijn ogen, alsof hij ergens om moest lachen of ergens over nadacht. Meestal echter staarde hij in het niets en verkeerde hij in een privé-wereld, een wereld waar ze hem niet kon bereiken.

Hij had hoe langer hoe minder bezoek gekregen, en tegenwoordig kwam er nog maar zelden iemand langs.

Mariah draaide de parkeerplaats op en zette de motor af. Zuchtend wierp ze een kritische blik in haar spiegeltje. Ze fatsoeneerde haar korte, rossige haren en veegde een restje mascara weg – de enige make-up die ze gebruikte. Toen staarde ze haar spiegelbeeld aan. Kon ze dit nu echt niet op een andere manier regelen, vroeg die licht verwijtende blik in haar ogen. Het was een vraag die ze zichzelf iedere dag stelde sinds het duidelijk was geworden dat David niet van zijn verwondingen zou genezen.

Hij had Lindsay die ochtend met de auto naar school gebracht – de American International School in Wenen. Terwijl hij stil had gestaan op de weg om linksaf de oprit van de school in te slaan, was er frontaal een vrachtwagen op hem in gereden. De personenauto was in één klap in een wrak veranderd, en het was een wonder dat David en Lindsay niet op slag dood waren geweest, meende iedereen achteraf. Davids schedel was verbrijzeld, en het had weinig gescheeld of Lindsay was haar linkerbeen kwijt geweest.

Mariah zou wel anders willen, maar ze zou niet weten hoe ze het zou moeten regelen. Zoals de situatie nu was, kon ze David thuis de zorg die hij nodig had met geen mogelijkheid geven. Nog afgezien van het feit dat ook Lindsay, die nog steeds aan het revalideren was, veel zorg en aandacht nodig had, moest Mariah gewoon werken, al was het alleen maar om de verzekeringspremie voor de torenhoge ziektekosten te kunnen betalen. Een baan bij de overheid, antwoordde ze altijd desgevraagd – een leugen die haar inmiddels heel gemakkelijk afging.

Ze slaakte weer een diepe zucht, pakte haar handtas en stapte de auto uit.

Vanaf de andere kant van de parkeerplaats werden haar bewegingen nauwlettend gadegeslagen door een paar ogen van ongelijke kleur: het ene oog was groen, het andere blauw.

Rollie Burton kauwde op zijn wang en speelde gedachteloos met zijn mes – een prachtexemplaar, dat hij jaren geleden in Hongkong op de kop had getikt. Het had een negen centimeter lang lemmet van hoogwaardig Sheffield-staal en een ivoren heft, waarin rozen en klimopblaadjes gekerfd waren. Hier en daar zaten roestkleurige vlekjes, alsof de rozen werkelijk hadden gebloed toen ze uit het ivoor gesneden werden.

Hij drukte op het knopje, waarop het glanzende lemmet te voorschijn schoot, drukte de punt van het mes tegen de palm van zijn gehandschoende hand en drukte het weer naar binnen, waarna hij weer van voren af aan begon. Uit. In. Uit. In hetzelfde, gestage ritme.

In de leren tas op de passagiersstoel naast hem zat een foto van haar, en een bedrag van tienduizend dollar in kleine, gebruikte coupures, een aanbetaling voor het opknappen van het klusje. Verder zat er nog een automatisch pistool in en een extra voorraad munitie. Zelf gaf hij echter de voorkeur aan het mes – een snel en geluidloos wapen, vooral in handen van een routinier als hij.

In het echt was ze stukken mooier dan op de foto, constateerde hij. Het licht op de parkeerplaats dat op haar gezicht viel deed haar uitstekende jukbeenderen en haar volle, sensuele lippen goed uitkomen. Negenendertig was ze volgens de onbekende stem aan de telefoon; hij zou haar anders niet ouder dan dertig hebben geschat. Ze was klein van stuk, maar bezat de soepele manier van bewegen die dansers en katachtigen eigen was. Ofschoon door die lange, flodderige jas met geen mogelijkheid uit te maken viel wat voor figuur ze had, kon hij op zijn tien vingers natellen dat de dame een goede conditie moest hebben. Het was bijna zonde om daar zomaar een einde aan te maken, flitste het door hem heen. Niet dat het hem wat kon schelen natuurlijk. Het was zijn werk, en zolang hij ervoor betaald werd zat hij nergens mee.

Het moest een gewone roofoverval lijken, had de stem gisteren aan de telefoon gezegd, een roofoverval zoals er in een stad als Washington dagelijks tien tot twintig plaatsvonden. Een vreemde stem was het geweest, een vlakke, metaalachtige stem. Burton was heel wat gewend, maar toch... Deze stem had iets wat hem de rillingen gaf. Het lag niet aan de opdracht, daar was op zich niets bijzonders aan. Het was waar, zulke opdrachten kreeg hij tegenwoordig niet vaak meer, maar in zijn hoogtijdagen had hij tientallen van dit soort klusjes geklaard, en meestal in het buitenland en onder gevaarlijke omstandigheden. Daarbij vergeleken was dit een fluitje van een cent.

Nadat hij de opdracht had aangenomen, was hem opgedragen naar het parkeerterrein achter Bloomingdale's bij Tyson's Corner Mall te gaan, waar hij in een grote vuilcontainer een tas zou vinden met behalve het geld, een foto van het slachtoffer en alle nodige informatie. Daar stond onder andere in dat ze iedere woensdagavond trouw een bezoek bracht aan de Montgomery-verpleeginrichting in McLean, Virginia, en daar trof hij haar inderdaad aan.

Er was geen datum afgesproken – als het maar snel gebeurde, luidde de opdracht. Hoe eerder, hoe beter, dacht Burton, en hij liet zijn blik over de verlaten parkeerplaats dwalen. Eigenlijk was hij ervan uitgegaan dat hij haar eerst een tijdje zou moeten observeren alvorens toe te slaan, maar de ervaring had hem ook geleerd het ijzer te smeden wanneer het heet was. Per slot van rekening deed een gunstig moment zich zelden twee keer voor.

Hij opende het portier en glipte geruisloos de auto uit. Ze was al halverwege de parkeerplaats, maar hij was nog altijd snel en zou haar moeiteloos inhalen. Hij overdacht de mogelijkheden. In het geval van een slachtoffer van groter formaat mikte hij meestal op de ruimte tussen de tweede en de derde rib – recht in het hart. Tijdens een gevecht was een stoot in de buik altijd effectief, maar dat gaf een hoop troep. Bovendien trad de dood niet direct in. In dit geval kon hij maar het beste de keel doorsnijden van zijn slachtoffer, besloot hij. Hij was weliswaar niet zo groot, maar zij was kleiner dan hij. Het zou het gemakkelijkste zijn om haar bij haar haren te grijpen en haar hoofd naar achteren te trekken, dan was de zaak in een mum van tijd gepiept. Hij moest er alleen wel aan denken haar tas mee te nemen, dacht hij, terwijl hij het portier sloot.

Hoewel het nog maar even over vijven was, begon het al aardig koud te worden. Er zat vocht in de lucht, constateerde Burton, tussen de kale, oude eikenbomen op de parkeerplaats door sluipend. De winter was in aantocht.

Met het mes in de aanslag snelde hij achter zijn slachtoffer aan. Hij was haar tot op enkele meters genaderd, toen vijftig meter verderop de deur van het gebouw opeens openging. Hij schoot achter een boom en zag drie mensen het gebouw verlaten: een oudere vrouw, ondersteund door twee volwassen mannen – waarschijnlijk haar zoons.

Burton zag zijn slachtoffer opzij stappen om het drietal te laten passeren, en voor hij het wist was ze naar binnen gestapt. Met een binnensmondse verwensing stopte hij zijn mes terug in zijn zak. Toen haalde hij zijn schouders op en liep doodgemoedereerd terug naar zijn auto.

Het was jammer, maar meer ook niet. Als ze straks weer naar buiten kwam, kreeg hij vast nog wel een kans. Bovendien zou hij, als het zo gemakkelijk zou zijn geweest, niet het gevoel hebben dat hij zijn geld eerlijk verdiend had. En dat kon natuurlijk niet, dacht hij, verachtelijk snuivend. Hij hield niet van schuldgevoel

2

~~~~

Bij het binnengaan merkte Mariah dat ze bijna automatisch haar adem inhield in een poging de weeïge geur die in het verpleeghuis hing, niet te hoeven ruiken. Vroeg of laat zou ze toch een keer adem moeten halen, dacht ze, terwijl ze haastig langs de receptie liep. Ze hield het vol tot op Davids afdeling. Toen gaf ze zich gewonnen. Meteen drong de bijna misselijkmakende mengeling van medicijnen, ontsmettingsmiddelen, gesteven lakens en langzaam wegterende lichamen haar neusgaten binnen.

Een jonge verpleegkundige glimlachte toen ze Mariah zag en begroette haar hartelijk. 'Goedemiddag, Mrs. Tardiff.'

Het verplegend personeel kende haar zo langzamerhand. Ze wisten dat ze zich in het dagelijks leven Mariah Bolt – haar meisjesnaam – liet noemen, maar ze had er geen bewaar tegen dat men haar hier aansprak met 'Mrs. David Tardiff'. Vooral de wat oudere verpleegkundigen gaven daar de voorkeur aan, had ze gemerkt. Principieel als David was, zou hij erop gestaan hebben dat men haar noemde zoals zij dat wenste, maar hij was nu eenmaal niet in staat om daarover – of over wat dan ook – in discussie te gaan.

'Hij zit met smart op u te wachten,' zei de verpleegkundige. 'De zaalbroeder heeft hem al bijna een uur geleden op de gang gezet.'

Mariah knikte schuldbewust en glimlachte geforceerd. Het

meisje bedoelde het niet als verwijt, wist ze; het was haar eigen geweten dat opspeelde. 'Ik zat vast in het verkeer,' verklaarde ze. 'Op de een of andere manier is het vandaag overal krankzinnig druk op de weg.'

De verpleegkundige knikte meelevend.

Mariah sloeg de hoek om en liep de lange gang door, tussen de rolstoelpatiënten door die aan weerszijden stonden opgesteld – eenzame, wachtende zielen, de meesten ervan al oud, hoopvol kijkend naar iedere bezoeker die de hoek omkwam.

Ze knikte glimlachend naar links en naar rechts en bleef heel even staan bij een oude vrouw die haar steevast 'Thelma' noemde en altijd vroeg hoe het met 'de jongens' ging.

'Goed, Mrs. Lake. Het gaat heel goed met ze, dank u,' antwoordde Mariah dan. Ze vroeg zich altijd af wie die Thelma en haar jongens dan wel niet mochten zijn, ook al had ze haar pogingen om de vrouw uit te leggen dat ze Thelma niet was lang geleden opgegeven.

Ze haastte zich naar David, die voor zijn kamer zat – de laatste aan de rechterkant. De intense, starende blik in zijn diepbruine ogen sneed recht door haar ziel. Grote, bruine ogen die zo donker waren dat de pupillen nauwelijks te onderscheiden waren. Lieve, ontwapenende ogen, tegen wie niemand bestand was. Zij zeker niet.

Halverwege de jaren zeventig had ze hem leren kennen, een jaar voordat ze door de CIA was benaderd om bij hen te komen werken. Ze zat vlak voor haar doctoraal politicologie aan de Universiteit van Californië in Berkeley en werkte aan een afstudeerscriptie over de Amerikaans-Russische wapenwedloop. Toen ze door het ontbreken van de juiste vooropleiding dreigde vast te lopen in de complexe materie van kernwapens, verwees haar mentor haar voor informatie door naar de faculteit Natuurkunde. Daar werd ze voorgesteld aan David Tardiff, een van de meest veelbelovende doctoraalstudenten kernfysica van dat jaar.

Hoewel het de natuurkunde was die David en haar met elkaar in contact had gebracht, was het de biologie die al snel een veel belangrijker rol ging spelen – tot haar stomme verbazing.

Ze was vrijwel uitsluitend door haar moeder opgevoed. Haar vader – een dichter-schrijver die, ook al was hij inmiddels overleden, in literaire kringen nog steeds groot aanzien genoot – had haar en haar moeder, die hoogzwanger was van haar tweede kind, van de ene op de andere dag in de steek gelaten. Van mannen had Mariah dus geen erg hoge pet op, en ze zat dan ook bepaald niet te wachten op de ware Jakob. Totdat opeens de jonge, briljante David Tardiff uit New Hampshire in haar leven opdook.

Erg indrukwekkend was hij niet – zeker niet vergeleken met de lange, gespierde, blonde en door de zon gebruinde Californische strandgoden tussen wie ze was opgegroeid. Hij was zelfs klein van stuk met zijn één meter zeventig, en zag er, vond ze, in feite nogal alledaags uit. Hij had een vrij grote neus, en zijn zwarte krullen zaten altijd in de war. Maar hij was briljant, geestig en altijd zo verdraaid zeker van zichzelf dat het aan arrogantie grensde.

Ze liet zich inwijden in de natuurkunde en het ijshockey, zijn andere grote passie, en ging binnen de kortste keren voor de bijl. Drie maanden later betrokken ze samen een piepklein appartementje en begonnen ze plannen voor de toekomst te maken.

Toen veranderde alles opeens. Dat was in feite de eerste keer dat ze David kwijtraakte.

Een halfjaar nadat ze waren gaan samenwonen, kreeg David een baan aangeboden in Los Alamos in de staat New Mexico, waar de Universiteit van Californië in opdracht van de overheid geheim onderzoek deed op het gebied van kernwapens. Mariah vond het geen probleem om mee te gaan naar dat van Jan en alleman verlaten oord; in een omgeving waar absoluut niets te doen was kon ze immers mooi haar scriptie afmaken – dacht ze.

Los Alamos bleek inderdaad de ideale omgeving te zijn voor het uitwerken en opschrijven van gedachten, maar voor hun relatie bleek hij funest. Op een dag zag ze een zware truck met oplegger door het centrum van het dorp rijden. Erbovenop lag een enorme met canvas bedekte raket. Toen had ze het helemaal gehad. Diezelfde avond klaagde ze haar nood bij David.

'David, dit is geen geschikte plaats voor ons...'

'Nee?' Hij begroef zijn neus in haar hals. 'Wat dacht je dan van de eetkamertafel?' mompelde hij, haar volkomen verkeerd begrijpend.

Mariah moest ondanks alles lachen en gaf hem een por tussen zijn ribben. 'Nee, gek! Dat bedoel ik helemaal niet.' Haar vrolijkheid verdween. 'Ik bedoel Los Alamos.'

Hij hield haar een stukje van zich af en keek haar aan. De pretlichtjes in zijn ogen verrieden dat hij op het punt stond om een gevatte opmerking te maken, maar hij slikte die in bij het zien van de ernstige uitdrukking. 'Wat is er mis met Los Alamos? Je kunt hier rustig afstuderen en zodra je klaar bent, kun je hier gaan lesgeven. Wat wil je nog meer? Het is hier rustig, veilig en schoon, een ideale plek om kinderen groot te brengen, lijkt me,' voegde hij eraan toe, haar weer tegen zich aan trekkend.

'Veilig? We wonen hier boven op een fabriek waar kernwapens worden gemaakt! Stel jij jezelf nou echt nooit eens vragen over waar je je dagelijks mee bezighoudt?'

'Ik hou me bezig met wetenschappelijk onderzoek – ouderwets, degelijk onderzoek, en ik mag in mijn handjes knijpen dat ik de beschikking heb over faciliteiten waarvoor de meeste wetenschappers een moord zouden doen.'

'Moord, ja. Zeg dat! Jij houdt je bezig met het ontwikkelen van kernwapens, David. Wapens die bedoeld zijn om een einde te maken aan het leven van veel, heel veel mensen. Moordwapens, dus.'

'Hola.' Hij stak een betuttelende vinger op. 'We proberen de geheimen van het atoom te ontrafelen,' corrigeerde hij. 'Niet zo negatief, Mariah. Een groot gedeelte van het onderzoek dient geen militaire doeleinden, dat weet je best. Het is bovendien waanzinnig interessant wat er allemaal op dit gebied gebeurt. Die wapens zijn in feite nog het minst interessant, hoor. Wat dacht je van al het onderzoek dat wordt gedaan ten behoeve van biomedische en industriële toepassingen?'

'Allemaal bijzaken. Als er iets is waar dit onderzoeksinstituut voor staat, dan is het de ontwikkeling van kernwapens.'

'Kom nou toch, Mariah. Dat de overheid misbruik maakt van wetenschappelijk onderzoek kun je ons onderzoekers toch moeilijk kwalijk nemen,' zei hij geërgerd. 'Wij zijn niet verantwoordelijk voor het beleid van de staat! Dit soort ontwikkelingen gaat gewoon door, ook al zouden mensen de moed hebben zich er openlijk tegen te keren.'

'Allemachtig, David.' Ze schudde meewarig het hoofd. 'Zo naïef of stom ben ik nu ook weer niet. Ik weet echt wel dat die kernwapens, nu ze eenmaal bestaan, heus niet meer zullen verdwijnen. Maar als wij nieuwe, krachtiger wapens maken, maken de Russen op hun beurt een nog krachtiger bom, enzovoort, enzovoort. Ik kan het gewoon niet uitstaan dat jij je talent vergooit door mee te werken aan zo'n verderfelijk project dat uiteindelijk kan leiden tot de vernietiging van de halve, zo niet de hele wereldbevolking! Want alleen daarvoor zitten jullie hier met zijn allen – willens en wetens.'

Het was natuurlijk niet voor het eerst dat ze deze discussie voerden, maar het zou wel de laatste keer zijn. Stilzwijgend besloten ze dat ze het hierover nooit eens zouden worden.

Uiteindelijk verliet ze David en Los Alamos. Ze was tot de conclusie gekomen dat alleen het wegvallen van de nucleaire bedreiging vanuit de Sovjet-Unie een eind kon maken aan het werk van David en zijn collega's en ze meldde zich vervolgens aan op het hoofdkantoor van de CIA in Virginia.

Twee jaar lang onderhielden ze sporadisch telefonisch of schriftelijk contact, tot David op een dag ineens voor haar neus stond: gedesillusioneerd, verward en broodmager. Er was een ongeluk gebeurd op het lab, vertelde hij, waarbij een dodelijke dosis radioactieve straling was vrijgekomen en een van zijn collega's, een man van zijn leeftijd, om het leven was gekomen. Hij wilde niets meer te maken hebben met het ontwikkelen van kernwapens. Hij zou voortaan gaan lesgeven en wilde met haar trouwen.

Vanaf dat moment waren ze onafscheidelijk. Negen maanden later kwam hun dochter Lindsay ter wereld. Het leven kabbelde vredig voort, tot het auto-ongeluk in Wenen daar een abrupt einde aan maakte.

Toen David haar zag aankomen, ging zijn rechter mondhoek ietwat omhoog.

Mariah glimlachte naar de man die ze zo lang had liefgehad –

die ze nog altijd liefhad, dacht ze, maar die ze zo vreselijk miste, ook tijdens de paar uurtjes in de week dat ze bij hem was. 'Hallo, liefje,' zei ze hartelijk, terwijl ze een hand in zijn nek legde en haar voorhoofd tegen het zijne drukte. Ze sloot een ogenblik haar ogen en deed haar best om de vage geur van verval te negeren die, alle zeep, lotions en aftershaves waar ze mee aan kwam ten spijt, om zijn wegterende lichaam hing. 'Hoe is het?' Ze kuste zijn voorhoofd en streek door zijn haren – of wat er sinds het ongeluk van over was. 'Sorry dat ik zo laat ben. Het was vreselijk druk op de weg.'

Hij knipperde met zijn ogen.

'Kom, ik moet even gaan zitten,' zei ze. 'Ik ben bekaf.' Ze zette de papieren zak die ze had meegebracht op zijn schoot en reed hem terug naar zijn kamer, waar ze eerst haar jas en haar schoenen uitdeed. Daarna reed ze hem naar de tafel in de hoek waar zijn computer stond. 'Headstick?' Ze liet hem de hoofdband zien met het daaraan bevestigde stokje waarmee hij het toetsenbord van de computer bediende als zijn rechterhand moe werd. Zijn linkerhand was onbruikbaar en lag permanent tegen zijn borst geklemd, behalve wanneer hij in diepe slaap was en zijn spieren zich volledig konden ontspannen.

David sloot één oog, opende het en sloot het meteen weer – het teken voor nee. Hij lijkt vrij helder, dacht ze, waarop ze zich nog schuldiger ging voelen dat ze zo laat was. Ze legde de hoofdband terzijde, haalde de papieren zak van zijn schoot, trok het toetsenbord naar voren en leidde zijn rechterhand erheen. Beverig bracht hij zijn wijsvinger naar de letter L – van Lindsay.

'Nog in het zwembad,' verklaarde ze. 'Ik heb afgesproken haar op de terugweg naar huis op te pikken. Ze ging zitten op de vensterbank en glimlachte. 'Ze doet het fantastisch, David. Je zou trots op haar zijn. De coach zegt dat ze komend jaar grote kans maakt op een plaats in het team als ze zo doorgaat. Ze is een echte knokker.'

Hij keek geconcentreerd naar haar gezicht.

'Dit komt haar been alleen maar ten goede, zegt de dokter,' hernam ze. 'Het groeit nu gestaag. Hij acht het niet onwaarschijnlijk dat het uiteindelijk weer even lang als het andere zal zijn.' Ze liet haar hand in de papieren zak verdwijnen. 'Omdat ze deze keer niet mee kon komen, heeft ze me je geliefde chocoladekoekjes meegegeven – zelf gemaakt.'

De rechter mondhoek krulde omhoog.

'Dat doet ze vooral om mij te pesten natuurlijk, want ze weet donders goed dat ik allergisch ben voor chocola. Nou, ik mag lijden dat jullie allebei onder de pukkels komen te zitten!' Ze pakte een koekje, stopte het in zijn hand en vouwde er zijn onwillige vingers omheen.

De pezen van zijn magere hand trokken strak terwijl hij het koekje traag en met onvaste bewegingen naar zijn mond bracht.

Mariah had intussen een stapel schone overhemden uit de zak gehaald en liep naar de bescheiden klerenkast naast het bed om ze op te bergen. David volgde al haar bewegingen met zijn ogen.

'Ik heb een paar flanellen overhemden voor je meegebracht,' zei ze. 'Het begint buiten al aardig koud te worden.' Niet dat hij vaak buiten kwam, natuurlijk. Eigenlijk kwam hij alleen de deur uit wanneer hij een weekend naar huis ging – ééns per maand zo ongeveer. Maar het gebaar was meer een erkenning van het feit dat hij nog leefde en zich bewust was van het veranderen van de seizoenen.

Ze trok een stoel bij, ging naast hem zitten en veegde en passant de chocola van een van zijn mondhoeken af. Al pratend over koetjes en kalfjes – over de nieuwe school van Lindsay, over de dingen die ze de afgelopen week hadden gedaan en wie ze hadden gesproken, of hij de persoon in kwestie nu kende of niet – streelde ze zijn rechterarm. Het maakte ook niet zoveel uit waar ze het over had, zolang ze hem maar enigszins het gevoel kon geven dat hij nog altijd deel uitmaakte van hun leven.

David sloeg haar de hele tijd gade en glimlachte. Dat was eigenlijk nog het enige herkenbare aan hem, dacht Mariah. De verpleging scheen altijd iets vreemds met zijn haren te doen – iets wat hun natuurlijk niet aangerekend kon worden. Ze konden immers niet weten dat David gewend was om zo onder de douche vandaan te stappen en zijn haren gewoon te laten drogen zonder er iets aan te doen. Op de een of andere manier slaagden ze er hier in om zijn krullen glad te kammen en er een scheiding in aan te brengen, iets wat zijn uiterlijk iets onnatuurlijks gaf.

Hij begon ook grijs te worden. In de tien maanden die er sinds het ongeluk waren verstreken, leek hij wel tien jaar ouder te zijn geworden. Hij zag eruit als iemand van in de vijftig in plaats van de man van eenenveertig die hij in werkelijkheid was. En van zijn lichaam – hij had toch al nooit zo'n fors postuur gehad – was langzamerhand wel erg weinig meer over.

Alleen zijn ogen herkende ze de David die hij ooit was geweest. Zijn ogen verrieden wat er in hem omging: ze straalden vreugde uit als ze kwam; teleurstelling wanneer ze weer weg moest; frustratie wanneer hij pogingen deed om iets duidelijk te maken, iets wat overigens zelden voorkwam; en angst – doodsangst – die keer in Wenen, toen hij zich, kort nadat hij was ontwaakt uit zijn wekenlange coma, realiseerde in welke afschuwelijke toestand hij zich bevond.

In de dagen daarvoor waren er momenten geweest waarop ze het gevoel had dat hij haar herkende. Op die momenten van relatieve helderheid had hij geprobeerd haar te bereiken, haar aan te raken, maar zijn spieren hadden dienst geweigerd. Zijn verstijfde en zo goed als verlamde lichaam had niet of vreemd gereageerd als gevolg van de zware hersenbeschadiging. Het had hem zoveel energie gekost, dat hij prompt opnieuw in een volstrekte bewegingloosheid verviel.

Toen ze op een ochtend de lift van het ziekenhuis uit was gestapt, had ze een bijna dierlijk geschreeuw gehoord dat uit de richting van zijn kamer leek te komen. Terwijl ze met het hart in de keel de gang door was gerend, bevestigden de steeds luider klinkende smartelijke kreten haar bange vermoedens.

Uit de röntgenfoto's en de CAT-scans die de artsen haar hadden laten zien, was het overduidelijk dat Davids hersenen onherstelbaar beschadigd waren. Zijn leven was voorbij, wist ze, ook al functioneerden zijn hart en zijn longen nog. Het enige waar ze met geen mogelijkheid iets over konden zeggen was of de hogere hersenfuncties nog intact zouden zijn – laat staan in welke mate – als hij weer bij zou komen. Diep in haar hart had ze gehoopt dan ook gehoopt dat hij zou sterven, zodat hij zich nooit zou hoeven te realiseren hoe erg hij eraan toe was.

Op die ochtend was haar ergste vrees echter bewaarheid: David was bij bewustzijn gekomen en had beseft dat hij gevangen zat in een vrijwel totaal verlamd lichaam; dat hij in feite levend begraven was.

De herinnering aan de onsamenhangende, hartverscheurende keelklanken die hij had geproduceerd en de smekende blik waarmee hij haar had aangekeken, hopend dat ze zou zeggen dat deze afschuwelijke nachtmerrie van voorbijgaande aard was, deed nog altijd de rillingen over haar rug lopen. Uren had ze bij hem gezeten, hem vastgehouden, zijn hoofd en zijn rug gestreeld tot het schreeuwen was overgegaan in snikken en uiteindelijk was weggeëbd.

Tegelijk was meteen ook het amper teruggekeerde licht in zijn ogen gedoofd. Of de rust die over hem was gevallen een teken van krankzinnigheid was of juist van sereniteit die het gevolg is van berusting, wist ze niet. Het maakt niet uit, natuurlijk, dacht ze. Als hij innerlijk maar rust heeft.

Rust was anders niet iets wat haar gegund was. Die dag was voor haar het weinige gestorven dat nog over was van de eens zo briljante kernfysicus dr. David Tardiff, haar echtgenoot, haar grote liefde, de mondharmonica- en ijshockeyspelende vader van hun enige kind. Wat resteerde was een leeg omhulsel. En diep binnen in haar leefde sindsdien een immense, opgekropte woede over de onrechtvaardigheid van het leven.

Ze wierp een blik op haar horloge. 'Ik moet er over niet al te lange tijd weer vandoor, David. Lins' training is bijna afgelopen.'

Hij draaide zijn hoofd naar haar toe. Terwijl hij haar hand pakte en die naar zijn schoot bracht, staarde hij haar aan met een intens verlangen in zijn ogen.

'O, David.' Ze legde haar hoofd tegen zijn schouder en stond toen op. 'Even de deur dichtdoen,' zei ze zacht, de daad bij het woord voegend. Jammer dat er geen slot op zit, dacht ze. David had weliswaar een kamer voor zich alleen, maar dat wilde nog niet zeggen dat hij kon rekenen op privacy.

De eerste keer dat het gebeurde was tijdens een van de weekenden dat hij thuis was. Het was op een zaterdagavond. Lindsay was gaan slapen. Mariah was bij David op de sofa gaan liggen en las hem voor, hoewel ze niet wist of hij het verhaal wel kon volgen. Toch had ze het idee dat haar stem en de zachte achtergrondmuziek een ontspannende uitwerking op hem hadden.

Toen ze onder het lezen terloops naar zijn gezicht keek, zag ze de hunkering die uit zijn ogen straalde. Ze hoefde niet te vragen wat hij dacht, en het raakte haar diep. Alle aspecten van zijn lichamelijke en geestelijke toestand waren in de vele gesprekken die ze in de loop van de tijd met zijn artsen had gevoerd aan bod geweest, maar hierover had niemand met een woord gerept. Toch begreep ze onmiddellijk dat hij, ook al kon hij niets meer, nog steeds bepaalde behoeften had.

Die avond gaf ze hem de troost en de liefde die alleen een partner kon geven. Daarna hield ze geluidloos huilend zijn magere, bekende en toch zo onbekende lichaam tegen zich aan.

Ook nu weer gaf ze gehoor aan zijn stilzwijgende verzoek, waarna ze hem nog een poosje tegen zich aan hield. Hij had zijn ogen gesloten toen ze zijn kamer verliet.

Zodra ze weer buiten was, bleef ze een ogenblik staan en haalde ze een paar keer diep adem om de weeïge inrichtingsgeur kwijt te raken. Ze sloot haar ogen en bereidde zich voor op de overschakeling naar het leven buiten Davids wereld. Toen sloeg ze haar ogen weer op en liep ze de trap af.

Ze was zo in gedachten verzonken, dat ze geen oog had voor de roerloze figuur die haar iets verderop onder een boom stond op te wachten. Pas toen ze haar naam hoorde roepen, schrok ze op uit haar gemijmer. Ze keek verbaasd op en keek naar het gezicht van de man. 'Paul? Paul Chaney, wat doe jij hier in vredesnaam?' vroeg ze, terwijl haar aanvankelijke verrassing razendsnel plaatsmaakte voor achterdocht.

Hij liep op haar toe. 'Ik sta hier op jou te wachten,' antwoordde hij doodgemoedereerd, waarop hij haar begroette met een kus op beide wangen – een uit Europa overgewaaide gewoonte die in Amerika opgang begon te maken.

Ze liet haar blik over zijn lange, slanke gestalte gaan. Zoals gewoonlijk droeg hij zijn vliegerjack van zachtbruin leer met de kraag omhoog. Hij had een fotogenieke kop met dikke blonde haren die begonnen te grijzen aan de slapen, en felle blauwe ogen die – al naargelang de situatie – voor de camera's eerlijkheid, scherpzinnigheid of morele verontwaardiging uitstraalden. Op het televisiescherm was hij een dominante verschijning. Daarbuiten had hij, zoals Mariah had ontdekt, iets weg van een speelse, maar wat hulpeloze jonge hond, een eigenschap die hij scheen te cultiveren in de nabijheid van bij voorkeur rijke dames met de juiste relaties, die zich zonder uitzondering tot hem aangetrokken voelden.

Hij was indertijd correspondent buitenland in Wenen voor CBN, Cable Broadcast News geweest. In de drie jaar dat David en zij hem daar hadden meegemaakt, hadden ze de schier eindeloze rij vriendinnen die hij ten tonele voerde, aanschouwd met verbazing die algauw plaatsmaakte voor walging en uiteindelijk overging in een milde geamuseerdheid. Geen van al deze vrouwen slaagde erin om hem aan de haak te slaan – daar was hij te glad voor, hoewel ze zich een nogal agressieve blondine herinnerde die zich prinses Elsa von Schleimann liet noemen en die zich niet zo gemakkelijk aan de kant liet zetten als de anderen. Een tijdlang zag het er dan ook naar uit dat zij de smakelijke vis binnen zou halen.

'Op mij? Hoe dat zo?' vroeg Mariah. 'Ik wist helemaal niet dat je weer terug was in de States.'

'Ik ben ook pas gisteren aangekomen,' bekende hij. 'Ik zit achter een verhaal aan.'

'Wat is er van de prinses geworden?' vroeg ze, nieuwsgierigheid veinzend om haar ongemakkelijke gevoel te verbergen.

Chaney keek haar verwonderd aan. 'Weet ik veel. Die zal wel een echte prins tegen het lijf zijn gelopen.'

Wat onwennig stonden ze tegenover elkaar. De spanning tussen hen was bijna te snijden. Het was uiteindelijk Chaney die de pijnlijke stilte doorbrak. 'Hoe is het met je, Mariah?' vroeg hij zacht.

Ze staarde met opeengeperste lippen naar de kale takken van de bomen op het parkeerterrein. Toen zuchtte ze en keek hem aan. 'Gaat wel. Met Lindsay gaat het gelukkig een stuk beter. Ze zit net op een nieuwe school, hier in McLean, en ook haar revalidatie gaat heel goed.'

'O, ik ben blij dat te horen.' Hij wierp een terloopse blik op de ingang van de verpleeginrichting. 'En David? Komt het nog goed met hem?'

Ze schudde langzaam haar hoofd. 'Integendeel. Het gaat langzaam bergafwaarts. Hij heeft een paar keer een epileptische aanval gehad – een gevolg van het littekenweefsel in zijn hersenen. Een tijdlang was hij in staat om een paar woorden te typen op de computer, maar ook dat is er nu niet meer bij.' Haar gezicht lichtte opeens op. 'Was je soms van plan om hem op te zoeken, Paul?' vroeg ze. 'Dat zou hij leuk vinden – iemand uit het team van vroeger.'

Hij glimlachte. Hij was erelid geweest van de Vienna Diplomats, een amateur-ijshockeyteam dat bestond uit een stel bij elkaar geraapte buitenlanders, dat iedere gelegenheid aangreep om maar te kunnen spelen. 'Heb ik al gedaan. Zo ben ik ook te weten gekomen dat je vandaag zou komen – een van de verpleegkundigen vertelde het me.' Hij boog zich naar haar toe. 'Ik moet met je praten, Mariah.'

Hoe kwam het toch dat ze zich altijd zo ongemakkelijk en zo kwetsbaar voelde in zijn gezelschap, vroeg ze zich onwillekeurig af. Op de een of andere manier had ze altijd het gevoel dat ze bij hem op haar hoede moest zijn, al zou ze niet goed weten waarvoor dan wel. Ze schudde haar hoofd en trok een verontschuldigend gezicht. 'Sorry, ik heb geen tijd. Ik moet Lindsay ophalen.' Ze wierp een blik op haar horloge. 'En ik ben al aan de late kant, zie ik. Ze zit op me te wachten. Het was leuk om je weer even te hebben gezien, Paul, en ik vind het ontzettend aardig van je dat je David even bent komen opzoeken, maar –'

Hij ging pal voor haar staan en legde zijn handen op haar schouders. 'Toe, Mariah. Het is belangrijk. Ik wil het met je hebben over wat er werkelijk is gebeurd daar in Wenen. Over de mensen die David – en jullie dochtertje – dit hebben aangedaan.'

'Waar heb je het in vredesnaam over? Er was toch geen sprake van opzet? Dat is allemaal uitgezocht. Het was een ongeluk!'

'Daar geloof ik dus niets van. Ik denk dat er wel degelijk opzet in het spel was. Ik heb nog niet alle informatie; daar zit ik nu ook achteraan.'

'O hemel.' Ze wrong zich los uit zijn greep. 'Ik ken jou. Je bent vast op zoek naar een of ander sappig verhaal. De onthulling van de week van sterreporter Paul Chaney, of zoiets. Nou, vergeet het maar. Er is geen verhaal, er zit niets achter. David en Lindsay zijn het slachtoffer geworden van een tragisch verkeersongeval. Niets meer en niets minder.'

'Ach, hou toch op, Mariah. David was een goede vriend van me. Ik zou zoiets toch niet beweren als ik niet dacht dat het waar was?'

'Nee, jíj moet ophouden, Paul. Denk je nu echt dat jij de enige bent die zich dat heeft afgevraagd? Ik was verbonden aan de ambassade. Wat denk je? Natuurlijk heb ik geëist dat de onderste steen bovengehaald zou worden. De politie daar heeft gedurende het onderzoek de hete adem van onze mensen in hun nek gevoeld. Maar het bleek werkelijk een ongeluk te zijn geweest, dus laat het verleden in vredesnaam rusten en ga nu niet weer alles overhoophalen. We hebben al genoeg ellende meegemaakt, zou ik zeggen.' Ze begon in de richting van haar auto te lopen.

'Het was geen ongeluk, Mariah,' zei hij zonder zijn stem te verheffen. 'En ik heb het vermoeden dat jij dat al die tijd al weet.'

Ze hield abrupt haar pas in en draaide langzaam haar hoofd naar hem toe. 'Laat me met rust, Chaney,' zei ze ijzig. 'Ik waarschuw je. Wee je gebeente als je mij of mijn familie nog één keer lastigvalt.'

Rollie Burton had het hele tafereeltje vanuit zijn auto gadegeslagen. Pas toen de vrouw was weggereden, liep de man naar zijn auto – een witte Buick met een sticker erop van Avis-Rent-A-Car. Even later reed hij in tegenovergestelde richting weg.

Voor de tweede keer die avond borg Burton zijn mes op. Een ogenblik lang staarde hij peinzend voor zich uit. Hij kende die kerel ergens van, dacht hij, al trommelend met zijn vingers op het stuur. De naam wilde hem niet te binnen schieten, maar hij wist wel dat hij hem wel eens op televisie had gezien.

Van het nieuws, dat was het! Het was duidelijk dat hij ook geen onbekende voor haar was, hoewel ze niet bepaald had overgelopen van enthousiasme toen ze hem had gezien. Er schenen meer haken en ogen aan deze klus te zitten dan hij had verwacht. Hij voelde er in ieder geval weinig voor om zijn opdracht onder de neus van de pers uit te voeren. Voorzichtigheid was geboden.

Hij startte zijn onopvallende, oude Toyota en sloeg de richting in waarin hij de vrouw had zien wegrijden.

3

Toen Mariah aan kwam rijden, zag ze Lindsay boven aan de trap voor de schooldeur zitten met een vriendinnetje. Onder aan de trap deed een groep jongens hun uiterste best om indruk te maken door allerlei halsbrekende toeren op hun skateboards uit te halen – iets wat door de twee meisjes nadrukkelijk werd genegeerd. Behalve wanneer er een op zijn gezicht ging, en dat gebeurde om de haverklap, dan sloegen de twee hun ogen demonstratief ten hemel.

Mariah vergat een ogenblik al haar zorgen en haar angst en grinnikte. Sommige dingen veranderden nooit.

Zodra Lindsay de auto van haar moeder in de gaten kreeg, stond ze op. Ze pakte haar boeken, nam afscheid van haar vriendin en begon stap voor stap de trap af te dalen: eerst zette ze haar rechterbeen neer en vervolgens trok ze dan het zwakkere linkerbeen bij.

Mariah kneep het stuur bijna fijn. Ze moest zich inhouden om niet op haar dochtertje af te snellen, de zware boeken van haar over te nemen en haar te ondersteunen. Maar ze had intussen haar lesje wel geleerd: een paar weken geleden had Lindsay besloten dat ze haar krukken niet meer nodig had. De keren dat Mariah haar goede voornemens even vergat en haar dochter ongevraagd te hulp schoot, werden haar niet echt in dank afgenomen. Ze slaakte een diepe zucht. Dit waren van die momenten waarop het moederschap niet meeviel.

Ze reikte opzij en opende het portier aan de passagierskant, waarop Lindsay zich zo ongeveer naar binnen liet vallen. Terwijl Mariah de stapel schoolboeken op de achterbank legde, hees Lindsay haar linkerbeen naar binnen alvorens haar rechter bij te trekken. Toen trok ze het portier dicht en deed ze haar veiligheidsgordel om.

'Hallo schat,' zei Mariah, liefdevol een hand door de rossige, schouderlange haren van haar dochter halend. Het rossige had ze van zowel de Bolts als de Tardiffs, maar die krullen had ze beslist van David.

'Sorry dat ik zo laat ben. Ik werd opgehouden in het verpleeghuis.'

Lindsay draaide zich met een ruk naar haar toe. De puberale luchthartigheid maakte onmiddellijk plaats voor de ernst en betrokkenheid van een volwassene. 'Hoezo? Is er iets met papa?'

Mariah gaf haar een geruststellend klopje op haar arm. 'Nee, Lins. Met papa gaat het goed. Hij was erg blij met je koekjes.'

Lindsay ontspande zich meteen weer en glimlachte opgelucht.

'Ik heb gewoon even niet op de tijd gelet,' voegde Mariah eraan toe, terwijl ze optrok. 'En daardoor ben ik een beetje laat, dat is alles.'

Haar dochter haalde haar schouders op. 'Geeft niets. Wij waren ook een beetje uitgelopen. Ik zat nog niet zo heel lang te wachten, dus... Hé!' riep ze uit, toen Mariah rechts afsloeg. 'Waar ga jij nou heen?'

'Naar huis. Hoezo?'

'Wat doen we dan hier?'

Mariah realiseerde zich dat ze de verkeerde kant op reed. 'Gut, hoe –'

'Hal-lo! Wakker worden! Joehoe!'

'Rustig maar. Bij de eerste de beste gelegenheid draai ik om.'

Lindsay schudde meewarig haar hoofd en begon toen te vertellen over wat ze die dag allemaal had meegemaakt.

Glimlachend hoorde Mariah een verhaal aan over twee meisjes die de klas zouden hebben aangezet tot het openlijk negeren van een klasgenootje dat de euvele moed had gehad om de 'verkeerde' kleren te dragen. Net als iedereen die wel eens een boek over het opvoeden van kinderen had ingekeken, wist ook Mariah dat pubers voor een groot deel in een andere wereld leven met eigen regels en gewoontes. Desondanks had ze het gevoel gehad dat ze onvoldoende voorbereid was toen Lindsays puberteit zich vrij plotseling had aangediend.

Ze zag wel dat haar kind anders was dan haar leeftijdgenootjes; ze was in veel opzichten volwassener en ze was geneigd over dingen na te denken. Een en ander was waarschijnlijk een gevolg van het ongeluk en de nasleep ervan, concludeerde ze. Kinderen van die leeftijd beschouwden zichzelf als onkwetsbaar. Lindsay had echter al ondervonden dat dat slechts een illusie was. Toch kon ze zich ook druk maken over dezelfde onbenulligheden als haar vriendinnen, en dat was een goed teken, meende Mariah.

'Dat vond ik zo gemeen, mam,' hoorde ze Lindsay zeggen. 'Vind je ook niet?'

Ze had maar met een half oor naar haar dochters verhaal geluisterd. 'Wat? O, ja. Dat ben ik helemaal met je eens,' mompelde ze, een zijdelingse blik op Lindsay werpend. 'En toen? Heb je er iets van gezegd?'

'Ja, wat dacht je! Ik heb tegen Megan gezegd dat ik dat idioot vond en dat ik ook niet van plan ben om naar haar pijpen te dansen en dat ik van plan ben om gewoon met Jenna om te blijven gaan.' Ze sloeg haar armen resoluut over elkaar en staarde grimmig voor zich uit. 'Ik snap dat soort dingen niet, hoor. Daar kan ik nou zo kwaad om worden!'

Mariah glimlachte. 'Heel goed van je. Laat je niet de wet voorschrijven door anderen.'

'Poe, ik zal daar gek zijn.' Lindsay stak haar onderlip naar voren. 'Die twee denken dat ze de boel wel even naar hun hand kunnen zetten. Nou, mooi niet dus!'

Als iemand wist hoe hij de boel naar zijn hand kon zetten, dan was het Dieter Pflanz wel. Hij wist ook hoe gemakkelijk er van alles mis kon gaan als je de details uit het oog verloor.

Hij wierp een blik op zijn horloge en rekende uit hoe laat het nu ongeveer moest zijn in het oosten van het land. In plaats van het elegante telefoontoestel te pakken dat op zijn bureau prijkte, maakte hij gebruik van een zwaarder uitziend apparaat met een slot dat achter hem in de kast stond. Nadat hij de sleutel had omgedraaid en een nummer had ingetoetst, draaide hij zijn stoel naar het raam en legde hij zijn voeten op de vensterbank. Terwijl hij op de verbinding wachtte, kneep hij gedachteloos in een rubber balletje dat op zijn bureau lag.

Het uitzicht vanuit zijn kantoor op de achttiende verdieping van de McCord Tower midden in Newport Centre reikte tot aan het strand. De zon stond al laag; een beetje surfer trotseerde echter de decemberkou en trok gewoon een wetsuit aan. Pflanz schudde meewarig het hoofd bij het zien van de lange file auto's met stuk voor stuk een surfplank op het dak, die zich in de richting van het strand begaf.

Hij zat hier nu al meer dan tien jaar, maar hij was nog steeds niet gewend aan de Zuid-Californische manier van leven. Het dagelijkse uitzicht op een strand vol mensen die niets beters te doen schenen te hebben dan surfen, volleyballen en zonnebaden, vervulde hem keer op keer met afschuw. Het was symptomatisch voor een maatschappij in verval, vond hij.

Toen de telefoon voor de derde keer was overgegaan, werd er opgenomen. 'Hallo?'

'Met mij. Even de vervormer aanzetten.'

'Oké.'

Pflanz drukte op een knop. Even later begon er een rood lichtje op het toestel te knipperen; hetzelfde gebeurde aan de andere kant van de lijn. Vervolgens klonk er een serie piepjes die bevestigde dat de vervormer operationeel was. Wie nu het gesprek zou proberen af te luisteren, zou alleen maar een doordringende fluittoon te horen krijgen. Alleen iemand die beschikte over de juiste decoderingssoftware, zou op de lijn kunnen inbreken.

'Gebeurd,' zei Pflanz.

'Ik verwachtte je al. Hoe staan de zaken?'

'Morgenavond zijn we in Washington D.C. We hebben onderweg wel een tussenstop – een of ander liefdadigheidsgebeuren waar we onze gezichten even moeten laten zien. McCord heeft voor vrijdag een afspraak met de president.'

'Heb ik inmiddels gehoord, ja. Hij zet er vaart achter.'

'Des te beter.'

'En New Mexico?'

'Dat staat vanavond op het programma.'

'Vanavond? Allemachtig, Dieter. Is dat niet een beetje erg kort op elkaar allemaal?'

'We hebben geen keus. Alles is er klaar voor. We moeten vanavond onze kans grijpen, want wie weet of we ooit weer de gelegenheid krijgen.'

'Weet je het heel zeker? Er hoeft maar iets fout te gaan, en de hele boel ontploft in ons gezicht.'

Pflanz kneep het rubber balletje fijn. 'Maak je geen zorgen, George. Er zal heus niets fout gaan. Zo'n puinhoop als in Wenen zullen we er in ieder geval geen tweede keer van maken,' voegde hij eraan toe.

Er klonk een diepe zucht aan de andere kant van de lijn. 'Praat me er niet van. We zijn nog bezig met opruimen.'

'Hoe zit dat met die vrouw?' informeerde Pflanz. 'Wordt ze in de gaten gehouden?'

'Van haar heb je niets te vrezen.'

'Ze heeft geen enkel vermoeden?'

'Nee. Ze is van de lijst geschrapt. Voorlopig heeft ze ook haar handen vol aan haar gezin. Geloof me nu maar – Mariah Bolt vormt geen enkel gevaar voor ons.'

'Nou, dat is haar geraden ook,' bromde Pflanz. 'Oké, nou, ik bel je morgen wel zodra ik er ben.'

'Nee, bel me vanavond maar zodra je weet hoe het is afgelopen in New Mexico.'

'Het zou wel eens heel laat kunnen worden.'

'Maakt niet uit. Je hebt mijn privé-nummer. Bel me thuis maar. Ik ga toch niet slapen voordat ik iets van je heb gehoord.'

'Afgesproken.'

Pflanz verbrak de verbinding en sloot de kast met de geheime telefoon zorgvuldig af. Toen leunde hij achterover in zijn stoel en staarde een tijdlang naar de langzaam in de zee verdwijnende zon.

Pflanz was een forse man met een haviksneus en handen als

kolenschoppen. Op zijn negenenveertigste zag hij er nog steeds uit alsof hij zich meer thuisvoelde in een camouflagepak dan in het driedelige kostuum dat hij doorgaans droeg. Ook zijn indrukwekkende schouders en de blik in zijn ogen die verried dat hij altijd op zijn hoede was, droegen ertoe bij dat iedereen onmiddellijk doorhad dat hij bij de veiligheidsdienst zat.

Vijfentwintig jaar zat hij al in het vak. Na een aantal jaar als undercover bij de CIA te hebben gewerkt, was hij hoofd veiligheidsdienst bij McCord Industries geworden. Het hoofdkantoor van McCord was in Newport Beach in Californië. Ze hadden elf kantoren over het hele land verspreid en veertien in het buitenland. Het was een wijdvertakt bedrijf met grote belangen in vele sectoren, variërend van de elektronica tot de constructiebouw. Bij negen van de tien megabouwprojecten was McCord Industries betrokken. Daarnaast gaven de nevenactiviteiten van presidentdirecteur Angus McCord een extra dimensie aan Pflanz' werkzaamheden.

De details, dacht hij weer. Let op de details. Details vormen de sleutel tot succes. Nooit iets aan het toeval overlaten. Als er iets misgaat, is dat altijd door iets kleins, iets onbetekenends dat door iedereen over het hoofd werd gezien.

Zo zat Wenen hem nog altijd niet lekker. Ondanks het feit dat hij zo-even de verzekering had gekregen dat alles in orde was en hij zich geen zorgen hoefde te maken, was hij er nog steeds van overtuigd dat nog niet alle rommel opgeruimd was. Hij had dan ook al lang geleden besloten om het opruimen dan maar zelf ter hand te nemen.

Rollie Burton parkeerde zijn auto schuin tegenover het huis van Mariah Bolt. Door de drukte onderweg was hij haar kwijtgeraakt, maar kennelijk had hij haar ingehaald, want ze was er nog niet. Althans, er brandde geen licht in het huis.

Niet lang daarna zag hij haar Volvo aankomen. Tot zijn ongenoegen zag hij dat ze iemand bij zich had. Een kind, schoot het door hem heen. Ook dat nog! Dat had zijn opdrachtgever er voor het gemak maar even niet bij vermeld.

Terwijl de Volvo de oprit op reed, schoof de garagedeur langzaam omhoog. Burton maakte zich klein en duwde zijn honkbalpet diep over zijn ogen. Zodra de garagedeur begon te zakken keek hij op zijn horloge: het duurde vijf seconden voor de deur helemaal gesloten was.

Geroutineerd nam hij de omgeving in zich op. Het garagepad werd aan één kant aan het zicht onttrokken door een heg; aan de andere kant ervan bevond zich een grasveld dat zich uitstrekte tot aan de hoek. Hij knikte tevreden. Wat dat betreft kon het bijna niet mooier. Een gemakkelijke vluchtroute, uit het zicht en geen last van nieuwsgierige buren.

De voordeur van het huis bevond zich aan de andere kant, waar je met de auto niet kon komen. De woning maakte deel uit van een complex in een parkachtige omgeving met veel bomen en struiken en alleen maar voetpaden. Ook dat was uitermate gunstig, dacht hij. Wie weet was Mariah Bolt wel een van die mensen die hun conditie op peil trachtten te houden door een paar keer per week te gaan joggen, en Burton was dol op joggers.

Toen dacht hij weer aan het kind. Hij perste zijn lippen opeen. Dat was een probleem. Hij was tenslotte niet betaald om ook dat kind koud te maken. Wat nog vervelender was – als hij ooit gepakt zou worden, dan was hij nog niet jarig, want ook in de gevangenis hadden ze het niet zo op kindermoordenaars. Maar wilde hij het kind ongemoeid laten, dan zou het wel eens een eeuwigheid kunnen duren voor hij zijn slachtoffer weer een keer alleen aantrof.

Eerst die verslaggever, nu dat kind weer, dacht hij geïrriteerd. Daar zit ik nu helemaal niet op te wachten. Waarom blijken de dingen toch altijd ingewikkelder te zijn dan ze in eerste instantie leken?

～∽～

Voor de tweede keer die dag weerstond Mariah de verleiding om de schoolboeken van haar dochter over te nemen. Ze pakte alleen haar eigen koffertje en liep meteen door naar de keuken. Tegen de tijd dat Lindsay boven aan de binnentrap verscheen, stond Mariah de talloze keurig geëtiketteerde plastic doosjes in de vriezer te bekijken – het bewijs van een geslaagde poging om de chaos in haar leven enigszins onder controle te krijgen.

Ze koos voor een kipgerecht, dat ze meteen in de magnetron zette. Daarna trok ze haar jas uit. Toen Lindsay haar eigen jasje over de leuning van een keukenstoel wilde hangen wierp Mariah haar een veelbetekenende blik toe. Het meisje sloeg zuchtend haar ogen ten hemel, waarop Mariah haar hand ophield. Met een triomfantelijke grijns reikte Lindsay haar moeder haar jasje aan.

Toen ze de keuken weer in kwam, was Lindsay bezig het antwoordapparaat af te luisteren. Uiteraard waren alle ingesproken berichten voor Lindsay. Niet te geloven, dacht Mariah, intussen een pan water voor de spaghetti op het vuur zettend, dat die pubers elkaar nog zoveel te vertellen hebben na al de hele dag in elkaars gezelschap te hebben vertoefd.

Net toen ze een salade wilde gaan maken, kwam er een bericht door voor haar. Ze verstijfde bij het horen van de diepe, welluidende stem die haar maar al te bekend voorkwam.

'Mariah, Paul hier. Ik logeer in het Dupont Plaza. Ik moet je spreken, en ik ben maar een paar dagen in de stad. Bel me even, wil je.' Hij gaf het nummer van zijn kamer en dat van zijn telefoon en hing op.

'Mam!' riep Lindsay opgewonden uit, nadat ze de nummers haastig had genoteerd. 'Dat is toch die man van de televisie die in Wenen in papa's ijshockeyteam speelde?'

Mariah knikte en begon de groenten te snijden. Het was het laatste bericht op het antwoordapparaat geweest. Hij moet direct na hun ontmoeting bij de verpleeginrichting hierheen hebben gebeld, dacht ze, meedogenloos een paar stelen selderij aan stukken hakkend.

'Plassen en handen wassen,' zei ze. 'Het eten is zo klaar.'

'Ben je van plan om hem terug te bellen, mam?' wilde Lindsay weten.

'Ik zie niet in waarom ik dat zou doen. Heb je de tafel al gedekt?'

'Waarom niet?'

'De tafel, Lindsay.'

Het meisje strompelde naar de kast en haalde er twee borden uit. Mariah wierp een blik op de ranke gestalte van haar dochter.

Lindsay was de afgelopen maanden enorm gegroeid, besefte ze, nu ze haar rechtstandig en zonder krukken zag rondhobbelen. Nog even, en haar kind stak boven haar uit! Het zou heel goed kunnen dat ze uiteindelijk zelfs langer werd dan David.

Ze was ook al bijna geen kind meer, dacht Mariah weer, zeker niet na wat ze in haar jonge leven al had moeten doormaken. Ze verdiende ook beter dan te worden behandeld als een onmondig kind dat nog niets van het leven begrijpt. Mariah sloot haar ogen en slaakte een diepe zucht. 'Ach liefje, ik vrees dat ik deze week gewoon geen tijd voor Mr. Chaney heb. Het is momenteel zo druk op mijn werk.'

'Volgens mij ging het anders wel om iets belangrijks, hoor,' hield Lindsay vol. 'Ik bedoel, het klonk toch behoorlijk dringend.'

'Maar ik ken de goede man nauwelijks, joh. Hij was dan wel een vriend van je vader, maar ik moet je eerlijk bekennen dat ik indertijd in Wenen eigenlijk al niet zo vreselijk veel met hem op-had. Ik vermoed dat hij alleen maar voor de beleefdheid belt. Vergeet niet dat hij verslaggever is,' voegde ze er een tikje minachtend aan toe. 'Dat soort lui doet altijd voorkomen alsof alles een nationale ramp is. Maar ik zal wel zien. Als ik even een vrij momentje heb, zal ik hem proberen te bellen.'

Lindsay haalde haar schouders op en plofte neer op een keukenstoel. Mariah zette het eten op tafel en sneed haastig een ander onderwerp aan.

Na het eten boog Lindsay zich over haar huiswerk en over haar pianoles van komende week, terwijl Mariah zich van allerlei noodzakelijke huishoudelijke taken kweet. Tegen half tien kwam Mariah Lindsays kamer binnen om te zeggen dat het hoog tijd was om te gaan slapen. Het licht was nog aan, maar Lindsay lag al in bed, met haar ogen dicht en met Davids oude mondharmonica in haar hand. Met een brok in haar keel bleef Mariah in de deuropening staan.

Toen zette ze de radio, die keihard stond te blèren, wat zachter. Ze raapte zuchtend wat rondslingerende kledingstukken bijeen die ze in de wasmand in de badkamer stopte en keerde terug naar Lindsays kamer. De muur boven het bed was behangen met affiches van pop- en soapsterren; het bed zelf was bezaaid met speel-goedbeesten. Ze namen zoveel ruimte in beslag, dat Mariah zich al meer dan eens had afgevraagd hoe Lindsay zich 's nachts in vredesnaam omdraaide. Ze had ook al eens voorzichtig geopperd of het niet eens tijd werd om een paar van die beesten weg te doen, maar nee, daar was geen sprake van – ieder beestje was on-misbaar, werd haar verzekerd.

Ze ging op de rand van het bed zitten en streek Lindsay over haar wang. Het meisje sloeg haar ogen op.

'Heb je weer last van je been?' vroeg Mariah zacht.

Lindsay knikte somber.

'Wacht, ik zal je wat Tylenol geven.' Mariah stond op.

'Mam.'

'Ja?'

'Ik mis pappie zo ,' fluisterde het meisje. Ze begon te huilen.

Mariah ging weer zitten en trok haar dochtertje naar zich toe. 'Ik weet wat het is, Lins, ik mis hem ook.'

Lindsay begroef haar gezicht in haar moeders schouder. 'Soms heb ik allerlei afschuwelijke gedachten,' mompelde ze, toen ze een beetje gekalmeerd was. 'Ik zou eigenlijk juist blij moeten zijn dat we het ongeluk hebben overleefd, dat weet ik. Maar wanneer ik dan weer aan die arme pappie denk – hoe hij er-aan toe is en altijd maar in dat vreselijke verpleeghuis zit – dan word ik razend.' Ze maakte zich los uit Mariahs armen en staar-de naar haar handen. 'Soms neem ik het hem kwalijk dat hij niet gewoon beter wordt, terwijl ik weet dat hij er niets aan kan doen, en dan krijg ik opeens zo'n hekel aan mezelf, weet je.'

Mariah streek een paar weerbarstige krullen uit Lindsays ge-zichtje. 'Dat moet je niet doen. Dit soort gevoelens zijn heel nor-maal in deze situatie, Lins. Het leven is nu eenmaal niet recht-vaardig; dat geldt voor iedereen – voor jou, voor mij en voor pappie in het bijzonder. Bedenk eens hoe hij zich moet voelen.'

Lindsay knikte.

'Vroeg of laat komt iedereen erachter dat het leven niet eerlijk is. Jij bent er helaas al erg vroeg achtergekomen. Ik kan je alleen wel zeggen dat de pijn niet altijd zo hevig zal zijn. Geloof me, al-les moet zijn plaats vinden, ook pijn en verdriet. Je moet alleen

wel geduld hebben, want dat soort dingen vergt nu eenmaal tijd.'
Ze keek haar dochtertje aan. 'En zal ik je eens wat zeggen? Ik zou
deze ellendige toestand nooit hebben aangekund als jij niet zo
sterk was geweest. Ik ben echt ontzettend trots op je, Lins. Ik ben
de hemel dankbaar dat ik zo'n kanjer van een dochter heb.'

Met een beverig glimlachje sloeg Lindsay haar armen om Mariahs hals. Een paar minuten lang bleven ze zo zitten.

'Kom,' zei Mariah toen. 'Kruip er nu maar lekker in. Je kunt
maar beter uitgerust zijn als je het morgen weer tegen die verschrikkelijke Megan moet opnemen. Wacht, ik zal je nog even
wat tegen de pijn geven.'

Toen Mariah even later de kamer verliet, keek Lindsay al veel
ontspannener uit haar ogen. Met een gerust hart deed ze het licht
uit en sloot ze de deur achter zich.

Eenmaal in de zitkamer nestelde ze zich op de bank. Ze opende haar koffertje en haalde er een stapel tijdschriften en kranten-
knipsels uit. Dat was een van de grote voordelen van haar baan:
hoe druk ze het ook had, ze hoefde nooit werk mee naar huis te
nemen, omdat het veelal geheime rapporten betrof die het gebouw niet uit mochten.

Wat ze wel thuis kon doen, was het doornemen van artikelen
uit kranten en tijdschriften die betrekking hadden op het onderwerp waarmee ze zich momenteel bezighield: internationaal ter-
rorisme.

Na een paar artikelen merkte ze dat ze haar hoofd er maar moeilijk bij kon houden. De allesoverheersende angst die ze meesten-
tijds wist te onderdrukken door zich te concentreren op Lindsays
welzijn en op de dagelijkse strijd om weer enige orde en regelmaat
in hun bestaan te brengen, sloeg weer eens meedogenloos toe.

Ze schudde haar hoofd en zuchtte. Wat had Paul Chaney hier
te zoeken? Wat voor spel speelde hij? Hoe kwam hij erbij dat het
geen ongeluk was, terwijl zij zeker wist dat het wel zo was?

Natuurlijk, Chaney wist niets van haar contacten bij de CIA –
daar had ze ook nooit iets over gezegd. Hij kon dus ook niet weten dat niet alleen de ambassade, maar ook de CIA onderzoek
had gedaan naar de toedracht van het ongeluk – al was het alleen
maar om uit te sluiten dat er sprake was van opzet. Ze had zich er

zelf niet mee bemoeid; ze had haar tijd voornamelijk doorgebracht in het ziekenhuis. Maar ze had het volste vertrouwen gehad in degene die het onderzoek uitvoerde. Toen het onderzoek uiteindelijk uitwees dat het inderdaad een ongeluk was geweest, had ze zich daar dan ook zonder meer bij neergelegd. Nee, dacht ze. Chaney had geen flauw benul waar hij het over had.

Ze leunde achterover en masseerde haar pijnlijke slapen. Toen ze op haar horloge keek en zag dat het tegen tienen liep, deed ze de televisie aan voor het journaal.

Even later verscheen de nieuwslezer van CBN in beeld, Bob Michaels, een goed uitziende, onopvallend geklede veertiger. Aan zijn linkerzijde zat Beverley Chin, die iets jonger was dan hij en minder behoudend gekleed. Ze keek meestal glimlachend in de camera, behalve wanneer ze haar tekst van het scherm las.

Ze openden met de laatste berichten over de gevolgen van de drievoudige bomaanslag die drie dagen ervoor had plaatsgevonden. In totaal waren er zevenenveertig doden gevallen bij de bommen die tegelijkertijd op Trafalgar Square in Londen, bij de Eiffeltoren in Parijs en bij het Vrijheidsbeeld in New York waren afgegaan – stuk voor stuk symbolen van nationale trots. Een uitermate goed doordachte en gecoördineerde aanslag, die onmiddellijk was opgeëist door tientallen groeperingen. Niettemin was men er intussen in geslaagd om het aantal potentiële verdachten terug te brengen tot drie: één fundamentalistische religieuze groepering en twee zogenaamde 'bevrijdingsfronten'.

Mariah volgde het item met grote belangstelling. Na de val van het IJzeren Gordijn concentreerden haar werkzaamheden zich op andere gebieden. Op het moment was ze bezig met het schrijven van een rapport over de connecties tussen de internationale wapenhandel en terroristische groeperingen. Ze dacht een nieuwe wapenleverancier te hebben ontdekt die contacten met Libië scheen te hebben. Hoewel vooralsnog niets erop wees dat deze connectie iets te maken had met de recente aanslagen, volgde ze alle informatie hierover nauwlettend. Zo'n goed gecoördineerd project kon immers onmogelijk een eenmansactie zijn.

Tot haar teleurstelling kreeg ze niets te horen wat ze niet al wist.

'Er mag dan wel een einde zijn gekomen aan de koude oorlog,' vervolgde Bob Michaels, 'maar dat geldt niet voor de problemen waarmee de voormalige Sovjet-Unie te kampen heeft. Zo waren er vandaag opnieuw relletjes in Moskou. De winter komt eraan, en er dreigt een ernstig voedseltekort in het land. Als de situatie nog meer verslechtert, is het niet ondenkbaar dat iemand op het idee komt om 's lands nucleaire arsenaal in de verkoop te doen, meent onze correspondent Paul Chaney.'

Mariah ging met bonzend hart op het puntje van de bank zitten toen Paul Chaney in beeld verscheen – in overhemd met das en jasje in plaats van dat eeuwige leren jack van hem, een concessie die hij alleen deed wanneer hij voor de camera moest verschijnen. Hij stond voor het gebouw van het Ministerie van Buitenlandse Zaken.

Een opname, dacht Mariah onmiddellijk. De reportage moest eerder op de dag zijn gemaakt.

'Toen er een einde aan de koude oorlog kwam, besloten de regeringen van Amerika en Rusland gezamenlijk om hun nucleaire wapenarsenaal drastisch in te perken. Er werd in beide landen flink in het defensiebudget gesneden; het geld waarop de instituten voor nucleair onderzoek decennialang konden rekenen, ging nu naar andere, maatschappelijk relevantere doeleinden, en duizenden wetenschappers kwamen opeens op straat te staan. Er zijn echter duistere elementen die grote interesse hebben voor afgedankte wapens én voor de experts die ze hebben ontworpen. Het IAEA, het Internationaal Atoomenergie Agentschap, in Wenen pleit voor grotere bevoegdheden bij de inspectie van opslagplaatsen voor kernwapens, wil men ervan verzekerd zijn dat de wapens ook daadwerkelijk vernietigd zijn. Het IAEA heeft ook voorgesteld om kernfysici te verplichten zich te laten registreren om te voorkomen dat deze superspecialisten hun kennis ter beschikking zullen stellen aan de hoogste bieder. Ik interviewde een woordvoerder van het Ministerie van Buitenlandse Zaken en vroeg hem waarom de regering de voorstellen van het IAEA niet onmiddellijk heeft gesteund.'

De woordvoerder, een oudere man met witte haren en een krijtstreepjespak aan, zat met gevouwen handen achter zijn bureau. 'William Hoskmeyer, hoofd Nucleaire Zaken van het ministerie van Buitenlandse Zaken' verscheen er kort onder in beeld. Mariah kende de man van nabij – een ongelofelijke blaaskaak en zo dom als het achtereind van een varken.

Hoskmeyer: 'Het is een kwestie van gelijk oversteken. Als wij erop aandringen dat de Russen hun opslagplaatsen en onderzoeksinstituten onbeperkt openstellen voor controle door buitenstaanders, dan zullen zij dat op hun beurt natuurlijk ook van ons eisen. Daar voelen we niet zoveel voor, zoals u zeker zult begrijpen. We kunnen toch niet zomaar Jan en alleman een kijkje in onze keuken laten nemen?'

Chaney: 'Maar hoe kunnen we er dan zeker van zijn dat de Russen zich werkelijk aan hun woord houden en dat ze hun wapens en hun expertise niet toch duur verkopen aan de eerste de beste gek of terroristische organisatie?'

Hoskmeyer: 'Hoor eens, we kunnen er gevoeglijk van uitgaan dat de andere partij zich gewoon aan zijn afspraken houdt. De regering in Moskou is net zo gebrand op het uitbannen van kernwapens als wij. We hebben het volste vertrouwen in hun intenties. Maar het spreekt vanzelf dat we de boel wel een beetje in de gaten moeten houden.'

Weer verscheen het beeld van Chaney met op de achtergrond het gebouw van Buitenlandse Zaken. 'In Washington mag men zich dan geen zorgen maken, het IAEA ziet tekenen die erop wijzen dat er internationaal grote belangstelling bestaat voor Russische atoomwapens. Enkele van de potentiële kopers zijn bereid om flink wat neer te tellen voor zowel de wapens als de ontwikkelaars ervan. Als men doof blijft voor de waarschuwingen van het IAEA, dan zou het best wel eens zo kunnen zijn dat we straks met heimwee terugdenken aan de koude oorlog, toen alleen Moskou en Washington beschikten over wapentuig waarmee ze de wereld in één klap konden vernietigen. Dit was Paul Chaney voor CBN vanuit Washington.'

In de rest van het nieuws was Mariah niet meer geïnteresseerd. Ze zette de televisie af en staarde half verdoofd naar het donkere scherm.

David was indertijd verbonden geweest aan het IAEA in Wenen; hij behoorde ook tot de groep die er bij de internationale gemeenschap op aan had gedrongen om het IAEA meer macht toe te kennen teneinde de verspreiding van kernwapens en de kennis daarvan op een doeltreffende manier tegen te gaan. Dat wist Paul Chaney ook.

Wat hij niet wist, was dat het Mariah – en niet David – was geweest die aan de bel had getrokken over de illegale handel in Russische kernwapens. Als het ongeluk in Wenen een poging was geweest om iemand voorgoed het zwijgen op te leggen, dan zou zij het doelwit zijn geweest.

'Maar dat was niet zo,' fluisterde Mariah voor zich heen. 'Verdomme, Chaney. Anders zou ik dat toch wel weten!'

<hr />

Niemand kon weten dat de vijf mannen die aan het tafeltje in de hoek zaten ten dode opgeschreven waren.

Ze zaten in de Trinity Bar, waar 'Elke Avond Live Country Music' was – ergens in een buitenwijk van Taos, New Mexico. Het was bomvol in de rokerige kroeg; er waren voornamelijk stamgasten, van wie de meesten gekleed waren in stoffige jeans en laarzen en die zonder uitzondering een Stetson op hun hoofd droegen. 'Ruby, don't take your love to town,' kweelde de zanger naast de bar.

Tussen de gebruinde, bezwete gezichten vielen de drie bleke Russen wel een beetje op; hun duidelijk nieuw aangeschafte spijkerbroeken en witte cowboyhoeden gaven hun zelfs iets kolderieks. Bij hen vergeleken zagen de twee Amerikanen in hun gezelschap er gewoontjes uit in hun slobberige corduroy broeken, hun gekreukte overhemden en hun donzen ski-jacks. De jongste van de twee, die even in de dertig was, had een bril op die provisorisch gerepareerd was met een stuk plakband. De andere Amerikaan, een vijftiger met grijs haar, had een permanent vermoeide uitdrukking op zijn gezicht.

Wie zich zou hebben afgevraagd wat deze heren bij elkaar had gebracht, hoefde alleen maar een blik te werpen op de vijf zwartleren attachékoffertjes die onder tafel stonden: LOS ALAMOS NATIONAL LABORATORY stond erop in kleine, goudkleurige lettertjes. In hun necrologieën zou worden vermeld dat deze eertijds gezworen vijanden helaas waren omgekomen op het moment dat ze hadden besloten hun gezamenlijke kennis in dienst te stellen van de hele mensheid.

Een vermoeid uitziende serveerster met geblondeerde haren kwam hun bestelling brengen en de lege glazen van het vorige rondje ophalen. Vijf paar ogen staarden gebiologeerd naar de bovenkant van haar laag uitgesneden blouse.

'Vijf bier en vier wodka puur was het toch, heren?' zei ze met stemverheffing.

'Het is toch wel Russische wodka, hè?' vroeg een van de Russen zonder zijn blik van haar decolleté af te wenden.

De serveerster sloeg haar ogen ten hemel en knikte. 'Ja, natuurlijk. Het is Smirnoff; hele goede, echte Russische wodka.'

De twee Amerikanen keken elkaar geamuseerd aan.

'Vierentwintig vijftig wordt het dan.'

Larry Kingman legde een biljet van twintig dollar en een van tien op het dienblad. Evenals bij de twee vorige rondjes gebaarde hij dat ze het wisselgeld kon houden.

'Goh, bedankt zeg. Hartstikke bedankt,' zei ze, hem een warme glimlach schenkend. Geen onaardige man, dacht ze, ook al was hij oud. 'Nou, als jullie nog wat willen bestellen, dan roep je maar, hè?'

Kingman knikte. Toen pakte hij een van de glazen wodka. Hij hief het glas en keek zijn collega's een voor een aan. 'Op de toekomst, heren,' zei hij. 'En op de wetenschap.'

De drie Russen namen ook ieder een wodka. '*Na zdorovje*,' zeiden ze in koor, waarna ze de inhoud van hun glas in één teug naar binnen sloegen, hun glas vervolgens met een klap weer op tafel zetten en meteen naar hun biertje grepen.

Kingman stootte zijn jongere landgenoot aan. Scott Bowker fronste zijn wenkbrauwen en pakte met zichtbare tegenzin het glas bier dat voor zijn neus stond. Hij bracht het naar zijn lippen en zette het meteen weer neer.

Kingman schudde meewarig het hoofd. 'Wat heb je opeens?'

Bowker keek naar de Russen en wierp toen een blik om zich heen. 'We moesten maar niet te veel drinken.'

'Maak je maar geen zorgen, Scotty.' Kingman glimlachte en

zakte onderuit in zijn stoel. 'Jij mag terugrijden, goed? Toe, ontspan je nu eens een beetje en geniet ervan.'

De Rus die links van Bowker zat, sloeg grijnzend een arm om diens schouders. 'Larry heeft gelijk. Geniet er nou een beetje van. De koude oorlog is voorbij en we hebben allemaal gewonnen. We strijden nu voor een gemeenschappelijk doel. Proost, jongen!'

Zijn twee landgenoten knikten instemmend. Scott Bowker wierp echter ostentatief een blik op zijn horloge en keek vervolgens naar Kingman.

'Je hebt gelijk,' beaamde de oudere man. 'Het is al laat. We moesten er maar eens een eind aan breien. Morgen is een belangrijke dag.'

Het gezelschap dronk zijn glazen leeg, pakte zijn koffertjes en stond op. Kingman strekte met een pijnlijk vertrokken gezicht zijn knieën. Na drie dagen lang gastheer voor de buitenlandse bezoekers te hebben gespeeld, had hij het gevoel dat hij geen benen meer overhad. In het voorbijgaan knikte hij de serveerster vriendelijk toe.

Ze stak haar hand op. 'Kom gauw nog eens langs!' riep ze hem achterna.

Op het tjokvolle parkeerterrein stonden een paar motorfietsen en verder voornamelijk oude, stoffige auto's, waaronder enkele pick-ups. 'New Mexico – Land of Enchantment' stond er op de gele nummerplaten. Onderweg naar zijn wagen wierp Kingman Bowker de autosleuteltjes toe. Bowker kroop achter het stuur met Kingman naast zich; de drie Russen namen achterin plaats.

Even later reden ze de NM 68 op, de verbindingsweg tussen Taos en Los Alamos. Niemand scheen behoefte te hebben om te praten.

Volgens de Pueblo-indianen zouden de hoogvlakten van New Mexico worden bevolkt door de geesten van hun voorvaderen. Je zou het bijna gaan geloven, want het licht van de maan, dat zo nu en dan door de wolken heen brak, gaf het doodstille, met sneeuw bedekte landschap bepaald iets spookachtigs.

De weg volgde de kronkelige loop van de snelstromende Rio Grande. In de verte waren de koplampen van een tegemoetkomende auto te zien. Het was al over twaalven, en er was verder nauwelijks verkeer op de weg.

Kingman draaide zich om. De twee passagiers op de achterste bank waren bezig in slaap te vallen. Sokolov, die op de middelste bank zat, was klaarwakker en hield zijn blik permanent op de weg gericht. Hij maakte ook niet de indruk dat hij behoorlijk wat gedronken had.

Sokolov was al in de vijftig. Hij werd algemeen beschouwd als een van de briljantste kernfysici van zijn tijd. Tot voor kort was zijn reputatie in het Westen natuurlijk uitsluitend gebaseerd geweest op door middel van spionage verkregen informatie. Hij had nog nooit eerder een voet buiten de Sovjet-Unie gezet of daarbuiten gepubliceerd.

Hij keek even naar Kingman, richtte toen zijn blik weer op de weg en staarde naar de sneeuw in het licht van de koplampen. Dromend van Moskou misschien, dacht Kingman. Al die jaren hadden ze, gedicteerd door de politiek, elkaar beschouwd als vijanden, terwijl ze in feite intellectuele bloedbroeders waren. Kingman had niet veel op met politiek, en al helemaal niets met politici. Voor hem bestond er maar één waarheid: de wetenschap.

De koplampen van de tegemoetkomende wagen bleken toe te behoren aan een tankwagen met dertigduizend liter loodvrije benzine die met een snelheid van honderd kilometer per uur op hen in reed.

De klap was tot in Taos te horen. Er volgde een enorme steekvlam die ruim vijfentwintig meter de lucht in schoot. De intense hitte van het vuur verzengde alles wat zich in de directe nabijheid ervan bevond. Zelfs het asfalt stond binnen luttele seconden in brand.

Zes minuten na het ongeluk kwam er een auto langs. De bestuurder zag vrijwel meteen dat hij niets kon doen en maakte rechtsomkeert naar Taos. Vanuit de Trinity Bar waarschuwde hij brandweer en politie. Tegen de tijd dat die ter plekke waren, bleek er weinig anders meer te doen dan te proberen het vuur de baas te worden. Het duurde drie uur voor het onder controle was.

Hoewel de weg werd afgesloten, stroomden de volgende dag de onvermijdelijke sensatiezoekers in groten getale toe. Er viel echter weinig meer te zien dan een smeulende hoop stof met stukken zwartgeblakerd, verwrongen staal. Wonderlijk genoeg werd een van de nummerplaten van de personenauto onbeschadigd teruggevonden, wat het gemakkelijk maakte om de eigenaar ervan te traceren.

De auto bleek eigendom te zijn van een zekere doctor Larry Kingman, adjunct-directeur van het Los Alamos National Laboratory, die in het kader van het nucleaire samenwerkingsverdrag met Rusland enkele Russische atoomgeleerden op bezoek had. Iemand in Los Alamos wist te vertellen dat Kingman en zijn gasten die avond bij een diner in het Hilltop House Hotel aanwezig waren geweest en dat hij na afloop daarvan met een heel stel nog ergens wat was gaan drinken.

De politie sprak met een serveerster van de Trinity Bar die zich Kingman en zijn gezelschap herinnerde. Ze waren met zijn vijven geweest, waaronder drie Russen, dat wist ze zeker. Het kon ook niet missen, voegde ze eraan toe; ze vielen nogal op door de spiksplinternieuwe kleren die ze droegen. Het gezelschap had een paar uur lang behoorlijk zitten drinken, maar nee, ze maakten bij het weggaan geen van allen de indruk bezopen of zelfs maar aangeschoten te zijn. Wat vreselijk om te horen dat ze waren omgekomen. En die oudere Amerikaan was nog wel zo'n aardige vent.

Tijdens het daaropvolgende onderzoek bleek de federale overheid geïnteresseerd in de overblijfselen van de inzittenden. De lijkschouwer meende echter dat wat er nog van het asfalt te schrapen viel hoofdzakelijk de restanten van de auto zouden blijken te zijn. Bij zo'n intense hitte zou er niet erg veel van de lichamen over.

De federale ambtenaren bleven niettemin aandringen. Ze kregen uiteindelijk hun zin. In New Mexico wist iedereen dat je met deze heren maar beter niet in discussie kon treden. Hun rol in dit gedeelte van het land was nogal schimmig. Tijdens de Tweede Wereldoorlog werden hier in het diepste geheim door een groep atoomgeleerden van het Manhattan Project de eerste atoomproeven gedaan onder de codenaam Trinity. Deze proeven zouden uiteindelijk uitmonden in de vervaardiging van de atoombommen waarmee Hiroshima en Nagasaki van de kaart werden geveegd, hetgeen weer leidde tot de capitulatie van Japan.

Als de federale overheid met alle geweld een berg bij elkaar geveegd as en verwrongen staal wilde hebben, zo besloot men, dan kon ze die krijgen.

4

~~~

Toen Mariah de volgende ochtend vroeg het kantoor van haar baas betrad om haar laatste bevindingen door te nemen, was de secretaresse nog niet gearriveerd. Frank Tucker zelf was er al wel. Hij stond half naar het raam toegekeerd te telefoneren en gebaarde Mariah, zodra hij haar aarzelend in de deuropening zag staan, verder te komen. Hij stak één vinger in de lucht ten teken dat hij zo klaar zou zijn.

Ze ging op een punt van zijn bureau zitten en bekeek intussen de ingelijste foto's van zijn kinderen en zijn kleinzoon. Er viel altijd heel wat af te leiden uit de foto's die iemand op zijn bureau had staan, dacht ze, de trouwfoto van Franks dochter Carol en haar man Michael bestuderend. Vier jaar geleden waren ze getrouwd, een paar weken voordat David en zij naar Wenen zouden vertrekken. Ze glimlachte onwillekeurig. Het stralende gezicht waarmee Frank zijn dochter naar het altaar had begeleid, zou ze niet gauw vergeten. Het zou helemaal perfect zijn geweest, zo had hij haar naderhand toevertrouwd, als zijn vrouw het nog had mogen meemaken.

Naast de trouwfoto van Carol en Michael prijkte een babyfoto van hun inmiddels acht maanden oude zoontje Alex – 'ons kuitenbijtertje', zoals Frank hem brommerig maar o zo trots noemde. Ze zette het fotolijstje terug op zijn plaats en bekeek de derde en laatste foto, een van Carols tweelingbroer Stephen, gemaakt tijdens de diploma-uitreiking van de middelbare school – zo'n jaar of tien terug alweer.

De kinderen waren twee toen er leukemie bij Joanne, hun moeder, was geconstateerd. Ze was gestorven toen ze vijftien waren. Carol had daarna bijna als vanzelfsprekend de moederrol op zich genomen, maar Stephen had het moeilijk gehad en zijn woede en verdriet afgereageerd op zijn vader.

Het was geen gemakkelijke tijd voor hen geweest, herinnerde Mariah zich. Misschien was het hoe dan ook wel tot grote conflicten gekomen tussen vader en zoon, want waar het koppigheid betrof deden ze nauwelijks voor elkaar onder. Na verloop van tijd had Stephen toch zijn draai gevonden. Hij was inmiddels achtentwintig en was werkzaam als computerspecialist bij de CIA. Maar ondanks het feit dat hij bij dezelfde werkgever als zijn vader terecht was gekomen, boterde het nog altijd niet tussen die twee.

'Zo,' zei Frank, zodra hij de telefoon had neergelegd. 'Vertel eens, wat heb je voor me?'

Ze liet zich van het bureau glijden. 'Ik wilde even de laatste versie met je doornemen.' Ze nam plaats in een stoel tegenover hem. 'Ik snap alleen niet dat we hiermee onze tijd zitten te verdoen, Frank.'

'Hoe bedoel je?'

'Waarom zitten we achter idiote Ieren, Libiërs, Iraniërs en de hemel mag weten wie aan? Waarom moeten wij dat doen? Wij zijn sovjetspecialisten.'

'De tijden veranderen. De Sovjet-Unie bestaat niet meer, Mariah.'

'Nee, maar daarmee zijn de nucleaire wapens de wereld nog niet uit. Ik begrijp niet waarom ze jou niet hebben aangesteld als hoofd van het nieuwe non-proliferatieproject. Dat zou toch voor de hand hebben gelegen? Ik zou me daar trouwens ook veel meer thuis hebben gevoeld.'

'Beschouw het maar als een kans om je horizon te verruimen. Zoiets is alleen maar goed voor je carrière; het zou je later nog wel eens van pas kunnen komen. Vooruit,' vervolgde hij kwiek, 'laten we maar eens een blik op dat rapport werpen. Ik had net de zevende verdieping aan de lijn. De baas heeft te kennen gegeven het dit weekend door te willen nemen, dus laten we dit varkentje maar even snel wassen.'

'Zoveel hoeft er anders niet meer aan te gebeuren, denk ik.'

Frank knikte. Ze wist dat hij daar in feite al van uit was gegaan. Hij had het volste vertrouwen in haar; hij was ook degene die haar indertijd had benaderd om bij de CIA te komen, en in de zestien jaar dat ze er inmiddels werkte had hij min of meer gefungeerd als mentor.

In de tijd dat ze bezig was aan haar afstudeerscriptie had hij haar benaderd – een man met een indrukwekkend postuur, zwarte, borstelige wenkbrauwen, en een schedel zo glad als een biljartbal. Jaren later pas, toen ze samen het glas hieven ter gelegenheid van de afsluiting van een lastig dossier, had ze hem gevraagd of hij zijn hoofd bewust kaalschoor. Dat bleek inderdaad het geval.

Ze zou een gouden toekomst tegemoet gaan als ze bij hem kwam werken, had hij gezegd. De CIA had grote behoefte aan mensen als zij. In eerste instantie had ze ervan opgekeken; bij nader inzien had ze zich bijna beledigd gevoeld. Het was ook halverwege de jaren zeventig geweest; de Vietnamoorlog was ten einde en begrippen als 'Love, Peace en Good Vibrations' stonden centraal. De CIA stond, en dat was dan nog zacht uitgedrukt, in een slechte reuk – met name onder de studenten van Berkeley.

Ze had niet goed geweten wat ze van zijn voorstel moest denken. Goed, ze mocht zich dan wel jarenlang bezig hebben gehouden met de Sovjet-Unie en ze beschouwde spionage dan ook als iets noodzakelijks, maar om nu ook daadwerkelijk voor de CIA te gaan werken...

Daar kwam bij dat ze juist had besloten met David naar Los Alamos te gaan, dus ze had Tuckers aanbod, hoe aantrekkelijk het ook klonk, niet aangenomen. Zes maanden later had ze David en New Mexico verlaten en zich alsnog bij de CIA aangemeld.

Ze had een interne opleiding gekregen en was komen werken onder Frank Tucker, hoofd van de sectie Sovjet-Unie. Van het feit dat hij de reputatie had zijn medewerkers rauw te lusten kon ze niet wakker liggen.

Het verhaal ging dat geen secretaresse het langer dan een

week bij hem uithield, tot Patricia Bonelli ten tonele was verschenen, een vrouw uit New Jersey met het vocabulaire van een vrachtwagenchauffeur. De eerste de beste dag al had ze slaande ruzie met Frank gekregen, die, toen hij tot de ontdekking kwam dat zijn nieuwe secretaresse een vrouwelijke versie van Djengis Khan was, het hoofd voor haar had gebogen en in lachen was uitgebarsten – tot verbijstering van de rest van de afdeling, die al begon te vrezen dat de woordenwisseling zou eindigen in een bloedbad.

Dat was twintig jaar geleden, en Patty werkte er nog steeds. Toen Mariah op de afdeling was komen werken, was zij het die haar een spoedcursus 'Omgaan met Frank Tucker' gaf. In feite kwam het hierop neer, had ze uitgelegd: toon geen angst, verontschuldig je niet, en verknal de boel nooit, maar dan ook nooit. Dat bleek Mariah op het lijf geschreven. Sindsdien had ze, op een paar onderbrekingen na, voornamelijk met Frank Tucker samengewerkt.

'Gaat het eigenlijk wel goed met je, Mariah? Je ziet eruit als een wandelend lijk.'

Ze keek op van de papieren die voor hen lagen. Frank Tucker was niet bepaald de meest gevoelige of tactvolle man ter wereld, dus als hij zei dat ze eruitzag als een wandelend lijk, dan zag ze er waarschijnlijk ook echt beroerd uit.

'Het gaat. Een beetje slecht geslapen vannacht.' Ze aarzelde, niet goed wetend of ze nu wel of niet over Paul Chaney en zijn beweringen zou beginnen. Ze zag ervan af. Tijdens het onderzoek naar de ware toedracht van het ongeluk hadden ze het daar immers al uit en te na over gehad, en ze wist van tevoren hoe Frank zou reageren. Ze wist ook wie ze kon vertrouwen, en dat was in geen geval Paul Chaney. Niet meer aan denken, maande ze zichzelf. Laat zitten. 'Waar waren we ook alweer gebleven?' vroeg ze in plaats daarvan.

'De mogelijke connectie met Libië.'

'O, ja.' Ze sloeg een bladzij om. 'Onze agent in Tripoli maakte melding van een lading wapens die naar Madeira zou zijn verscheept.'

'En? Hebben de satellietjongens dat al kunnen bevestigen?' vroeg hij.

47

Ze knikte. 'Ik ben er gisteren even binnen gelopen. Drie weken geleden is er inderdaad een schip uit Tripoli vertrokken met bestemming Madeira. Het stond op naam van de Libische staat. Op de foto's is duidelijk een aantal kisten te onderscheiden met 'Tomaten' op het etiket, maar Libië staat niet bepaald bekend als een land dat groenten exporteert. Het interessante is bovendien dat die lading tomaten wel erg zwaar bewaakt werd.'

'En wat is er met die kisten tomaten gebeurd na aankomst in Madeira?'

'Die foto's bleken niet zo duidelijk als die uit Tripoli, maar toch is goed te zien dat een gedeelte van de lading, te weten de kisten met 'tomaten', werd overgeladen op een ander, kleiner schip, dat vervolgens koers zette naar Le Havre.'

'Nogal een omweg voor zulke bederfelijke waar, zou je zeggen. Maar als je eenmaal in Le Havre bent, liggen Londen en Parijs praktisch om de hoek. Oftewel: dit zouden wel eens de jongens kunnen zijn die de explosieven hebben geleverd voor de recente aanslagen op Trafalgar Square en de Eiffeltoren.'

'Zeker,' gaf ze toe. 'Behalve dat de kisten niet aan boord werden aangetroffen toen het schip aanlegde in Le Havre. Op ons verzoek heeft Parijs de douane verzocht het schip extra te controleren, maar ze troffen niets clandestiens aan.'

'Zouden ze onderweg soms nog andere havens hebben aangedaan?'

Ze schudde haar hoofd. 'We denken van niet, maar ja, er liggen honderden kilometers open zee tussen de twee havens, en ze hebben het schip natuurlijk niet dag en nacht in het oog kunnen houden. Het NSA heeft wel de communicatielijnen afgetapt, maar dat heeft niets opgeleverd.'

'Ze kunnen natuurlijk in volle zee hebben overgeladen op een ander schip.' Hij tikte met zijn pen op zijn knie.

Ze knikte.

'Wie is de eigenaar van dat schip uit Madeira?'

'Het vaart onder Libische vlag, maar het is van Niarchos Transport,' antwoordde ze.

'Hm. Grieks, dus.'

'Had je gedacht! Luister, nu wordt het pas echt interessant,' zei ze. 'Niarchos is vorig jaar namelijk opgekocht door een rederij met de naam Triton Transport, dat weer onderdeel uitmaakt van een bedrijf genaamd Ramsey Investments.'

'Krijg nou wat! Wat een ingewikkelde toestand, zeg. Het zal nog een klus worden om uit te zoeken hoe het in elkaar zit, vrees ik.'

'Inderdaad,' merkte ze droogjes op. 'Dat lijkt me ook juist de bedoeling van deze constructie. Is het je wel bekend dat Angus Ramsey McCord Industries achter Ramsey Investments zit?'

Frank zakte achterover in zijn stoel en floot zacht. 'Goedemorgen! Nou, daar zullen ze boven blij mee zijn, zeg – de beste vriend van de president blijkt terroristen van wapens te voorzien!' Hij sloeg zijn ogen ten hemel en keek haar aan. 'Daar zullen ze niet aan willen, kind. Geef me liever iets wat ze wel zullen slikken.'

Ze keek hem stomverbaasd aan. 'Je draagt me nu toch niet op om dit gewoon maar in de doofpot te stoppen, hè?'

'Nee, dat doe ik helemaal niet. Maar ik wil geen overhaaste conclusies trekken op grond van één verdachte lading tomaten aan boord van een schip dat in de verte eigendom is van de rijkste man en tevens grootste filantroop van het land.'

Nu was het haar beurt om haar ogen ten hemel te slaan.

'Ik weet het, ik weet het,' bromde Frank. 'Daar geloof ik natuurlijk ook geen bal van. Niettemin raad ik je dringend aan om uitermate voorzichtig om te gaan met deze informatie, wil je de rest van je werkende leven niet doorbrengen met het tellen van schaapherders in Ulan Bator. Als we McCord in verband willen brengen met geheime wapenleveranties, dan moeten we met heel wat meer bewijs op de proppen komen dan dit,' voegde hij eraan toe. 'En in dat geval zal ik geen moment aarzelen om het aan de grote klok te hangen. Maar voor het zover is, geen woord hierover, Mariah.'

༄

Kort na de landing op de luchthaven van Fargo in North Dakota kwam de zakenjet van McCord Industries bij de terminal tot stilstand. De piloot zette de motoren af, en Dieter Pflanz tuurde uit het raampje naar de wachtende menigte. Hij fronste zijn wenkbrauwen en keek vervolgens zijn baas, die tegenover hem zat, aan.

Gus McCord trok een lang gezicht toen hij naar buiten keek en de zwarte limousine zag staan en de rij auto's erachter. 'O nee, hè,' klaagde hij, zich half omdraaiend naar zijn assistent. 'Allemachtig, Jerry, ik had nog zo gezegd dat ik geen toestanden wilde. Wat vervelend nou.'

Jerry Siddon maakte zijn veiligheidsgordel los en stond op. 'Ik weet het, Gus.' Hij grijnsde schaapachtig en kamde met zijn hand door zijn haren. 'Ik heb het geprobeerd...'

'Blijkbaar niet hard genoeg,' bromde McCord. 'Straks gaan de mensen nog denken dat ik het hoog in mijn bol heb.'

'Welnee, schat.' Nancy McCord was ook opgestaan. Glimlachend gaf ze haar echtgenoot een geruststellend klopje op zijn arm. 'Ze weten best dat dat niets voor jou is. De mensen zijn gewoon trots op je, dat is het. Ze zijn je dankbaar voor alles wat je voor je geboorteplaats hebt gedaan. Geef ze nou een keer de kans om je een beetje in de watten te leggen.'

Gus leek niet erg overtuigd. Hij stond op, streek zijn broek glad en deed zijn marineblauwe jasje dicht; een gewoon confectiejasje, terwijl hij toch multimiljardair was. Zo droeg hij ook uitsluitend witte overhemden en onopvallende, ronduit saaie dassen. Hij mocht dan wel al eenenzestig zijn, maar hij zag er nog goed uit; zeventig kilo schoon aan de haak, terwijl hij één meter achtenzestig lang was – of één meter drieënzeventig, als hij zijn speciale schoenen droeg. Hij had opgeschoren grijze haren en kleine, bruine, priemende ogen.

De jonge steward stond klaar met een jas van zwart sabelbont. Nancy keek door het raampje naar de wachtende menigte die wind en sneeuw trotseerde. 'Nee, Miguel,' zei ze hoofdschuddend. 'Geef me die donkerblauwe wollen jas maar.'

Miguel draaide zich om om even later terug te keren met het gevraagde kledingstuk, dat Gus van hem overnam.

'Wat voel je dat toch altijd goed aan,' zei hij, haar in haar jas helpend. Ze draaide haar hoofd en wierp hem een liefdevolle blik toe.

Negentien en eenentwintig waren ze toen ze trouwden. Boze tongen beweerden dat Angus McCord Nancy Patterson het hof had gemaakt om in de gunst te komen bij haar vader, een zakenman uit Californië die tijdens de Tweede Wereldoorlog veel geld had verdiend met het verkopen van onderdelen aan de marine-scheepswerf in Long Beach. Angus was net uit dienst toen hij kennis had gemaakt met de grootindustrieel. Het leed geen twijfel dat het hebben van een schoonvader als Robert Patterson hem geen windeieren had gelegd, maar zijn liefde voor Nancy was echt, en ook nu, na vier kinderen en vijf kleinkinderen, nog steeds niet verminderd.

De steward hielp de overige passagiers in hun jassen en haastte zich toen om de deur voor hen open te doen. Een felle, koude windvlaag sloeg hen in het gezicht, en Gus deed zijn donzen parka dicht. Jerry Siddon zette huiverend de kraag van zijn jas omhoog. Pflanz, die eveneens een gevoerde parka droeg, grijnsde niet zonder leedvermaak naar McCords persoonlijke assistent. Siddon kwam uit Los Angeles en vond het 's winters bepaald geen lolletje om zijn baas te moeten vergezellen op zijn reizen door het land.

McCord was vandaag naar Fargo gekomen voor de opening van de nieuwe afdeling Neonatologie van het ziekenhuis dat naar hem was genoemd. De bouw van het McCord General Hospital was ook geheel door hem gefinancierd, en het ziekenhuis stond bekend als een van de best geoutilleerde van het land.

Dieter Pflanz zette zijn zonnebril op en stapte als eerste het vliegtuig uit. Sinds de mislukte poging tot ontvoering een paar jaar geleden liet McCord zich op zijn aanraden voortaan door twee lijfwachten begeleiden – behalve wanneer hij zijn geboorteplaats bezocht. Vandaag waren de lijfwachten dus alvast doorgereisd naar Washington D.C., de uiteindelijke bestemming van het gezelschap. Zoals zo vaak was Pflanz ook deze keer meegereisd om onderweg van alles met McCord te bespreken, en in dit geval fungeerde hij tevens als lijfwacht. Zijn hand ging onwillekeurig naar de Smith & Wesson die hij in een schouderholster onder zijn jasje droeg. Hij verwachtte geen problemen, maar mochten die zich voordoen, dan was hij voorbereid.

Jerry Siddon gebaarde de vierde inzittende, de fotograaf van McCord Industries, als tweede naar buiten te gaan om het moment van McCords aankomst in Fargo op de gevoelige plaat vast te leggen. Het was Siddon geweest die met het idee was gekomen om voortaan fotoreportages te laten maken van dit soort informele aangelegenheden. De charismatische Gus McCord lag overal erg goed en was zo verstandig geweest om de deur naar een eventuele politieke loopbaan op een kier te zetten. De twee politieke partijen van het land deden dan ook onafgebroken pogingen om hem hun kamp binnen te halen, met de bedoeling hem naar voren te schuiven als toekomstige presidentskandidaat.

De fotograaf deed een snelle lichtmeting en nam enkele foto's van de notabelen van Fargo, die het gezelschap beneden stonden op te wachten. Pflanz liep het trapje af, intussen zijn ogen de kost gevend. Toen hij constateerde dat de kust veilig was, bleef hij onder aan de trap staan wachten en richtte zijn aandacht op het welkomstcomité. De mensen op de voorste rij hielden zich groot en glimlachten; de rest deed geen moeite om te verbergen dat ze last hadden van de ijzige kou.

Tussen de wachtende mensen, vlak bij de limousine, ontwaarde hij Fred Hansen, de burgemeester van Fargo, diens vrouw en twee hoge pieten van het ziekenhuis die meer dan eens het hoofdkantoor van McCord in Californië hadden bezocht. Verder was ook de plaatselijke pers aanwezig, zag hij.

McCords eigen fotograaf had zich bij de overige persjongens gevoegd tegen de tijd dat Gus en Nancy in de deuropening van het vliegtuig verschenen. Ze wuifden naar de wachtenden en daalden toen hand in hand het trapje af, net zoals de president en zijn vrouw. Jerry Siddon sloot de rij.

De burgemeester en zijn vrouw traden naar voren om het echtpaar McCord te verwelkomen. Gus schudde de burgervader hartelijk de hand en gaf hem een klap op zijn schouder. 'Hallo, Fred. Goed je te zien.' Hij wees naar de klaarstaande limousine. 'Verwacht je de koningin van Engeland soms?'

De burgemeester grinnikte. 'Nee, Gus. Die hebben we speciaal voor jou geregeld – voor de gelegenheid te leen gekregen van Vigan-Carlson.'

De plaatselijke begrafenisondernemer. Gus bulderde van het lachen. 'Ik ben anders nog springlevend, hoor – al heb ik dat niet aan jou te danken.' Hij wreef over zijn scheve neus.

Tijdens een schoolwedstrijd – inmiddels alweer vijfenveertig jaar geleden – had hij onbedoeld een slordig weggeworpen honkbalknuppel pal in het gezicht gekregen, en Fred Hansen was de schuldige. Van maskers en andere beschermende maatregelen had men in de eenvoudige boerengemeenschap waarin de twee jongens opgroeiden, nog nooit gehoord. Ze waren al blij dat ze een knuppel en een bal hadden.

'Ach, je had toen al een harde kop,' zei Hansen grijnzend. Hij knikte in de richting van Pflanz. 'Heb je die soms meegebracht voor het geval ik nog eens een poging zou wagen?'

'Welnee! Hij gaat altijd mee om Nancy's koffers te dragen. Ze kan nooit besluiten wat ze moet meenemen en daarom neemt ze voor alle zekerheid maar zoveel mogelijk mee.' Hij grinnikte plagend naar zijn vrouw, die hem op haar beurt een tik op zijn arm gaf.

'Wat kan hij soms toch vreselijk zijn! Hoe is het, Fred?' Ze begroette de burgemeester met een kus op de wang en omhelsde daarna zijn vrouw. 'En met jou, Stella? Fijn om jullie weer te zien. Wat een prachtige jas heb je daar aan, zeg.'

Stella Hansens zwaar opgemaakte gezicht lichtte op. 'Ja, vind je niet?' kirde ze. Ze deed een stap achteruit en streek vol trots over haar zilvervos. 'Van Fred gekregen. Het was eigenlijk bedoeld als kerstcadeautje, maar het leek hem nou zo leuk als ik hem al op de opening zou kunnen dragen.'

'Hij staat je geweldig. Hij zit ook vast erg lekker.'

'Heeft Gus jou dan nooit een bontjas cadeau gedaan?' vroeg Stella, een blik werpend op Nancy's eenvoudige wollen jas.

'In ieder geval nooit zo een als die van jou,' antwoordde Nancy naar waarheid.

Stella schonk haar man een triomfantelijke glimlach en keek Gus toen aan. 'Nou Gus, je weet dus wat je Nancy voor kerst moet geven. Dat je zelf nooit op het idee bent gekomen – schandalig gewoon!'

'Je hebt gelijk, Stel,' gaf Gus toe. 'Maar ja, wat wil je ook – ik ben maar een eenvoudige boerenzoon. Het komt gewoon niet in me op om Nancy zoiets cadeau te doen.'

Stella glimlachte nu van oor tot oor. Ook zij kende Gus Mc-Cord nog van vroeger. Hij was indertijd bevriend geweest met haar oudere broer. Ze had er nog spijt van dat ze destijds niet met hem naar het eindexamenfeest was gegaan en de voorkeur had gegeven aan John Lundquist, de stoere aanvoerder van het rugbyteam die zijn handen niet thuis kon houden. Slechts een paar maanden nadat ze verkering hadden gekregen, was het bericht gekomen dat hij in Korea gesneuveld was en was ze gedwongen geweest om te gaan logeren bij een tante in Minneapolis.

Maar ja, wie had kunnen weten dat die kleine Gus McCord het ooit zo ver zou schoppen? Hij was natuurlijk wel zo uitgekookt geweest om een meisje met geld aan de haak te slaan, dacht ze terwijl ze Gus' vrouw gadesloeg, die glimlachend de hand schudde van de mensen die Gus aan haar voorstelde. Een onopvallend, vrij saai meisje was ze vroeger, herinnerde Stella zich. Als haar ouders niet zo rijk waren geweest... Nancy was gaan al vroeg grijs worden en was inmiddels helemaal wit. Het stond eigenlijk niet eens zo slecht, moest Stella toegeven, vooral niet als je zulke heldere blauwe ogen had als zij. Ze was nog altijd slank – waarschijnlijk bezocht ze regelmatig zo'n beautyfarm waar de groten der aarde allemaal heen gingen om hun overtollige vet kwijt te raken.

Stella was maar wat blij dat ze een jas droeg die haar vormeloze figuur enigszins camoufleerde. Nee, dan vroeger. Vroeger had ze er beslist mogen zijn. Ze had een goddelijk lichaam gehad – dat had John gevonden, en Fred ook trouwens. Fred Hansen had vanaf het begin van de middelbare school achter haar aan gezeten. Toen ze na een verblijf van zes maanden was teruggekeerd uit Minneapolis en ze hem had verteld dat ze zijn aanzoek alsnog in overweging nam, had hij het bijna bestorven.

Nu was Fred burgemeester van Fargo. Nu werd ze samen met hem jaarlijks op de Onafhankelijkheidsdag in een open auto door de stad gereden, ontmoette ze belangrijke mensen en bezat ze een bontjas waar Nancy McCord jaloers op kon zijn. Zij en John reisden dan wel niet de wereld af met hun privé-jet, dacht ze bij zichzelf, maar ze mocht beslist niet mopperen.

Even later namen ze plaats in de limousine: Gus tussen haar en Nancy in, Fred tegenover hen op de uitgeklapte bank samen met Jerry Siddon. De fotograaf reed mee met de cameraploeg, en Dieter Pflanz ging voorin naast de chauffeur zitten, die hem begroette met een nerveuze glimlach.

Onderweg naar het ziekenhuis nam Fred het programma nog eens door. 'Bij aankomst straks heb je nog een halfuur de tijd om de nieuwe afdeling te bekijken,' zei hij tegen Gus. 'Daarna volgt de officiële opening met praatjes en het doorknippen van het lint en zo. Dan wordt jullie een lunch aangeboden in het hotel, en tegen tweeën brengen we jullie weer terug naar het vliegveld. Jerry vertelde me net dat jullie van plan zijn om vanmiddag nog door te vliegen naar Washington.'

Stella wist niet wat ze hoorde. 'Wat? Gaan jullie bij de president op bezoek? Goh, hoe is hij eigenlijk? Als persoon, bedoel ik.'

Gus haalde zijn schouders op. 'Een gewoon mens als ieder ander, Stel.'

Ze schudde ongelovig haar hoofd. 'Wat moet iemand als jij, iemand die overal ter wereld is geweest en gewend is om belangrijke mensen te ontmoeten, wel niet van ons kleine, eenvoudige Fargo denken, Gus?'

'Er is anders niets mis met een stadje waar de lucht schoon is en waar fatsoenlijke, aardige mensen wonen,' zei hij rustig.

Stralend keek ze hem aan.

Fred en Stella Hansen moesten eens weten, dacht Pflanz, die geamuseerd zat te luisteren naar de manier waarop McCord de burgemeester en zijn vrouw opvrijde. Dit soort evenementen maakte deel uit van een door Siddon bedachte, uitgekiende voorbereiding op de eerstvolgende presidentsverkiezingen. McCord had alles mee volgens de jonge assistent – hij had geld, charisma, een charmante echtgenote, een viertal aardige kinderen, vijf kleinkinderen om op te vreten, een levensgeschiedenis waar niets op aan te merken viel en de reputatie van een weldoener. Hij kon gewoon niet verliezen.

Mocht Gus McCord ook daadwerkelijk het Witte Huis bereiken, zo wist Pflanz, dan hoopte Siddon te worden aangesteld als diens rechterhand. Siddon was pas dertig, maar hij zat al vijf jaar bij McCord Industries, waar hij direct na de succesvolle afronding van een studie bedrijfskunde aan de Universiteit van Stanford terecht was gekomen.

Het waren echter zijn activiteiten binnen de American Families of Missing Vietnam Veterans, die McCords belangstelling hadden gewekt. Siddons vader was een van de Amerikaanse soldaten die spoorloos waren verdwenen tijdens de oorlog in Vietnam. Jerry was het jongste lid van de kleine groep afgevaardigden van de vereniging die begin jaren tachtig bij McCord aanklopte voor financiële en organisatorische hulp bij het zoeken naar in Vietnam verdwenen mannen die vermoedelijk nog in leven waren.

Met stilzwijgende steun van de CIA was kort daarop een opsporingsteam naar Vietnam gestuurd – een groep speurneuzen onder leiding van niemand minder dan Dieter Pflanz. Helaas hadden ze na verloop van tijd onverrichter zake moeten terugkeren.

Tijdens die eerste ontmoeting had de jonge Siddon grote indruk op McCord gemaakt. De multimiljardair had vervolgens zijn studie betaald en had hem een baan na zijn afstuderen beloofd. Siddon loste zijn schuld daarna af door keihard te werken en zich dag en nacht in te zetten voor de belangen van Gus McCord. Een van die belangen was het zorgvuldig opbouwen van het imago van een weldoener.

Wat Pflanz betrof was de nimmer aflatende reeks goede daden echter maar kinderspel vergeleken bij de belangen die werkelijk op het spel stonden.

'Wat zit je dwars, Mariah?' vroeg Frank onverwacht. 'Voor de dag ermee.'

Ze aarzelde. Ze had op het punt gestaan zijn kantoor te verlaten, maar bleef met haar hand op de deurknop staan. 'Heb je gisteravond naar het nieuws gekeken, Frank? Op CBN?'

Hij slaakte een diepe zucht en knikte. 'En ik had nog zo gehoopt dat het jou zou zijn ontgaan.'

'Nee, ik heb hem gezien – Paul Chaney. En niet alleen op de televisie.'

'Wat bedoel je?'

'Hij stond me gisteravond op te wachten toen ik bij David vandaan kwam.' Ze was naar de boekenkast gelopen en schoof zonder erbij na te denken de boeken keurig in het gelid. 'Er stond ook een berichtje van hem op mijn antwoordapparaat, en helaas draaide Lindsay net de band af...' Ze stond abrupt stil en staarde wanhopig naar het plafond. 'O, Frank. Het houdt maar niet op –'

'Ho, ho, ho. Rustig aan. Op deze manier word ik er geen haar wijzer van. Ga even zitten en vertel me nou eens rustig wat er precies gebeurd is.'

Ze bleef staan en trommelde zwijgend met haar vingers op een boekenplank. Toen draaide ze zich naar hem om, sloeg haar armen over elkaar en staarde naar de grond. 'Gisteravond ben ik bij David op bezoek geweest,' zei ze na een lange stilte. 'Toen ik weer naar buiten kwam, stond Paul Chaney ineens voor mijn neus. Hij was eerder die middag David gaan opzoeken en stond me op te wachten. Hij zei dat hij het met me wilde hebben over de ware toedracht van het ongeluk in Wenen – over degenen die dit David en Lindsay hebben aangedaan. Hij heeft ook geprobeerd om me thuis te bereiken en een bericht ingesproken op het antwoordapparaat, dat Lindsay bij thuiskomst altijd meteen afluistert. En 's avonds laat heb ik hem op het nieuws gezien.'

'Je kende hem nog uit Wenen?'

Ze knikte. 'Eigenlijk was hij meer bevriend met David. Ze zaten samen in hetzelfde ijshockeyteam, maar na afloop van de wedstrijden bleven we vaak met zijn allen hangen in het clubgebouw. Hij was er natuurlijk ook altijd wanneer er ergens een borrel of een feest werd gegeven – onvermoeibaar op jacht naar nieuwtjes en vrouwen,' voegde ze er droogjes aan toe. 'David en hij werden goede vrienden, en hij kwam dan ook wel eens bij ons langs. Maar ik moet je bekennen dat ik me nooit erg op mijn gemak voelde in zijn gezelschap. Hij behoort tot de categorie mannen die zichzelf beschouwt als een geschenk van God aan het vrouwelijke deel van de mensheid.'

Frank, die haar nauwlettend gadesloeg, grijnsde. 'Probeerde het met je aan te leggen zeker?'

Ze trok een grimas en knikte.

'Had hij al eens eerder contact met je opgenomen sinds jullie terug zijn uit Oostenrijk?'

Ze schudde haar hoofd. 'Hij is David in Wenen wel een paar keer in het ziekenhuis komen opzoeken, maar ik had hem al in geen maanden meer gezien.'

'Weet Chaney eigenlijk dat je bij de CIA zit?'

'Ik weet bijna zeker van niet. Ik heb hem er in ieder geval nooit iets over gezegd, en David ook niet – die was altijd een toonbeeld van discretie. Ik geloof ook niet dat iemand in Wenen er ooit achter is gekomen dat mijn baan bij de ambassade een dekmantel was. Chaney was altijd meer geïnteresseerd in Davids werk bij het IAEA. Hij deed ook geregeld een beroep op David wanneer hij iets moest schrijven over ontwapeningsvraagstukken. Hij wist ook dat David een voorvechter was van het toekennen van meer politieke macht aan het IAEA.'

'Heb je enig idee wat Chaney in zijn schild voert?'

Ze keek hem scherp aan. 'Goede vraag. Ik hoopte juist dat jij me dat kon vertellen.' Ze liep op hem toe, zette haar handen op het bureau en leunde naar voren. 'Frank,' zei ze, 'je hebt gezegd – nee, gezworen zelfs – dat het een ongeluk was. Je herinnert je vast nog wel dat ik, met twee van mijn dierbaren in het ziekenhuis, niet in de gelegenheid was om met mijn neus boven op het onderzoek te zitten. Jij beloofde me toen dat de onderste steen boven gehaald zou worden.'

'Dat is ook gebeurd.' Hij sloeg zijn enorme vuisten tegen elkaar en staarde er een ogenblik naar. Toen keek hij haar aan. 'Verdomme, Mariah,' zei hij zacht. 'Denk je nu echt dat die gebeurtenis me koud liet? Ik voelde me persoonlijk verantwoordelijk. Ik had jou erbij gehaald, ik had ervoor gezorgd dat jij die opdracht in Wenen toebedeeld kreeg. Ik vind het verschrikkelijk dat het allemaal zo gelopen is.'

Bij het zien van zoveel zelfverwijt in zijn ogen kreeg ze met hem te doen. Ze pakte zijn hand en kneep erin. 'Het was niet jouw schuld, Frank, dat weet ik. Maar door Chaney begin ik me opeens weer af te vragen...'

Ze liet zich in een stoel zakken en staarde naar de vloer. 'Het was gewoon stom toeval dat David en niet ik achter het stuur zat die ochtend. Hij ging normaal gesproken altijd joggend naar zijn werk. Lindsay had voor natuurkunde een nogal zwaar apparaat in elkaar geknutseld dat naar school gebracht moest worden, en ik had net die ochtend heel vroeg al een afspraak. Met als gevolg dat David meeging om Lins met haar apparaat naar school te brengen nadat ze mij naar mijn werk hadden gebracht. Als ze dat niet hadden hoeven doen, waren ze nooit op de plaats des onheils geweest toen die vrachtwagen door zijn remmen schoot.'

Frank knikte zwijgend. Ze wist dat dit niet nieuw voor hem was, maar ze kon er maar niet over uit. Davids leven was verwoest doordat zij het die ochtend te druk had gehad om haar dochter naar school te brengen. Als het nu toch eens geen ongeluk was geweest...

'Ik kan het niet laten om mezelf steeds maar af te vragen of ze het in feite op mij hadden gemunt,' zei ze, hem doordringend aankijkend. 'Zou het soms iets te maken hebben gehad met Chaucer? Hebben ze soms de verkeerde te pakken gehad?'

Tot haar ontzetting wendde hij zijn ogen af. Ze kromp ineen vanbinnen. Ze kenden elkaar te lang en te goed om elkaar voor de gek te kunnen houden. 'Frank!' riep ze, de paniek in haar stem ternauwernood bedwingend. 'Zeg op, verdomme!'

'Ik zou het je niet kunnen zeggen.'

Op dat moment vervaagde de wereld om haar heen. De kamer begon te draaien, stemmen en voetstappen op de gang klonken alsof ze van heel ver kwamen en uiteindelijk werd alles stil. Toen kreeg ze het gevoel dat ze bezig was te verdrinken. Instinctief zocht ze houvast bij de armleuningen van de stoel.

Ze was zich er niet van bewust dat Frank onmiddellijk opsprong uit zijn stoel en in twee stappen bij haar was. Ze merkte niet dat hij een hand op haar schouder legde. Ze kwam pas weer bij op het moment dat hij zich naar haar toe boog om naar haar pupillen te kijken. Haar ogen draaiden van links naar rechts; ze had grote moeite met scherpstellen. Pas toen hij voor de derde keer haar naam riep, drong zijn stem tot haar door.

'Mariah! Wat heb je opeens? Voel je je wel goed?'

'Goed?' herhaalde ze als verdwaasd.

Ze haalde moeilijk adem – net of ze niet genoeg zuurstof kreeg. Goed? Nee, ze voelde zich absoluut niet goed. 'Wie zit hierachter?' bracht ze moeizaam uit, haar vuisten ballend om niet opnieuw het bewustzijn te verliezen. Franks gezicht werd langzaam scherp. 'Wie heeft David en Lins dit aangedaan, Frank?'

Hij leunde tegen het bureau en keek haar een tijdlang aan zonder een woord te zeggen. Toen liep hij eromheen, maar ging niet zitten. 'Laat zitten, Mariah,' zei hij. 'Je kunt de zaken niet ongedaan maken en je doet er beter aan om je energie in David en Lindsay te steken. Laat de rest maar aan anderen over.'

Ze stond razendsnel op en sloeg met beide vuisten op het bureau. 'Je hoeft me niet te vertellen wat ik wel en niet moet doen, Frank.'

Hij keek haar scherp aan. 'Dat probeer ik ook helemaal niet!'

'Wat is dat dan voor antwoord?' riep ze.

Hij vertrok geen spier. 'Het is het enige antwoord dat ik je kan geven.'

'Je dacht toch niet dat ik daar genoegen mee neem, of wel soms?'

'Je zult wel moeten, want dit is het enige antwoord dat je krijgt, Mariah. Het dossier Chaucer is geheim. Bovendien gaat de inhoud ervan je niet aan – je zou er niets aan hebben.'

Hij had haar net zo goed een klap in haar gezicht kunnen geven. Ze deed een stap naar achteren en staarde hem met stomheid geslagen aan.

Hij hield haar blik vast, richtte zijn ogen heel even op het plafond en keek haar toen weer aan. 'Luister, Mariah. Ik kan je met geen mogelijkheid antwoord geven op de vraag of het een ongeluk was of niet, echt waar. Ik was er eerst van overtuigd dat het wel zo was, maar intussen ben ik er niet meer zo zeker van. Als het geen ongeluk was, dan is jouw gezin verzeild geraakt in een of andere bijzonder onverkwikkelijke zaak, waarvan je liever geen weet wilt hebben.'

'O nee?' riep ze verhit uit. 'Integendeel. Als er opzet in het spel is, dan wil ik daar juist alles van weten.'

Zijn gezicht verried dat hij niet van plan was om ook maar een strobreed toe te geven.

'Verdomme, Frank! Sluit me niet buiten, alsjeblieft,' smeekte ze. 'Als ik mee mag helpen om uit te zoeken waar dit voor nodig was en wie het op zijn geweten heeft, hoef ik me tenminste niet zo machteloos te voelen. Toe, laat me meedoen.'

Hij hield echter voet bij stuk. 'Nee, Mariah. En ook al zou ik je willen laten meedoen, ik heb er niets over te zeggen. De afdeling Operations gaat over het dossier, dat door maar een enkeling mag worden ingezien. Bovendien vind ik, en dat meen ik serieus, dat je aan Lindsay moet denken. Als jij je hiermee gaat bemoeien, zou je je eigen leven wel eens ernstig in gevaar kunnen brengen, en dan is Lindsay straks helemaal alleen op de wereld. Dat wil je toch niet?'

'Wat heb ik voor keus, Frank?' vroeg ze cynisch. 'Door mijn toedoen is ze immers haar vader verloren en bovendien nog kreupel geworden ook.'

'Doe jezelf dit niet aan, Mariah. Je moet jezelf niet straffen voor iets waar je geen schuld aan hebt.'

'Als ik er niet schuldig aan ben, wie is het dan wel? Zeg het me, Frank. Ik zou er geen enkel bezwaar tegen hebben iemand anders te straffen. Ik zou hem een voor een zijn armen en zijn benen uit zijn lijf rukken en daarna zijn hoofd afhakken!'

Hij ging zitten. 'En dat is nu precies de reden waarom jij niet op deze zaak mag worden gezet. Je bent er te persoonlijk bij betrokken. Je kunt er niet genoeg afstand van nemen; je bent niet objectief – geloof me, daar komen alleen maar ongelukken van. Discussie gesloten. Van nu af aan wens ik hier geen woord meer aan vuil te maken. Doe je werk en laat mij het mijne doen.'

Machteloos moest ze toezien hoe hij vervolgens een dossier opensloeg en haar verder volkomen negeerde. Ze balde haar vuisten en stampte razend van woede de kamer uit. Ze rukte de deur met zoveel kracht open, dat hij met een klap tegen de wand aan sloeg.

Pat Bonelli, die intussen op het werk was gearriveerd en achter haar bureau zat, schrok zich een ongeluk toen Mariah Franks kantoor uit stormde.

'Mariah! Mijn hemel, wat laat je me –' Ze hield abrupt op toen ze Mariahs gezicht zag. 'Wat heb je? Voel je je wel goed?'

Dat is al de tweede keer vandaag dat iemand me die vraag stelt, dacht Mariah, kokend van woede. Wat denkt iedereen hier wel niet? Nee, natuurlijk voelde ze zich niet goed!

Pat leunde naar voren en wierp voorzichtig een blik bij Frank naar binnen, alsof ze min of meer verwachtte het bloed van de muren te zien druipen. 'Wat is er gebeurd, Mariah?'

'Niets,' mompelde ze voor zich heen, waarna ze haar eigen kamer binnen stormde.

5

Zelfs Dieter Pflanz zou achteraf met een glimlach terugdenken aan het moment waarop Angus McCord, een van de rijkste en machtigste mannen ter wereld, met een groen operatiehemd over zijn kleren, een dito masker voor zijn gezicht en een kapje op zijn hoofd aan de andere kant van de glazen wand verscheen. Vooral dat malle kapje dat op zijn flaporen rustte, gaf hem iets potsierlijks.

McCord liep naar een couveuse die dicht bij de glazen afscheiding stond opgesteld en stak zijn hand door een van de gaten om het piepkleine handje van het te vroeg geboren kindje dat erin lag te beroeren. Naast hem stonden de trots en tegelijk bezorgd kijkende ouders, eveneens gehuld in operatiekleding.

Hoewel de officiële opening nog plaats moest vinden, was de Intensive Care, die vol stond met de modernste apparatuur, enkele weken geleden al in gebruik genomen.

Pflanz, die zich met de rest van de genodigden in de hal aan de andere kant van de glazen wand bevond, kwam tot de conclusie dat het piepkleine, gerimpelde wezentje meer weg had van een klein vogeltje dan van een mensenkind. Het lag op haar rug, met gespreide armpjes en beentjes waarin duidelijk veelvuldig geprikt was.

Terwijl McCord zich liet informeren door de dienstdoende neonatoloog keek hij beurtelings vol vertedering naar het hulpeloze, nauwelijks drie pond wegende levende wezentje en vol begrip naar de ouders. De camera's klikten en snorden.

Niet lang daarna verscheen hij weer in de hal om terug te keren naar de lounge van de afdeling waar de officiële opening zou plaatsvinden. Onderweg ontdeed hij zich van de operatiekleding.

Zodra de directeur, dokter Emory, McCord en zijn gevolg zag aankomen, stelde hij zich op bij het rode lint dat over de hele breedte van de ruimte was gespannen. Het duurde even voordat het gezelschap, bestaande uit artsen en verpleegkundigen, plaatselijke notabelen, politici, gemeenteambtenaren en persmensen zich aaneengesloten had.

'Dames en heren,' begon Emory, nadat het geroezemoes verstomd was. 'Dit is een dag waarnaar we allemaal lang hebben uitgekeken. Het is inmiddels zeven jaar geleden dat er binnen de gemeente stemmen opgingen voor de bouw van een speciale afdeling Neonatologie. Dat we een kleine plattelandsgemeente zijn hoefde, zo vonden de inwoners, niet te betekenen dat we niet over dezelfde moderne faciliteiten zouden mogen beschikken als wereldsteden als Boston en San Francisco. Per slot van rekening willen wij, net als ieder ander, het allerbeste voor onze kinderen. En vanaf dat moment zette iedereen zich in voor het verwezenlijken van die droom. Het resultaat van al die inspanningen is dan ook dat Fargo nu een van de best geoutilleerde afdelingen Neonatologie van het land bezit. Dat Fargo daarin geslaagd is, is voor een zeer groot deel te danken aan de steun van de beroemdste zoon van North Dakota: Mr. Angus Ramsay McCord, zonder wie we überhaupt geen ziekenhuis zouden hebben.'

Er werd instemmend gemompeld en geknikt.

'Dames en heren, het is me een groot genoegen om Mr. en Mrs. Angus McCord hier te mogen ontvangen en hun te verzoeken naar voren te komen om de prachtige nieuwe afdeling van het McCord General Hospital officieel te openen.'

Er barstte een daverend applaus los terwijl McCord en zijn vrouw zich een weg naar voren baanden. Hij keek ietwat verlegen om zich heen, wachtend tot het applaus zou ophouden. Toen het maar niet ophield, wreef hij over zijn neus. Hij grijnsde schaapachtig naar zijn vrouw en haalde zijn schouders op.

'Dank u,' riep hij in de microfoon, terwijl hij de zaal gebaarde om stil te zijn. 'Dank u wel.' Toen dat ook niet bleek te helpen, haalde hij een hand door zijn borstelige haren. Ineens kreeg hij een idee. 'St!' siste hij in de microfoon, en hij legde een vinger tegen zijn lippen. 'Zo worden de kinderen nog wakker!'

Het gezelschap begon te lachen, en het applaus stierf langzaam weg. Er volgde een lange stilte. Het publiek keek vol verwachting naar McCord, die in gedachten verzonken naar de punten van zijn schoenen staarde. Iemand begon nerveus te kuchen.

Eindelijk keek hij op. 'Ik moet iets opbiechten,' begon hij zacht. Hij zweeg weer en tuurde opnieuw een ogenblik naar de grond. 'Biechten is niet gemakkelijk voor een oude man als ik, maar ik kan niet anders, het moet eruit: ik ben verliefd.'

Gegiechel.

Hij keek de zaal weer in. 'Op een jongedame met een engelachtig gezichtje en zulke delicate, wat zeg ik, perfecte vormen dat je gewoon vergeet adem te halen zodra je haar ziet. Ik weet het, een romance als de onze heeft niet veel kans van slagen, dat heb je zo wanneer het leeftijdsverschil zo groot is. Maar dat kan me niets schelen, want als ik in haar ogen kijk, dan zie ik daarin de optelsom van alles wat goed en mooi is in deze wereld. Haar naam is Jessica Boehm, dames en heren. Ze is vijf dagen oud en weegt zo'n drie pond, maar ze is een kanjer van een meid en ik prijs mezelf gelukkig dat ik kennis met haar heb mogen maken.'

McCord zag de moeder van het kindje dat hij zo-even had aangeraakt en nam haar bij de hand. 'En dit is Mary Boehm, de moeder van mijn grote liefde daar aan de andere kant van de hal.'

Opnieuw begonnen de gasten te klappen. Mrs. Boehm wist niet hoe ze moest kijken en glimlachte terwijl de tranen over haar wangen stroomden. McCord sloeg zijn andere arm om de schouders van zijn vrouw, die links van hem stond.

'En deze geweldige vrouw, voor degenen die dat nog niet wisten, is mijn vrouw Nancy. De afgelopen veertig jaar hebben we lief en leed met elkaar gedeeld. Ze is mijn steun en toeverlaat, mijn inspiratiebron, mijn beste vriendin. Ze is ook de moeder van onze vier zonen en de grootmoeder van vijf prachtige kleinkinderen. We zijn gelukkig. Maar net als de ouders van de kleine Jessica weten we maar al te goed hoe je je voelt – de angst, de zorgen, het verdriet – als er iets met je kind aan de hand is.'

De McCords wisselden een liefdevolle blik van verstandhouding uit.

'Ik persoonlijk geloof heilig,' hernam hij, 'dat het telkens Nancy's moederliefde is geweest die onze kinderen door hun moeilijkste momenten heen heeft gesleept. Er zijn echter situaties, bijvoorbeeld wanneer een baby te vroeg ter wereld komt, waarin moederliefde alleen niet genoeg is en er een beroep moet worden gedaan op moderne technieken en intensieve medische zorg. De mogelijkheid daartoe bestaat nu ook hier in Fargo. Door deze kliniek zullen zelfs de allerkleinsten, zoals Jessica, een grotere kans hebben om te overleven.'

Er barstte een oorverdovend applaus los.

'Nu zou ik deze twee geweldige moeders, mijn vrouw Nancy en Mary Boehm, willen verzoeken mij het genoegen te doen gezamenlijk het lint door te knippen en daarmee de nieuwe afdeling van het McCord General Hospital officieel voor geopend te verklaren,' besloot hij, waarop hij discreet een stap naar achteren deed.

Mary Boehm keek een ogenblik alsof ze niet wist wat ze hoorde, maar ze herstelde zich snel en veegde haastig haar tranen af. Nancy schonk haar een bemoedigende glimlach, omhelsde haar en overhandigde haar de grote schaar die iemand haar even tevoren had gegeven. Zelf pakte ze het rode lint en hield het omhoog, waarop Mary Boehm het met trillende vingers doorknipte. Toen het lint in twee stukken op de vloer viel, gingen wederom de handen op elkaar en steeg er een gejuich op.

Dieter Pflanz stond zoals gewoonlijk de mensen om hem heen in zich op te nemen. Hier en daar werden traantjes weggepinkt, en menige mannelijke aanwezige kuchte verdacht of schraapte zijn keel. McCords speech was aangekomen: de aanwezigen waren zonder uitzondering ontroerd en stroomden op hem toe. Heel even dacht hij dat hij moest ingrijpen, maar toen ontspande hij zich. Het was duidelijk dat iedereen hier McCord goedgezind was.

'Goeie zet, hè?' hoorde hij Siddon, die ongemerkt naast hem was gaan staan, zeggen.

Pflanz keek hem niet-begrijpend aan. 'Hoe bedoel je?'

Siddon gebaarde in de richting van McCord. 'Dat optreden van hem zo-even,' verduidelijkte hij grinnikend. 'De moeder van het kind verzoeken om het lint door te knippen; de aandacht op zichzelf vestigen door iemand anders voor het voetlicht te halen. Heel, heel slim bedacht.'

Pflanz trok een wenkbrauw op. 'Proef ik hier enig cynisme, Siddon?'

'Cynisme? Welnee, zeg. Die man is gewoon geniaal. Ik snap niet waar hij het vandaan haalt.' Hij keek op naar Pflanz. 'Je weet wel wat ik bedoel. Hij is keihard, dat weten we. Dat moet je ook wel zijn, anders word je heus geen miljardair. En kijk hem daar nu eens staan.'

Ze draaiden zich om naar McCord, die een eindje verderop heel gemoedelijk en met zijn handen in zijn zakken met een stel oude schoolmakkers van vroeger stond te kletsen.

'Hij ziet er toch uit alsof hij zo van de boerderij komt en met zijn oude pick-up hierheen is komen rijden?' hernam Siddon. 'En dit is dezelfde man die over een paar uur oog in oog staat met de politieke haaien en aasgieren van Washington; de man die achter de schermen meer heeft bijgedragen tot het uiteenvallen van de Sovjet-Unie dan wie dan ook. Ik zweer je, Dieter, dit is onze man. Dit is de vent die we in het Witte Huis moeten zien te krijgen. Als iémand grote veranderingen kan bewerkstelligen, is hij het wel.'

Pflanz trok bijna onmerkbaar zijn mondhoeken op. Daar hoeft hij anders echt niet voor gekozen te worden, Jerry-boy, dacht hij minzaam. Je weet niet half wat er allemaal gaande is.

Een paar minuten nadat Mariah Franks kantoor uit was gestormd, klopte Pat zacht op haar deur. Toen ze haar hoofd om de deur stak, stond Mariah voor het raam naar buiten te staren.

'Mariah.' Pat aarzelde een ogenblik en nam toen een besluit.

Ze stapte de kamer binnen, waarna ze de deur zorgvuldig achter zich sloot.

'Mariah,' zei ze weer. 'Wat is er aan de hand? Frank staat door de telefoon te schreeuwen en jij ziet eruit alsof je een geest hebt gezien.'

Mariah keek de secretaresse even aan en staarde toen weer naar de kale takken van de bomen. Wat ziet de wereld er toch altijd somber uit in deze tijd van het jaar, dacht ze.

Pat was een van haar beste vrienden; Frank trouwens ook. Dat ze ook bij elkaar hoorden wist, behalve Mariah, bijna niemand op kantoor. Sinds wanneer Pat en Frank iets met elkaar hadden, wist Mariah eigenlijk niet. In de eerste jaren na de dood van zijn vrouw had Frank het zo druk met de opvoeding van zijn kinderen gehad, dat hij geen tijd had voor andere dingen. Ze wist alleen dat het al een tijdje gaande was. Ze leken allebei tevreden met de situatie zoals die was en schenen geen enkele behoefte te hebben om aan hun relatie een officieel karakter te geven.

Ze had geen idee hoe ze erachter moest komen of Pat iets wist van het geheime onderzoek waaraan Frank had gerefereerd. In haar hoedanigheid van secretaresse was ze natuurlijk op de hoogte van alle zaken waaraan Frank en zij werkten, al was het alleen maar omdat ze degene was die de rapporten uittypte. Frank had echter gezegd dat dit onderzoek door de afdeling Operations werd gedaan en dat slechts een enkeling inzage werd verleend in de dossiers. Als Frank dat dossier had mogen inzien, dan was dat waarschijnlijk omdat ze een beroep op zijn expertise moesten doen. In dat geval was de kans klein dat Pat er iets vanaf wist – en ook al wist ze er wel van, dan was het nog maar de vraag of ze bereid was uit de school te klappen.

Aan de andere kant, zo redeneerde ze, als Paul Chaney daadwerkelijk iets op het spoor was gekomen, dan betekende dat dat het allemaal niet zo vreselijk geheim was als Frank wel dacht. 'Heeft Frank de laatste tien maanden zijn medewerking gegeven aan die jongens van Operations, dat je weet?' vroeg ze Pat.

'Voorzover ik weet heeft hij zich één keer samen met George Neville over een dossier gebogen,' antwoordde Pat. Neville was de adjunct-directeur van de afdeling Operations. 'Ze hebben mij er verder niets over verteld, dus... Wat vreemd dat je me daarnaar vraagt. Ik zou hebben gedacht dat ze jou erbij hadden betrokken.'

'Hoe dat zo?'

'Nou, omdat Neville laatst bij Frank op kantoor zat, en toen ik op Franks verzoek koffie kwam brengen hoorde ik dat Neville het over je had.'

'Wat zei hij dan?' vroeg ze gretig. 'Weet je dat nog?'

Pat schudde haar hoofd. 'Hij hield onmiddellijk zijn mond toen ik binnenkwam. Wat is hier aan de hand, Mariah?'

'Dat zou ik nou ook zo graag willen weten,' zei ze met een zucht. 'Ik heb zo het idee dat het iets te maken heeft met het ongeluk in Wenen.'

'Hoe bedoel je?'

'Het begint erop te lijken dat het helemaal geen ongeluk was.'

'Wát?'

Ze zuchtte weer en liet zich op de rand van haar bureau zakken. 'Hoor eens, Pat. Ik weet ook niet wat er hier gaande is, maar ik kan er maar beter mijn mond over houden. Frank krijgt een beroerte als hij erachter komt dat ik dit met jou besproken heb, dus doe me een lol en hou het voor je, goed?'

'Ik zal mijn mond erover houden. Maar wat ga je nu doen?'

Ze draaide zich weer om naar het raam. 'Ik weet het niet. Maar ik ben van plan om het uit te gaan zoeken.'

Hoe dan ook, dacht ze. En als het niet mét Frank was, dan maar zonder hem.

Nadat Pat vertrokken was, bleef Mariah nog een paar minuten voor het raam staan, vechtend tegen de woede en de frustratie die haar het denken dreigden te beletten. Ze kon maar beter aan het werk gaan, dacht ze, maar toen ze zich omdraaide en ze haar computer zag staan kreeg ze opeens een idee. Ze kroop erachter en zette hem aan.

Even later verscheen op het scherm het verzoek om haar wachtwoord. Een van de vele veiligheidsmaatregelen bestond eruit dat iedere werknemer zijn eigen wachtwoord had dat alleen hij of zij kende. Een andere was dat iedereen verplicht was zijn persoonlijke wachtwoord maandelijks te veranderen.

'Sigmund' typte ze in – de naam van de kat van de buren die de vorige maand haar tuin overhoop had gehaald. De cursor bewoog over het scherm, maar de letters waren vervangen door de asteriksen – nog zo'n veiligheidsmaatregel.

Na een kort ogenblik wachten verscheen het zinnetje: 'Voer bestandsnaam in.'

'Chaucer' typte ze in.

Weer moest ze even wachten. Toen las ze: 'Toegang geweigerd. Voer nogmaals bestandsnaam in.'

'Hoezo geweigerd?' riep ze kwaad uit. 'Zijn ze helemaal gek geworden? Dat is verdomme mijn dossier!'

Driftig typte ze nog een keer 'Chaucer' in, en opnieuw werd haar inzage in het gevraagde dossier geweigerd. Met bonzend hart liet ze zich achterover in haar stoel vallen en staarde ze vol ongeloof naar het scherm. 'Nog steeds niet, hè? Wacht, ik weet het goed gemaakt,' mompelde ze, zich weer over het toetsenbord buigend. 'Laten we dit eens proberen.'

'Mariah Bolt. Persoonlijk overzicht. Vienna Station.'

Vol ongeduld staarde ze naar de knipperende cursor op het scherm. 'Eens kijken of dit helpt.'

Toen rolde er een lange lijst met documentnamen over het scherm – de oogst van al het werk dat ze had gedaan in de drie jaar dat ze voor de CIA in Wenen gezeten.

Het lag niet in de lijn der verwachtingen dat ze een opdracht in het buitenland zou krijgen. Zoals iedere bureaucratische organisatie was ook de CIA niet vrij van interne strubbelingen en rivaliteit tussen verschillende afdelingen. Tussen de afdeling Operations en de afdeling Analysis, was het zelfs uitgesproken oorlog.

De medewerkers van Operations werden naar het buitenland gestuurd om in het geheim allerlei gegevens te verzamelen voor het thuisfront – de afdeling Analysis trachtte op grond van die gegevens voorspellingen te doen. Een soort koffiedik kijken eigenlijk, vond Mariah zelf altijd.

De stoere jongens van Operations keken nogal neer op die van Analysis, die volgens hen niets anders deden dan paperassen heen en weer schuiven en eindeloos debatteren over theoretische zaken terwijl de wereld om hen heen in brand stond. Andersom beschouwden de medewerkers van Analysis die van Operations als een stelletje rouwdouwers, dat altijd maar wat deed zonder er van tevoren goed over na te denken en daardoor onnodige risico's nam – iets wat de naam van de CIA in het verleden meer dan eens in diskrediet had gebracht.

Mariah had carrière gemaakt op de afdeling Analysis. Frank had haar aangenomen omdat ze gespecialiseerd was op het terrein van sovjetdefensie, en gedurende tien jaar had ze meegewerkt aan het in kaart brengen van de politieke en militaire ontwikkelingen binnen de Sovjet-Unie. Ze had bij verschillende onderafdelingen gezeten, en zo wist ze inmiddels alles van het onderscheppen van radiocommunicatie en het interpreteren van satellietfoto's.

Ze had ook wel eens een Amerikaans-Russische conferentie bijgewoond – zogenaamd als administratief medewerkster van Buitenlandse Zaken – waar ze kennismaakte met mensen wier naam ze al uit de dossiers kende en waar ze probeerde uit te vinden in hoeverre er onder de meer gematigden van de sovjetdelegatie bereidheid bestond om een einde te maken aan de waanzin van de wapenwedloop.

In die periode was David naam begonnen te maken als vooraanstaand theoreticus. Hij had zich als fervent tegenstander van de ontwikkeling van nucleaire wapens ontpopt en er aan de lopende band artikelen over geschreven.

Bij de eerste tekenen van het uiteenvallen van de Sovjet-Unie waren David en zij de eersten die hun bezorgdheid uitspraken over de bestemming van het immense nucleaire arsenaal dat de Sovjet-Unie in de loop der jaren had opgebouwd. Toen Hans Blix, de directeur-generaal van het IAEA met wie David goed bevriend was, hem had gevraagd om zijn organisatie in Wenen te komen versterken, had David meteen ja gezegd.

Mariah had het met Frank besproken, die op zijn beurt naar George Neville van Operations toe was gestapt. Het resultaat van die bespreking was dat ze in Wenen werd gestationeerd – voor de buitenwereld als administratief medewerkster van de Amerikaanse ambassade aldaar, en zo was ze opeens ingedeeld bij de op haar afdeling zo verachte rouwdouwers.

De lijst op het scherm eindigde met een verwijzing naar het laatste rapport dat ze in Wenen had opgesteld. Het betrof een geheime ontmoeting met een Hongaarse diplomaat – een vroege afspraak op die bewuste ochtend, waardoor niet zij, maar David Lindsay naar school had gebracht. Met alle gevolgen vandien.

Ze werd weer kwaad bij het zien van zijn codenaam op het scherm: 'Reliance'. Wie dat verzonnen had! De man was alcoholist en was volstrekt onbetrouwbaar gebleken bovendien. Onbegrijpelijk dat er nog steeds gebruik werd gemaakt van zijn diensten. Voor deze paljas heb ik mijn gezin opgeofferd, dacht ze bitter.

Ze liep de lijst af, op zoek naar de naam 'Chaucer', de codenaam van een Russische vrouwelijke natuurkundige die haar deelgenoot had gemaakt van haar vermoedens dat het sovjet-kernwapenarsenaal werd verhandeld in ruil voor harde valuta. Mariah had haar leren kennen via Davids kantoor. Ze had de natuurkundige gerekruteerd en was haar contactpersoon geweest tot de vrouw op een dag spoorloos verdween.

Tatyana Baranova heette ze, en ze was verbonden aan het IAEA. Mariah had haar leren kennen tijdens de afscheidsborrel van een Engelse IAEA-inspecteur. Het was een van de weinige keren dat Lindsay ook mee was, herinnerde Mariah zich opeens.

Ze glimlachte onwillekeurig. Dat was waar ook; zonder het te weten had Lindsay aan de wieg gestaan van operatie Chaucer.

Ze had Lindsay die dag opgehaald van school. Samen waren ze het IAEA-gebouw aan de Wagramerstrasse in gelopen, Davids kantoor.

Toen ze aankwamen was het feest al in volle gang. Ze kregen meteen een drankje in hun hand geduwd; Mariah een glas wijn, Lindsay een cola. Het voor de gelegenheid samengestelde koor zong Yesterday voor hun vertrekkende collega. De muziek werd verzorgd door David, die pontificaal boven op een bureau stond.

Lindsay lachte zich een ongeluk om de Engelsman die niet goed wist hoe hij moest kijken toen het koor aan het einde van het liedje aan zijn voeten viel.

'Wat een mooi meisje!' hoorde Mariah iemand achter haar

zeggen. Toen ze zich omdraaide, zag ze een kleine, ietwat grof gebouwde vrouw van begin dertig die vol bewondering naar Lindsay stond te kijken. Ze had geblondeerde haren, een aardig, rond gezicht, en wijd uit elkaar staande bleekblauwe ogen. Toen ze Mariahs blik opving glimlachte ze verlegen.

Op dat moment keek Lindsay ook op. 'Die gekke man daar is mijn vader,' vertelde ze de vrouw ongevraagd. Ze wees naar het groepje rond het bureau. 'Hij doet altijd zo.'

Glimlachend keek de vrouw in de richting waarin Lindsay had gewezen. 'Wie? Mr. Hewlett, die ons gaat verlaten?'

'Nee, nee. Die daar, die mondharmonica speelt. Hij kan het heel goed. Hij heeft het zichzelf geleerd,' vertrouwde Lindsay de vrouw toe. 'Hij kan alles spelen, maar hij houdt het meest van blues.'

'O, je bent dus het dochtertje van doctor Tardiff. Hoe heet je, lieverd?'

'Lindsay Bolt-Tardiff.' Lindsay gaf haar een hand. 'Ik ben al elf, hoor – nou ja, bijna dan.'

'Gut, neem me niet kwalijk,' haastte de vrouw zich te zeggen. 'Doctor Tardiffs knappe dochter had ik natuurlijk moeten zeggen. Leuk om kennis met je te maken, Lindsay. Ik ben Tatyana Baranova, maar zeg maar Tanya, dat doet iedereen.'

Lindsay knikte en keek Mariah aan. 'Dit is mijn moeder.'

'Mrs. Tardiff, aangenaam. Hoe maakt u het? Wat hebt u een mooie dochter.'

'Dank je,' zei Mariah, terwijl ze Tatyana een hand gaf. 'Zeg maar gewoon Mariah, hoor. Werk je ook bij het IAEA?'

'Ja, maar ik ben hier pas een paar weken. Ik ken nog niet eens al mijn collega's.'

'En, hoe bevalt het je hier in Wenen?'

'Een prachtige stad,' antwoordde Tatyana. 'Maar wel erg duur.' Ze sloeg haar ogen ten hemel. 'Niet te geloven wat je hier allemaal kunt krijgen. Er zijn alleen niet veel koopjes bij.'

'Dat is waar. Het is hier niet echt goedkoop,' beaamde Mariah.

'In Moskou is helemaal niets te krijgen. Hier is alles te krijgen wat je maar kunt bedenken, maar het is niet te betalen. Ik snap niet hoe een eenvoudig mens in deze stad kan overleven.'

'Je kunt anders een hoop zien en doen dat niet veel geld kost als je hier eenmaal de weg hebt gevonden,' meende Mariah.

'Ik ben al drie keer naar de lippizaners gaan kijken,' zei Lindsay enthousiast. 'Die kunnen dansen, weet je dat?'

Tanya glimlachte. 'Net als jouw ogen? Want die dansen ook, wist je dat? Vertel eens: van wie heb jij toch die mooie rode haren? Je vader heeft zwarte haren en je moeder is een beetje rossig, maar jij...' Ze streek met haar hand lichtjes over Lindsays wilde krullen.

'Ik weet niet.' Ze haalde haar schouders op. 'Papa zegt dat ik overgeslagen ben.'

'Niet jij, Lins,' zei Mariah lachend. 'Die rode haren hebben een generatie overgeslagen.' Ze keek Tanya aan. 'Mijn grootvader had rood haar. Ik heb geen rood haar kunnen ontdekken in Davids familie, maar volgens hem heeft hij ergens een paar roodharige voorouders. Hij zal wel drager zijn, dunkt me.'

'Drager van rode haren?' vroeg Lindsay verwonderd. 'Waar dan?'

'Nee, joh. Drager van het rodeharen-gen, om het zo maar even te zeggen,' verduidelijkte Mariah. 'Je weet toch wat genen zijn? Die dingen die je meekrijgt van je ouders en die bepalen of je blauwe of bruine ogen krijgt. Rood haar is wat ze noemen een recessief gen. Je kunt het aan de volgende generatie overdragen zonder dat je zelf rood haar hebt.'

'Wist ik al, hoor.' Lindsay snoof verachtelijk. 'Ik wilde alleen even kijken of jullie het wel wisten. Ik heb trouwens ook een ijshockeygen,' zei ze vervolgens tegen Tanya.

'O ja?'

Lindsay knikte. 'Van papa, niet van mama. Mama komt uit Californië, dus die heeft geen wintersportgenen. Pap geeft me altijd les in ijshockey.'

'Je meent het!' riep Tanya uit. 'Nou, Lindsay Bolt-Tardiff, je zult het niet willen geloven, maar in dat geval hebben we iets gemeenschappelijks. Ik heb vroeger namelijk op school in het damesijshockeyteam gespeeld. We waren erg goed vonden we zelf. Ik was goalie.'

'Goh. Pap is middenvelder. Ik heb geen speciale plaats, want meisjes mogen hier niet in het team. Flauw, hè. Ik hockey alleen maar met mijn vader. Ik kan heel goed schieten. Wedden dat je mijn schot niet tegenhoudt?'

'Dat wil ik best geloven,' zei Tanya lachend. 'Ik heb al in geen jaren meer gespeeld, maar ik vind het nog altijd leuk om naar te kijken.'

'Nou, dan moet je zaterdag komen kijken. Dan speelt papa's team,' zei Lindsay spontaan. 'Mam, mag Tanya zaterdag met ons mee naar de wedstrijd?'

'Ja, natuurlijk. Gezellig,' zei Mariah direct. 'Davids team is een beetje een samengeraapt zooitje, en veel trainen is er dus niet bij. Jouw ambassade heeft wel een eigen team, hè? Davids team heeft er wel eens tegen gespeeld. Maar zaterdagochtend spelen ze altijd tegen een team van een bedrijf hier uit de buurt. Een wedstrijd op amateurniveau, maar het is altijd erg leuk. Kom je ook?'

'Erg aardig om me mee te vragen, maar...' Tanya aarzelde. 'Ik denk niet...'

'Als je wilt, komen we je wel ophalen,' bood Lindsay aan. Ze keek naar Mariah, die vervolgens knikte.

Terwijl Tanya naarstig naar een goed excuus zocht, zag Mariah plotseling angst in haar ogen – de door de KGB ingehamerde angst voor de gevolgen van het omgaan met de kapitalistische vijand. De angst maakte plaats voor spijt en toen – heel kort maar – voor iets wat op boosheid leek. Of was het opstandigheid?

'Ik zou het heel leuk vinden,' zei Tanya toen. 'Helaas kan ik zaterdag niet. In ieder geval bedankt voor de uitnodiging.' Ze keek Mariah aan, aarzelde een ogenblik en glimlachte toen naar Lindsay. 'Ik vrees dat ik ervandoor moet. Leuk dat ik je heb leren kennen, Lindsay.' Ze kuste het meisje op de wang. 'En jou ook, Mariah.'

Mariah had intussen snel iets op een stukje papier gekrabbeld dat ze stiekem aan Tanya gaf toen die haar een hand gaf. 'Het adres van de sporthal. Voor het geval je toch nog kunt komen,' zei ze zonder een spier te vertrekken. 'Het is vlak bij metrostation Alte Donau. De wedstrijd is om negen uur. Leuk je gesproken te hebben, Tanya.'

De Russin bleef haar een ogenblik aankijken. Toen draaide ze zich om en verliet het kantoor.

Die zaterdag was Tanya toch gekomen. Blijkbaar had ze de agenten van de KGB, die immers de gangen van al hun diplomaten nagingen, van zich af weten te schudden. En zo was het begonnen.

Na die bewuste ijshockeywedstrijd zouden Mariah en Tanya Baranova niet meer in het openbaar met elkaar worden gezien, maar volgens de lijst op het scherm hadden er in de daaropvolgende veertien maanden nog acht ontmoetingen plaatsgevonden.

Toen verdween Tanya opeens en werd operatie Chaucer afgebroken. Kort daarop vond het afschuwelijke ongeluk plaats.

Mariah klikte de eerste verwijzing naar Chaucer aan in de hoop via een achterdeurtje toegang tot het dossier te krijgen. Maar toen ze op Enter drukte verscheen opnieuw de gehate mededeling: 'Toegang geweigerd.'

6

Verscholen tussen een groepje blauwsparren die hem geheel aan het gezicht onttrokken, gluurde Rollie Burton door de glazen wand van het zwembad. In gedachten vooruitlopend op wat er zo dadelijk ging gebeuren, sloot hij zijn vingers om het mes in zijn broekzak.

Kort daarvoor had hij nog in zijn auto voor het huis van Mariah Bolt gezeten. Hij had zich net af zitten vragen of een eventuele inbraak ook onder de voorwaarden van de afspraak met zijn opdrachtgever viel, en zo ja, hoe hij het dan zou aanpakken, toen hij de voordeur open had zien gaan en haar naar buiten had zien komen. Hij kon zijn geluk bijna niet op en ging meteen achter haar aan. Helaas bereikte ze het zwembad nog voor hij de klus kon klaren, maar hij troostte zichzelf met de gedachte dat hij haar in ieder geval straks bij het verlaten van het gebouw te pakken kon nemen. Hij hoopte alleen dat ze niet al te lang binnen zou blijven, want hij stond hier te vernikkelen van de kou.

Ze stond aan de rand van het zwembad en aarzelde een ogenblik. Toen dook ze het water in. Ze was duidelijk een geoefend zwemster, constateerde hij, toen hij haar moeiteloos het ene na het andere baantje zag afleggen. Dat was een flinke tegenvaller. De meeste vrouwen hadden de neiging om te verstijven van schrik als ze bedreigd werden, maar deze tante was sterk en had duidelijk doorzettingsvermogen én een goede conditie. Het zou best wel eens kunnen dat zij tot de categorie vrouwen behoorde die zich niet zomaar liet afmaken.

Hij zette de verontrustende gedachte vrijwel onmiddellijk uit zijn hoofd. Waar maakte hij zich eigenlijk zorgen over? Per slot van rekening had hij menige getrainde guerrillastrijder van twee keer zijn postuur een kopje kleiner gemaakt.

⌇⌇

De schok van het eerste contact met het koude water deed haar heel even alles vergeten, maar zodra haar lichaam zich begon aan te passen aan de temperatuur kwam het allemaal weer even hard terug: de angst, de woede, de zorgen.

De Mariah Bolt die die ochtend Frank Tuckers kantoor uit stormde, was niet degene die er even tevoren was binnengestapt. De afgelopen tien maanden had ze volkomen op de automatische piloot gefunctioneerd, realiseerde ze zich nu. Om zich volledig te concentreren op de behoeften van David en Lindsay had ze haar eigen gevoelens al die tijd onderdrukt.

Ze had gelukkig kunnen regelen dat ze met een militair ambulancevliegtuig waren teruggebracht naar de Verenigde Staten. Eenmaal gearriveerd, had David opnieuw neurologisch onderzocht moeten worden. Toen hij stabiel was en de artsen de hoop op herstel hadden opgegeven, had ze hem laten opnemen in het verpleeghuis in McLean.

Tegelijkertijd had ze met Lindsay talloze artsen en fysiotherapeuten afgelopen. Dat was op zich niet zo'n probleem geweest, het had alleen een hoop tijd gekost. Veel moeilijker was het om Lindsay emotioneel bij te staan bij de verwerking van het trauma ten gevolge van het ongeluk. Met een totaal verbrijzeld been maar volledig bij kennis, had haar dochter in de veertig minuten die het duurde voor de ambulance verscheen, haar vader bijna zien sterven. Zo op het oog leek ze er wel aardig overheen te zijn, maar Mariah wist als moeder wel beter. Lindsay was geen kind dat met haar emoties te koop liep.

Verder moesten er natuurlijk allerlei praktische zaken worden geregeld. Ze had notarissen, advocaten en verzekerings-maatschappijen bezocht. Er waren financiële regelingen getroffen in verband met de uitgebreide zorg die David de rest van zijn leven nodig zou hebben – een leven waarvan niemand wist hoelang het nog zou duren, gezien de ernstige hersenbeschadiging die hij had opgelopen en de grote kans op verdere complicaties.

Mariah had achter een auto en een huis aan gemoeten; ze had de flat toegankelijk laten maken voor een rolstoel, zodat ze David zo nu en dan een weekend mee naar huis konden nemen. Ze had de verhuizing geregeld, ze haalde en bracht Lindsay naar school, naar fysiotherapie en naar pianoles. Ten slotte was ze weer aan het werk gegaan. Ze was in Langley gebleven, maar had een nieuwe functie gekregen.

Tien maanden lang was het leven een grote mix van rennen, racen, regelen en organiseren geweest. En vanaf vandaag had ze opeens opnieuw een doel in haar leven: ze zou niet rusten voor ze erachter was waarom haar gezin het slachtoffer was geworden van deze aanslag en wie daarvoor verantwoordelijk was. En dan, zo nam ze zich voor, dan zou ze erop toezien dat de schuldige zijn straf niet ontliep.

Terwijl de piloot wachtte op toestemming om te landen, bleef hij boven Dulles Airport cirkelen. Dieter Pflanz zag Gus McCord opstaan en naar zijn vrouw lopen, die achterin op de bank was gaan liggen. Nadat McCord zich ervan had vergewist dat ze haar veiligheidsgordel omhad, trok hij de dekens wat verder over haar heen. Een ogenblik lang rustten zijn ogen op haar gezicht. Ze had haar ogen gesloten en leek diep in slaap. Hij had het liefst gezien dat ze thuis was gebleven, maar daar had ze absoluut niets van willen weten. Ze had net als hij erg uitgekeken naar de opening van de nieuwe afdeling en had erop gestaan om met hem mee te gaan.

Ze leed aan angina, wist Pflanz. Ze had het al acht jaar, maar de afgelopen zes maanden had ze er bijna dagelijks last van. Hoewel ze haar best deed om het voor McCord te verbergen, scheen hij precies te weten wanneer ze een aanval had. Hij ging altijd meteen even kijken als ze zich terugtrok en zag erop toe dat ze haar medicijnen nam.

Met een teder gebaar streek hij een haarlok uit haar gezicht. Toen keerde hij terug naar het voorgedeelte, waar Siddon en de fotograaf een partijtje backgammon speelden en Pflanz op hem zat te wachten.

Zodra McCord zat, overhandigde Pflanz hem een fax die zojuist was binnengekomen. McCord maakte zijn gordel vast en zette zijn leesbril op.

De fax kwam van van het kantoor in Albuquerque. McCord Industries zat al jaren in New Mexico, waar jaarlijks voor miljoenen aan defensiecontracten werden afgesloten. Als producent en leverancier van elektronica en andere speciale benodigdheden ten behoeve van de onderzoeks- en productiefaciliteiten in Albuquerque en Los Alamos was McCord Industries altijd verzekerd van het leeuwendeel ervan. Alles wat met Defensie te maken had, vereiste natuurlijk de nodige veiligheidsmaatregelen, en zo was er een groot aantal van Pflanz' mannen in Albuquerque gestationeerd.

Een van zijn specialisten had deze week wel een bijzonder druk programma af te werken. McCord las het binnengekomen bericht en constateerde tevreden dat alles keurig volgens plan was verlopen.

'Lading geleverd. Klant tevreden', zo luidde de inhoud van de fax.

McCord knikte en keek Pflanz over zijn bril aan. 'Goed werk. Ik moet bekennen, Dieter, dat ik zo mijn twijfels had. Er hoeft maar iets te gebeuren en het loopt helemaal fout. Jou kennende, had ik beter moeten weten natuurlijk.'

'Details, Gus, details,' bromde Pflanz. 'Daar komt het op neer. Let op de details en ruim je rommel netjes op.'

'Je verwacht niet dat de plaatselijke overheid daar in New Mexico moeilijk gaat zitten doen?'

'Daar durf ik bijna mijn hand voor in het vuur te steken,' antwoordde Pflanz. 'De federale jongens waren vrijwel onmiddellijk ter plaatse om alle bewijzen op te ruimen. Bovendien hebben ze in New Mexico zo langzamerhand genoeg ervaring opgedaan om te weten dat ze de federale politie maar beter niet voor de voeten kunnen lopen.'

'Zijn er ook geen familieleden die vervelende vragen kunnen gaan stellen?'

'Kingman is al jaren gescheiden en heeft geen kinderen. Zijn ex-vrouw is in Los Alamos blijven wonen. Ze is arts en heeft een eigen leven opgebouwd. Bowker, de andere Amerikaan, was vrijgezel. Ouders niet meer in leven. Eén broer, in Idaho, met wie hij toch al niet zoveel contact had. Die slikte het verhaal van het autoongeluk als zoete koek. Zaterdag is de begrafenis.'

McCord trok een wenkbrauw op. 'Zoveel zal er anders niet te begraven zijn, lijkt me.'

'Nee, inderdaad. Het schijnt een ware vuurzee te zijn geweest. Ze zullen de broer wel een urn met as toesturen, denk ik.'

'Ik ben wel blij dat zijn ouders niet meer leven,' mompelde McCord. 'Je zult toch maar te horen krijgen dat je kind is omgekomen – ik moet er niet aan denken.' Hij gaf de fax weer terug aan Pflanz, zette zijn bril af en wreef in zijn ogen.

Pflanz sloeg hem zwijgend gade. Het verwonderde hem telkens weer dat McCord er niet voor terugschrok om zich met dit soort zaken in te laten en tegelijk toch zo'n sentimentele ziel was. Niet dat McCord zich bij belangrijke beslissingen ooit had laten leiden door zijn gevoelens. Waar gehakt wordt, vallen nu eenmaal spaanders, placht hij altijd te zeggen. Geen oorlog zonder slachtoffers.

Fanatiek zwom Mariah van de ene naar de andere kant en weer terug. Ze werd zo in beslag genomen door haar over elkaar buitelende gedachten, dat ze de tel allang kwijt was geraakt.

Toen de computer haar de toegang tot het Chaucer-dossier maar bleef weigeren, bedacht ze dat er misschien nog een manier was om erin te komen: via de biografische dossiers van de organisatie. Het leverde weliswaar niet het gewenste resultaat op, maar ze stuitte wel op een aantal dingen die haar deden beseffen dat ze de ernst van de zaak zwaar had onderschat.

In het biografische dossier van Tatyana Baranova stond niets wat ze niet al wist; geen wonder, want de meeste informatie had ze zelf ingevoerd. Tanya was eenendertig toen Mariah met haar kennismaakte. Ze was geboren in Moskou. Haar moeder was ingenieur, haar vader natuurkundige. Beiden behoorden tot de partijelite. Baranova had natuurkunde gestudeerd in Moskou en was er met een medicus getrouwd die zich bezighield met wetenschappelijk onderzoek. Ze waren inmiddels van elkaar vervreemd, zo had ze Mariah toevertrouwd, iets waar de KGB geen weet van had, anders zou ze nooit toestemming hebben gekregen om het land te verlaten en een positie binnen het IAEA te accepteren. Een in het buitenland verkerende Russische staatsburger die thuis nog een echtgenoot of echtgenote had zitten, zou immers niet snel overlopen, zo redeneerde Moskou. Ten onrechte. Toen Tanya naar Wenen was gekomen, verkeerde het staatsapparaat bovendien al in het beginstadium van verval. Tanya had geen kinderen. Het kind – een dochtertje – dat ze na een aantal miskramen uiteindelijk had gekregen, was kort na de geboorte gestorven, had Mariah naderhand ontdekt. Dat verklaarde Tanya's levendige belangstelling voor Lindsay.

Toen Mariah vervolgens probeerde om meer te weten te komen over Tanya's plotselinge verdwijning stuitte ze op een ondoordringbare muur. 'Verwant onderwerp: Operation chaucer,' meldde de computer.

'Ja, ja!' had ze gefrustreerd uitgeroepen. 'Alsof ik dat niet al ik weet niet hoeveel keer heb geprobeerd, idioot!'

Ze trommelde ongeduldig tegen de zijkant van het toetsenbord, bedenkend wat ze nog meer voor mogelijkheden had. Gedecideerd typte ze even later 'Chaney, Paul' in. Per slot van rekening was hij degene die de boel weer had aangezwengeld.

Het dossier verscheen op het scherm. Bovenin stond een foto van hem, daaronder zijn belangrijkste gegevens: 'CHANEY, Paul Jackson. Geboren: 2 april 1949, New York, N.Y. Nationaliteit: Amerikaan. Huidig adres: Lannerstrasse 28, Wenen, Oostenrijk. Beroep: correspondent buitenland, CBN Television Network,

700 Avenue of the Americas, New York, N.Y. Burgerlijke staat: gescheiden (van Phyllis Fordham geboren Martin, New Haven, Connecticut). Kinderen: Jackson John Chaney Fordham (m), geboren 17 juni 1983.'

Ze knikte bedachtzaam. Hij had dus een zoon die iets jonger was dan Lindsay. David had wel eens verteld dat Paul een kind had dat hij bijna nooit zag. Dat maakte hem in haar ogen niet sympathieker; hij deed haar te veel denken aan haar eigen vader. De zoon was, te oordelen naar zijn achternaam, kennelijk officieel geadopteerd door de nieuwe man van Chaneys ex-vrouw. Dan had hij meer geluk gehad dan zij, dacht Mariah. Hij had tenminste iemand die een vader voor hem wilde zijn.

Ze nam de overige gegevens snel door. Als correspondent buitenland had hij over de hele wereld gereisd. Als ze niet beter had geweten, zou ze nog gaan denken dat hij een hekel aan het leven had. In de afgelopen jaren was hij in de Sovjet-Unie, Afghanistan, het Midden-Oosten, Noord-Ierland en Zuid-Afrika geweest. Hij had verscheidene journalistieke prijzen in de wacht gesleept, onder meer voor zijn verslaggeving tijdens de Golfoorlog. Ze had zijn reportages op televisie meer dan eens gezien natuurlijk, en ze moest, zij het met tegenzin, toegeven dat hij inderdaad verdraaid goed was.

Plotseling viel haar oog op de naam Elsa von Schleimann. Iemand – en dat was zeker Mariah niet – had het hoofdkantoor in Langley geattendeerd op Chaneys contacten met de 'prinses', zoals ze zichzelf noemde. Nu leek het wel of ongeveer half Oostenrijk afstamde van de Habsburgers, maar dat alleen zou nooit aanleiding genoeg zijn om Elsa in Chaneys dossier te vermelden. Verder werd van geen van al die andere vriendinnen van hem melding gemaakt. Wat was er zo bijzonder aan zijn connectie met Elsa dat haar naam vermeldenswaard was?

'Von Schleimann, Elsa', probeerde ze vervolgens.

'Verwant onderwerp:: Müller, Katarina,' meldde de computer.

'Müller, Katarina', typte ze vervolgens in.

Even later verscheen het dossier op het scherm – met een foto van Elsa in de linker bovenhoek. 'Müller, Katarina (N.M.I.). Alias: Von Schleimann, Elsa; Golmer, Lisa; Brandt, Anna Katarina. Geboren: 9 november 1955, Leipzig, Democratische Republiek Duitsland. Nationaliteit: Duitse. Huidig adres: onbekend. Beroep: onbekend. Ex-officier Stasi (rang: luitenant). Burgerlijke staat: onbekend. Kinderen: onbekend.'

Er volgde een half dozijn verwijzingen naar andere geheime dossiers waarin de naam Müller werd genoemd. Een van deze dossiers was bekend onder de naam – Mariah wist het al voordat ze het goed en wel had gelezen – Chaucer.

Ze liet zich achterover in haar stoel vallen, sloeg een hand voor haar mond en sloot haar ogen, vechtend tegen de golf van misselijkheid die haar dreigde te overspoelen.

Elsa, alias Katarina Müller of hoe ze ook mocht heten, was een voormalige Oost-Duitse spion. Maar in de tijd dat David en Mariah in Wenen zaten, was de Berlijnse muur al gevallen en werden de beide Duitslanden weer herenigd. Dat had tot gevolg dat Katarina Müller, en met haar tientallen andere geheim agenten van het voormalige Oostblok, opeens een groot gevaar vormde, omdat ze haar dodelijke diensten kon aanbieden aan iedereen die bereid was daarvoor geld op tafel te leggen.

Ineens herinnerde ze zich dat Elsa altijd nogal veel aandacht aan David had besteed wanneer ze met Chaney meekwam. Ze had er indertijd weinig aandacht aan geschonken. Ze was er eigenlijk van uitgegaan dat het een onschuldige flirt was – ze vond het een beetje ordinair maar verder niet bedreigend. Het was haar wel opgevallen dat David de enige scheen te zijn en dat Elsa andere mannen nooit zag staan.

Iemand als Katarina Müller deed niets zonder vooropgezet doel, dacht ze. Ze hadden het dus wel degelijk op David gemunt. Nu wist ze het helemaal zeker: er moest plotseling iets vreselijk mis zijn gegaan tijdens operatie Chaucer.

Veertig, vijftig, zestig... Hoeveel baantjes zou ze intussen hebben afgelegd? De lichamelijke inspanning en het geluid van stromend water in haar oren verschaften haar uiteindelijk de ontspanning waar ze zo hevig naar had verlangd.

Ze tikte voor de laatste keer de kant aan en haalde een paar keer diep adem. Toen liet ze zich rechtstandig naar de bodem zakken. Ze keek omhoog naar het licht van de plafondlampen dat door het water vervormd werd. In de baan naast haar zwom een oudere man, een van de weinige andere bewoners die op dit uur gebruikmaakte van het zwembad.

Ze liet zich weer naar de oppervlakte drijven en hees zich in één vloeiende beweging het water uit. Ze haalde haar tas uit haar kluisje en verdween in een douchehokje.

Dat het woningcomplex een eigen recreatieruimte bezat met vele sportfaciliteiten was een van de redenen geweest om hier te gaan wonen. Naast het zwembad was een zaal met roeiapparaten en allerlei andere fitnesstoestellen. Verder was er een aantal zalen waar conditie- en andere sporttraining werd gegeven.Met zulke voorzieningen om de hoek, zo had ze geredeneerd, zou Lindsays revalidatie een stuk sneller gaan. En met al dat dagelijkse op en neer gerij was het prettig om, gezien de weinige vrije tijd die ze had, niet ook nog eens ergens speciaal heen te moeten gaan om haar eigen conditie op peil te houden.

Ze stapte onder de douche vandaan en droogde zich af, waarna ze een trainingspak en Davids oude ijshockeyshirt aantrok. Ze rammelde van de honger. Bij thuiskomst had ze al wel gekookt en Lindsay gezelschap gehouden onder het eten, maar haar eigen bord had ze in de oven gezet voor na het zwemmen.

Op weg naar de uitgang kwam ze de oudere man van zo-even tegen. Toen hij de deur voor haar openhield, knikten ze elkaar vriendelijk toe.

'Bedankt,' zei ze. De koude avondlucht prikte tegen haar huid. Ze keek de man aan. Hij had keurig gekamde witte haren en heldere blauwe ogen.

'Fijn gezwommen?' informeerde ze belangstellend.

'Heerlijk,' antwoordde hij. 'Ik zwem al jaren. Als het even kan elke dag – twintig baantjes,' voegde hij er niet zonder trots aan toe.

'Goh, wat goed, zeg! Het lukt mij maar drie, hooguit vier keer in de week om te komen. Het is de beste allround sport die er is. Goed voor je gewrichten en je krijgt er nog een goede conditie van ook.'

Ze liepen samen het pad af. 'Ben je aan het trainen voor een wedstrijd of zo?' vroeg de man. 'Ik heb je wel eens vaker gezien.

Heb je soms meegedaan aan de Olympische Spelen of zo?'

'Hemel nee, was dat maar waar. Ik heb op school en tijdens mijn studie wel wedstrijden gezwommen, maar de Olympische limiet heb ik nooit gehaald. Ik ben niet snel genoeg. Misschien dat mijn lengte daar ook iets mee te maken heeft – ik ben vrij klein. Nee, ik ben meer iemand voor de lange afstand.'

'Nou, daar is anders niets mis mee, hoor. Kijk maar naar mij, ik ben al tweeëntachtig en mijn rikketik doet het nog prima.' Hij klopte op zijn borst om zijn woorden te benadrukken.

'Tweeëntachtig? Dat meent u niet!'

'Nou en of ik dat meen.' Zijn ogen glinsterden. 'Dus ik zou zeggen: ga vooral zo door, jongedame.'

'Reken maar. Zeker nu ik u als voorbeeld heb. Ik ben trouwens Mariah Bolt.' Ze stak haar hand naar hem uit.

Hij stak haar de zijne toe. 'Laughlin,' zei hij op zijn beurt. 'John Laughlin. Zeg maar John.'

Ze naderden een kruising. 'Ik moet nu helaas deze kant op, John, maar leuk je te hebben ontmoet. Tot de volgende keer in het zwembad, zal ik dan maar zeggen, hè?'

'Absoluut.' De oude man straalde. 'Ga maar gauw naar huis. Ik blijf je nog wel even nakijken, want je weet maar nooit wat voor gevaren er in de bosjes loeren.'

Ze glimlachte. 'Alvast bedankt, John. Tot gauw.' Ze draaide zich om en liep in de richting van haar huis.

Ze schrok even toen niet ver daarvandaan iemand met brullende motor wegreed. Ze keek om en stak haar hand nog een keer op naar de oude man, maar tot haar verbazing bleek hij al verdwenen. Ze fronste haar wenkbrauwen, haalde toen haar schouders op en vervolgde haar weg – onbewust van het feit dat het lichaam van John Laughlin op dat moment de heuvel af rolde. Even later kwam het beneden in de struiken tot stilstand. Na een paar laatste stuiptrekkingen bleef het roerloos liggen.

Mariah zette er flink de pas in. Plotseling kraakte er iets in het struikgewas vlak achter haar. Ze meende nog een ander geluid te horen – een scherpe, metaalachtige klik. Ze wierp een blik over haar schouder, besloot het zekere voor het onzekere te nemen en zette het op een lopen. Ze nam haar sleutelbos in haar hand en stak een sleutel tussen elke twee vingers. Met deze geïmproviseerde boksbeugel kon ze, als de nood aan de man kwam, een aardige klap uitdelen.

Al luisterend rende ze door, maar behalve het geluid van haar eigen voetstappen, het gezoem van het verkeer op de grote weg en het gehuil van een sirene in de verte was er niets te horen.

Ze was bijna thuis, toen ze opeens het geluid van snel naderende voetstappen hoorde. Ze schoot de laatste hoek om, intussen haastig de huissleutel te voorschijn halend. De voetstappen kwamen nu heel snel naderbij. Haar bevende hand verwensend slaagde ze er uiteindelijk in de sleutel in het slot te krijgen. Ze draaide hem om, opende de deur en glipte vliegensvlug naar binnen. Toen smeet ze de deur met kracht achter zich dicht en schoof er meteen de grendel voor.

Hijgend tuurde ze door het spionnetje. Op de oprit stond een onbekende figuur met een donker windjack aan en een honkbalpet op. Het was te donker om zijn gezicht te kunnen onderscheiden; het werd bovendien vervormd door de groothoeklens van het spionnetje.

Het leek wel of hij aarzelde, dacht ze, of verbeeldde ze zich dat maar? Uiteindelijk draaide hij zich om en verdween tussen de bomen.

Met een zucht van opluchting liet ze haar voorhoofd tegen de voordeur rusten. Moest ze de politie hier nu van op de hoogte stellen of niet, vroeg ze zich af. Maar wat moest ze dan zeggen? Dat ze achternagezeten was door iemand van wie ze geen behoorlijke beschrijving kon geven? Ze zouden haar zien aankomen.

'Mam?'

De stem van Lindsay, die van vlak achter haar kwam, deed haar opschrikken.

'Wat doe je daar?'

Ze vermande zich en draaide zich om. 'Niets, hoezo? Maak je geen zorgen. Ik stond gewoon even uit te blazen. Ik heb een eindje lopen joggen.'

'Joggen? Jij?' Lindsay keek haar verbaasd aan. 'Daar heb je toch altijd zo de pest aan?'

Ze wilde daar net iets op terugzeggen, toen ze achter Lindsay een man in de deuropening van de huiskamer zag verschijnen.

'Hallo, Mariah,' zei Paul Chaney.

7

Ze keek beurtelings van Chaney naar haar dochter en weer terug naar Chaney. 'Wat doe je hier?'

'Mam!' riep Lindsay duidelijk gegeneerd uit. 'Hij belde een halfuur geleden aan. Ik zei dat je zo wel weer terug zou zijn en dat het goed was als hij hier op je wachtte.'

Ze keek Lindsay streng aan. 'Hoe vaak moet ik je nog zeggen dat je geen vreemden mag binnenlaten als ik er niet ben?'

'Nou, ik heb anders eerst even gekeken wie er voor de deur stond, hoor,' protesteerde het meisje. 'En hij was geen vreemde, dus...' voegde ze er triomfantelijk aan toe.

'Neem het haar niet kwalijk, Mariah,' zei Chaney, naar voren tredend. 'Het was mijn fout. Ik had van tevoren natuurlijk even moeten bellen, maar ja, mijn vorige bericht was ook al niet doorgekomen.'

'Ik had je boodschap wel ontvangen,' gaf Mariah toe. Ze zette haar tas neer en hing haar jack aan een hanger in de gangkast. 'Ik heb het gewoon ontzettend druk gehad deze week.' Ze keek hem weer aan, serieus overwegend of ze hem de deur uit zou gooien. Dat hij minstens een kop groter was dan zij interesseerde haar niet.

'Ik heb Mr. Chaney geïnterviewd voor de schoolkrant, mam,' vertelde Lindsay enthousiast.

'Je mag me best Paul noemen, hoor,' zei Chaney glimlachend.

'Het lijkt me beter als je het voorlopig nog maar even op Mr. Chaney houdt, Lindsay.'

Lindsay reageerde niet op haar moeders opmerking en ging opgewonden verder met vertellen. 'Hij heeft gezegd dat ik best een keer met hem mee mag naar de studio om te zien hoe het journaal gemaakt wordt.'

'Dat is erg aardig, maar Mr. Chaney leidt een druk bestaan. Bovendien heb je aan dat interview wel genoeg stof voor je artikel, lijkt me.'

Toen Lindsay wilde protesteren, stak ze een waarschuwende vinger op. 'Mag ik even vragen: heb jij je huiswerk al af?'

'Nee, maar –'

'Geen gemaar. Hop, aan het werk. En zeg Mr. Chaney even netjes gedag voor je naar boven gaat.'

'Nou, ma-am!'

'Het is jammer, Lindsay,' zei Chaney, het meisje de hand toestekend. 'Maar je moeder is nu eenmaal de baas. Misschien een volgende keer.'

Lindsay gaf hem een hand, wierp een boze blik op haar moeder en strompelde de trap op. Mariah keek haar dochter na. Ze sloot hoofdschuddend haar ogen en zuchtte.

'Mariah –'

Ze sloeg haar ogen op en snoerde hem de mond met een vernietigende blik, zich intussen afvragend wat ze met hem aan moest. 'Kom mee naar de keuken,' zei ze ten slotte.

Hij volgde haar zonder iets te zeggen en pakte een stoel toen ze hem gebaarde te gaan zitten.

'Ik ben in een slecht humeur en bovendien verga ik van de honger,' kondigde ze aan. 'Je bent dus gewaarschuwd, Chaney.'

'Goed dat je het even zegt.'

Ze liep naar de koelkast. 'Ik ga een biertje nemen. Wil je ook?' Toen hij knikte pakte ze twee flesjes uit de koelkast. 'Ik werd daarnet achtervolgd door een of andere gek,' zei ze. 'Ik schrok me werkelijk wezenloos.'

'Heeft hij je wat gedaan?'

'Welnee.' Ze schoof hem een flesje toe.

Hij maakte duidelijk geen glas te willen hebben en zette het flesje direct aan zijn mond. Hij nam een paar grote slokken, waarna hij uitgebreid het etiket op het flesje bestudeerde.

Ze nam ook een paar slokjes en bestudeerde intussen zijn gezicht. Hij was qua uiterlijk werkelijk geknipt voor televisiewerk, met zijn regelmatige, jongensachtige trekken en zijn blonde haren, die al een beetje grijs begonnen te worden. Hij droeg een blauw katoenen overhemd met een marineblauwe trui die bij de kleur van zijn ogen paste en een donkerbruine broek met een keurige vouw erin. Zijn leren jack slingerde vast ergens in de huiskamer.

Ze streek haar vochtige haren uit haar gezicht, zich plotseling bewust van de slobberige sportkleren die ze zelf droeg. Ach, wat kon het haar ook eigenlijk schelen, dacht ze geërgerd. Er was immers geen enkele reden waarom ze indruk zou moeten maken op Paul Chaney.

'Heb jij al gegeten?' vroeg ze met tegenzin. Nu hij hier eenmaal was wilde ze eigenlijk wel graag horen wat hij te vertellen had, maar eerst moest ze wat eten.

'Het is dat je het me vraagt. Maar nee, ik ben meteen vanuit mijn werk hierheen gekomen.'

'Wat doe jij in Washington, als ik vragen mag?'

'Ik ben bezig met wat follow-uponderzoek. Verder ben ik met de directie in onderhandeling over mijn volgende post.'

'O. Je gaat dus weg uit Wenen?'

'Misschien.'

Ze gebaarde naar de oven. 'We eten kliekjes, maar er is genoeg, dus als je ook wat wilt...'

'Als ik het me goed herinner dan doen jouw "kliekjes" niet onder voor wat er in de betere restaurants wordt geserveerd,' zei hij. 'Het ruikt in ieder geval heerlijk. Zodra ik hier binnenkwam, liep het water me al in de mond.'

'Het is moussaka.' Ze pakte een plank en een broodmes en zette dat voor zijn neus, waarna ze hem een half stokbrood en een broodmandje aanreikte. 'Snijden graag.'

'Zoals u wenst, *ma'am*.' Hij pakte het mes en bekeek het. 'Ik was heel even bang dat je van plan was om me daarmee lek te prikken – hetgeen overigens niet verwonderlijk zou zijn geweest, gezien hoe ik je achtervolg.'

'Niet kletsen, Chaney, snijden.' Ze pakte de salade die ze eerder op de avond had gemaakt uit de koelkast en draaide snel een vinaigrettesaus in elkaar die ze over de salade goot. 'Hier.' Ze zette de salade op tafel en reikte hem het slabestek aan. 'Mengen.'

Hij verbeet een grijns en begon onhandig de sla door elkaar te scheppen. Prompt gooide hij de helft ernaast. Toen hij haastig alles weer terug in de slabak deed, sloeg ze haar ogen ten hemel, maar ze zei niets. Ze had intussen borden, bestek en servetten uit de kast gehaald en begon de tafel te dekken. Daarna zette ze de moussaka op tafel en ging tegenover hem zitten.

Onder het eten wisselden ze geen woord. Ze meed zijn blik, maar voelde doorlopend dat zijn ogen op haar waren gericht. Ze was op dit moment te moe en te gespannen om zich er veel van aan te trekken. Destijds in Wenen had ze zich er al erg ongemakkelijk onder gevoeld.

Allemaal verbeelding, had ze in het begin gedacht. Hij was immers een goede vriend van David, en David zelf scheen niets in de gaten te hebben. Een tijdlang had ze gedaan alsof het haar niet opviel dat hij overeind schoot zodra hij haar zag binnenkomen; alsof ze niet merkte dat zijn ogen haar volgden of dat hij zijn blik afwendde wanneer David haar aanraakte. Het had niet geholpen; het was hoe langer hoe erger geworden.

Zelfs toen Elsa regelmatig met hem mee was gekomen, leek het wel alsof hij meer oog had voor Mariah. Hij had iedere gelegenheid aangegrepen om een gesprek met haar aan te knopen of haar zijn hulp aan te bieden als ze iets uit de keuken ging halen. Het had wel geleken alsof hij zich gewoon niet kon voorstellen dat er vrouwen waren die ongevoelig waren voor zijn charmes. Nu was Mariah zich wel degelijk bewust geweest van zijn charmes, maar ze wist uit eigen ervaring wat een spoor van vernieling knappe, charmante mannen als Paul Chaney plachten achter te laten. Haar eigen vader was er namelijk zo een.

Kort voor het ongeluk was gebleken dat ze Chaneys oneerbare bedoeling haarfijn had aangevoeld. Op een avond had hij daadwerkelijk een poging gedaan om haar te verleiden – op het terras van de ambassade nota bene! Ze had er de pest in gehad dat David voor de zoveelste keer moest overwerken en had toen maar besloten zonder hem naar de receptie te gaan. Chaney bleek er ook te zijn, deze keer zonder Elsa.

Toen ze het terras op was gegaan om een luchtje te scheppen, was hij haar gezelschap komen houden. Ze hadden over van alles en nog wat gebabbeld; het was niets bijzonders geweest, gewoon een gezellig gesprek.

Achteraf had ze zich afgevraagd of ze misschien onbewust de verkeerde boodschap had uitgezonden. Zou het er die avond dan zo dik bovenop hebben gelegen dat ze zich ongelukkig voelde? Had ze eerder moeten reageren toen hij haar in zijn armen nam? Had ze het soms aan zichzelf te wijten dat hij dacht haar zomaar te kunnen kussen?

Nu wist ze dat dat niet het geval was. Elsa had haar zinnen op David gezet; Paul had werk van haar gemaakt. Dat hadden ze zo afgesproken natuurlijk. Het leek nogal vergezocht, maar ze was er nu vrijwel zeker van dat die twee indertijd een spelletje hadden gespeeld, al wist ze nog niet wat voor spelletje. Wat hadden ze daarmee op het oog gehad, was de vraag. En zou het allemaal anders zijn gelopen als ze hem niet van zich af had geduwd en op zijn avances was ingegaan?

'Mm.' Chaney sloot zijn ogen van genot. 'Heeft je moeder je zo lekker leren koken?'

'Wat mijn moeder op tafel zette kwam zonder uitzondering uit blik.'

Hij opende zijn ogen en keek haar verwonderd aan.

'Koken was iets waarvoor ze geen energie en geen tijd had,' legde ze uit. 'Ze had een dubbele baan om mijn zusje en mij te kunnen kleden en voeden. Ze had geen keus – mijn vader was er namelijk vandoor gegaan vlak voor de geboorte van Katie. Ik was toen zeven.'

'Goh, wat erg. Dat wist ik niet.'

'Hoe zou je dat hebben moeten weten?' vroeg ze scherp.

Hij sloeg zijn ogen neer en schoof ongemakkelijk heen en weer op zijn stoel.

'Zo'n drama was het niet,' vervolgde ze, verbaasd over het feit dat ze ervan genoot om hem te laten zweten, hem dat gedoe van hem in Wenen eindelijk eens betaald te kunnen zetten. 'Misschien was het maar goed ook. Aan zo'n slappeling heb je immers toch niets.'

Hij had zijn bestek naast zijn bord gelegd en streek schijnbaar gedachteloos met een vinger langs zijn bord. Toen hij opkeek stonden zijn ogen koud. 'O, dat is het dus?'

'Hè? Wat bedoel je?'

'Heb je daarom de pest aan me?' Hij keek haar strak aan. 'Want denk maar niet dat dat me ontgaan is, Mariah. Op welke manier ik ook toenadering zocht, altijd weer stuitte ik op een muur – een muur waar ik maar niet doorheen kon komen.'

Ze sloeg haar ogen neer en speelde met haar eten, niet goed wetend hoe ze daarop moest reageren. 'Ik geloof niet dat het uitmaakt wat ik wel of niet denk.'

'Misschien. Maar ik wil wel graag even iets rechtzetten, al was het alleen maar voor de goede orde. Ik was niet degene die mijn vrouw en kind in de steek liet; het was mijn vrouw die mij verliet – met medeneming van mijn toen zes maanden oude zoon. Ik kwam op een dag van mijn werk en trof een leeg huis aan. In de brievenbus vond ik een bericht van de advocaat dat ze een echtscheidingsprocedure was begonnen. Het zal wel reuze fout van me zijn geweest, maar ik had het absoluut niet zien aankomen.'

'Dit gaat me allemaal niet aan, Paul.'

'Dat weet ik, maar ik wil graag dat je het weet. Ze waren ingetrokken bij een man die ze al kende voor ze met me trouwde. Naderhand begreep ik dat ze nog voor Jack werd geboren de draad weer hadden opgepakt. We waren nog niet gescheiden of ze trouwde met hem.'

Hij zweeg een ogenblik. 'Nu was Phyllis niet echt de ideale vrouw voor me,' hernam hij. 'En ik was waarschijnlijk niet de echtgenoot waarop ze had gehoopt. Maar ze is een heel goede moeder, dat moet ik haar nageven. Over Jack zijn we het gelukkig altijd eens geweest. We vonden dat we moesten doen wat voor hem het beste was. We kwamen indertijd tot de conclusie dat ik maar zo veel mogelijk bij hem vandaan moest blijven om verwarring te voorkomen.' Hij balde zijn vuisten en leunde naar voren. 'Maar Mariah, de afgelopen tien jaar is er geen dag voorbijgegaan waarop ik me niet heb afgevraagd of dat wel de juiste beslissing was.'

Hoe graag ze het ook anders had gezien, ze kon er niet onderuit: dit was geen toneelspel. Het verdriet in zijn ogen was echt. Ze knikte langzaam. 'Goed. Ik heb te snel met mijn oordeel klaargestaan.'

Ze aten zwijgend verder, tot ze de schaal naar hem toe schoof. 'Maak hem maar leeg, als je wilt.'

'Nee, dank je. Het was heerlijk, maar de lust tot eten is me een beetje vergaan. Ben jij al genoeg bijgekomen om het over het ongeluk te hebben?'

Ze aarzelde en stak toen een vinger op. 'Zo meteen. Ik moet even naar Lindsay gaan kijken.' Ze stond op en ging naar haar dochters kamer.

Lindsay lag languit op haar buik op bed, met haar kin op haar vuist en een studieboek voor zich. Mariah keek onwillekeurig naar het bureau, dat vol lag met paperassen, cd's en de hemel wist wat allemaal nog meer. De computer was aan het zicht onttrokken door de kleren die eroverheen gedrapeerd waren. Ze verbeet zich. Dit was Lindsays territorium, hield ze zich voor. Als zij in een varkensstal wenste te zitten, dan moest ze dat zelf weten.

'Zo, hoe staat het met je huiswerk?'

Lindsay keek op en grijnsde. 'Af. Ik werk vast vooruit.'

Ze ging op de rand van het bed zitten en begon Lindsays rug te masseren. 'Sorry dat ik daarnet zo brommerig deed,' zei ze. 'Je weet dat ik altijd een slecht humeur krijg als ik honger heb.'

'Daarom hoef je me nog niet als een klein kind te behandelen,' mopperde het meisje.

'Daar heb je gelijk in, schat. Ik vergeet wel eens hoe volwassen je eigenlijk al bent. Ik schrok ook wel een beetje toen ik opeens iemand achter je in de deuropening zag verschijnen. Het spijt me.'

'Is Mr. Chaney er nog?'

'Ja. Ik heb hem een restje moussaka met wat sla aangeboden bij wijze van excuus voor de nogal ongastvrije ontvangst.'

Lindsay draaide zich op haar zij en plukte aan haar beddensprei. 'Waarom mag je hem niet, mam?'

'Moeilijk te zeggen. Op de een of ander manier irriteert hij me.' Ze staarde naar haar handen. 'Of misschien komt het doordat hij me herinnert aan de tijd dat papa en hij over het ijs scheurden als een stel jonge honden. Dan word ik pissig omdat hij dat nog steeds kan en papa niet.'

Lindsay knikte begrijpend. 'Pissig, hè?' Ze gaf haar moeder een klap op haar arm en lachte. 'Tjonge jonge, wat een taal!'

'Ik weet het,' gaf Ze beschaamd toe. 'Dat is de slechte invloed van Pat en Frank. Ik heb de laatste tijd duidelijk te vaak in hun gezelschap verkeerd. Maak je het trouwens niet te laat?'

'Ik wou eigenlijk nog even in bad.'

Mariah knikte. Aan het einde van de dag werd de pijn meestal erger. Een warm bad werkte dan ontspannend. 'Ik zet het wel even voor je aan. Moet er badschuim in?'

'Graag.'

Toen Mariah een paar minuten later terug naar beneden liep, hoorde ze Lindsay de badkamer binnen gaan en de radio aanzetten. In de keuken gekomen viel haar mond open van verbazing. De tafel was afgeruimd en schoongemaakt. Chaney, die net het laatste bord in de afwasmachine zette, keek op.

'Ik sta versteld, zeg.'

Hij sloot de afwasmachine. 'Even opruimen was wel het minste wat ik terug kon doen. Als koksmaatje stel ik dan wel niet veel voor, maar in afnemen en opruimen ben ik een held.' Hij wierp een blik naar het plafond. 'Alles weer goed in puberland?'

'Ja,' antwoordde ze. 'Ze was behoorlijk verongelijkt. Ik had haar behandeld als een klein kind – in het bijzijn van anderen.'

'Een grotere zonde kun je als ouder niet begaan, nee.'

'Nee, dat klopt,' verzuchtte ze. 'Wil je nog een biertje of zal ik koffie zetten?'

'Koffie lijkt me heerlijk.' Hij deed een stap opzij, zodat ze erbij kon om het koffiezetapparaat aan te zetten. 'Ik vind haar een moordmeid, Mariah.'

'Ja, hè. Vind ik zelf ook.' Ze beet op haar lip en verwenste de tranen die plotseling achter haar ogen brandden. Ze draaide Chaney haastig de rug toe en dook in de kast om kopjes en schoteltjes te pakken.

'Dat aanbod om haar een keer rond te leiden in de studio's, dat meende ik, hoor,' ging hij verder. 'Ik zou het zelf in ieder geval heel leuk vinden; ze is zo geïnteresseerd. En wie weet schuilt er in haar wel een toekomstige televisiepersoonlijkheid. Toe, laat me haar meenemen. Jij mag natuurlijk ook meekomen, als je zin hebt.'

Ze haalde haar schouders op. 'We zien wel,' mompelde ze. Tot haar grote ergernis klonk haar stem schor.

Hij raakte zachtjes haar schouder aan.

Als door een slang gebeten draaide ze zich om. 'Raak me niet aan!'

Hij stak beide handen op en deed haastig een stap achteruit. 'S-sorry, i-ik bedoelde er niets mee,' hakkelde hij. 'Het was gewoon een vriendelijk gebaar.' Hij keek haar aan, sloeg zijn ogen neer en schudde meewarig het hoofd. 'Sorry, Mariah.' Hij keek haar weer aan. 'Mariah, ik... Het spijt me van dat bewuste incident op de ambassade. Het was ontzettend stom van me, ik had zoiets natuurlijk nooit mogen doen. Het getuigde van arrogantie en van –'

'Gebrek aan loyaliteit.'

'Inderdaad,' gaf hij toe. 'Het is nooit mijn bedoeling geweest om je te beledigen. Ik ben bang dat ik de signalen verkeerd heb geïnterpreteerd.'

'Signalen?' viel ze tegen hem uit. 'Over welke signalen heb je het in vredesnaam? Je moet je antennes eens laten nakijken, meneer, want ik heb echt geen signalen uitgezonden.'

'Nee, daar heb je gelijk in,' mompelde hij, terwijl hij zijn hoofd liet hangen. 'Ik heb me gedragen als een rund.' Hij keek haar weer aan. 'Kunnen we het alsjeblieft vergeten? Alsjeblieft?'

Ze keek hem vernietigend aan. Wat belette haar eigenlijk om hem nu niet meteen de deur te wijzen, vroeg ze zich af. Het feit dat ze zich had voorgenomen erachter te komen wat hij nu precies wilde en wat hij wist, dacht ze erachteraan. 'Vooruit,' bromde ze met tegenzin. 'Maak jezelf dan maar nuttig en pak de melk uit de ijskast.'

Even later ging ze hem voor naar de huiskamer. Ze zette de koffie op tafel, terwijl hij plaatsnam op de bank. Daarna ging ze op veilige afstand in de luie stoel tegenover hem zitten.

'Leuk ingericht hier,' merkte hij nippend aan zijn koffie op. 'Veel gezelliger dan jullie appartement in Wenen.'

Geen wonder. Het appartement dat David en zij in Wenen hadden, was eigendom van de ambassade. Het was weliswaar ruim, maar ingericht naar de normen van de doorsnee Amerikaan. Het huis waar ze nu woonde, had ze naar believen kunnen inrichten met alles wat zij en David gedurende de veertien jaar dat ze getrouwd waren hadden verzameld.

'Je bent hier niet om het over binnenhuisarchitectuur te hebben, Chaney. Het was toch zo vreselijk belangrijk wat je te vertellen had? Nou, vertel op dan. En praat een beetje zachtjes,' voegde ze eraan toe met een veelbetekenende blik naar het plafond.

Hij knikte ernstig. Hij ging op de rand van de bank zitten en legde zijn ellebogen op zijn knieën. 'Misschien heeft David je wel eens verteld dat onze gesprekken vaak over kernwapens gingen. Ik heb een hoop van hem opgestoken over de verschillen tussen de Amerikaanse en de Russische systemen. Ik weet ook dat hij vroeger een tijdlang persoonlijk betrokken is geweest bij de ontwikkeling van kernwapens.'

'Zo lang was dat anders niet, hoor. Hij heeft alles bij elkaar maar drie jaar in Los Alamos gezeten.'

'Niettemin wist hij er heel wat van.'

'Ja, vind je het gek.'

'Hoe dan ook, de afgelopen maanden ben ik eens gaan onderzoeken hoe het het nucleaire establishment is vergaan sinds het uiteenvallen van de Sovjet-Unie. Hun kernfysici en technici hebben het moeilijk; velen van hen zitten vast op geheime bases ver van de bewoonde wereld. Ze kunnen niet verder en ze krijgen niet meer betaald, want de geldkraan is dichtgedraaid. Alles ligt op zijn gat, voedelvoorraden worden niet meer aangevuld, enzovoort. Wat het kernwapenarsenaal betreft: op het moment van het uiteenvallen bezat de Sovjet-Unie meer dan twintigduizend kernkoppen.'

Ze knikte. 'De meeste ervan bleven in Russisch beheer. De nieuwe staten bezaten er ieder een paar duizend, maar die worden nu grotendeels overgedaan aan Moskou. De meeste zullen worden vernietigd.'

'Op papier in ieder geval. De vraag is alleen: weten wij wel wie hoeveel kernwapens heeft en waar ze precies blijven?'

Ze stak haar handen op. 'Ik ben hier niet om vragen te beantwoorden. Ik luister alleen maar.'

'Al goed, al goed. Het was alleen bedoeld om de situatie te schetsen. Ik weet toch ook niet in hoeverre jij op de hoogte bent van dat gerommel met die kernwapens.'

Ze sloeg haar ogen ten hemel. 'Ik ben niet alleen maar Davids lieve vrouwtje, Paul. Ik zit bij Buitenlandse Zaken, weet je wel.' Zoals gewoonlijk kwam de leugen er gemakkelijk uit. 'En ik ben ook niet achterlijk.'

Hij keek haar oplettend aan. 'Je hebt eigenlijk nooit verteld wat je nu precies doet. Iets administratiefs, meen ik dat David had gezegd.'

Ze aarzelde. Hij scheen niet erg overtuigd, maar ze voelde er weinig voor om ondervraagd te worden over haar werkzaamheden. 'Ik zit inderdaad op het secretariaat,' antwoordde ze. 'Maar als je vijftien jaar lang tussen diplomaten zit, vang je het een en ander op natuurlijk. Ik ben ook betrokken geweest bij de organisatie van ettelijke ontwapeningsconferenties. En verder,' bracht ze hem in herinnering, 'ben ik al jaren getrouwd met een kernfysicus. Dat heeft aan tafel tot menig interessante discussie geleid, kan ik je vertellen.'

'Juist ja,' zei hij. 'Nou, dan hoef ik je dus inderdaad niet te vertellen dat het grootste probleem de verificatie is – wie heeft wat en wat gaat waarheen en wanneer. Nu wil noch Moskou, noch Washington de controle daarop aan het IAEA overlaten. Ze menen het allemaal zelf wel in de peiling te kunnen houden met hun spionagenetwerk en hun satellietsystemen.'

Vertel mij wat, Chaney, dacht ze. Het probleem is helaas dat die systemen om de tuin geleid kunnen worden.

'Het probleem is dat die systemen niet voor honderd procent betrouwbaar zijn,' vervolgde hij als had hij haar gedachten gelezen. 'Zo weten we bijvoorbeeld wel dat dingen als onderdelen en grondstoffen het land uit gesmokkeld worden, maar we weten niet altijd waar ze terechtkomen, en we hebben dus geen idee waar het eindproduct uiteindelijk zal opduiken.'

Ze knikte ongeduldig. 'Ik zag je gisteren op het nieuws. Jij bent dus bang dat een gek als Khadafi in het geheim grondstoffen en losse onderdelen van het failliete Rusland opkoopt en zo zijn eigen kernwapenarsenaaltje aan het opbouwen is. Het zal wel een klap voor je zijn, jongen, maar dat is inmiddels oud nieuws. In tegenstelling tot wat die Hoskmeyer beweerde in dat vraaggesprek met jou zijn er heel wat mensen die zich ernstige zorgen maken over dit probleem.' Ze zette haar kopje neer. 'Maar wat heeft dit te maken met het ongeluk van David en Lindsay?'

Hij schraapte zijn keel. 'Heeft David jou ooit gezegd dat hij zou zijn benaderd om, laten we zeggen, zijn kennis ter beschikking te stellen voor privé-doeleinden?'

'Wat?'

'Heeft nooit eens iemand geprobeerd om hem in te huren voor het opbouwen van een privé-wapenarsenaal?'

'Nou zeg, hoe kom je erbij? Natuurlijk niet! Daar zou hij ook nooit op in zijn gegaan.'

'En heb je ook niets vreemds opgemerkt aan zijn gedrag in de periode voor het ongeluk?'

'Waar stuur je op aan, Chaney? Op grond waarvan denk jij dat David door iemand benaderd is?'

'Dat denk ik niet, Mariah, ik weet het. Ik weet ook wanneer, en door wie. Ik weet alleen niet zeker met welk doel.'

'Wie heeft hem dan benaderd?'

'Dat is op dit moment niet van belang,' antwoordde hij.

Ze wendde zich van hem af en wuifde hem weg.

Hij slaakte een zucht van frustratie. 'Mariah, luister eens. Vertrouw me in dit geval, alsjeblieft. Je mag dan wel geen hoge pet op hebben van mijn persoon, maar feit is dat ik beschik over een paar zeer goede contacten, en ik zweer je dat ik geen spelletje zit te spelen. Iemand heeft het leven verwoest van een man die ik – geloof het of niet – beschouwde als een dierbare vriend. Neem me dus alsjeblieft serieus.'

Zijn gezicht liep rood aan, en hij keek behoorlijk kwaad, zag ze. Maar ergens klopte er iets niet aan dit verhaal. Wat was het? Ze wist het antwoord nog voor ze zichzelf de vraag had gesteld. Als iemand David had gevraagd om iets illegaals te doen, dan kon ze wel raden wie dat was geweest: Katarina Müller alias Elsa von Schleimann. Dat kon ze Chaney alleen moeilijk vertellen zonder te zeggen waar ze die informatie vandaan had. En wie bracht Elsa met David in contact, Chaney? Jij! En niemand anders. 'Als ik het goed begrijp, dan denk jij dat David er niet op in heeft willen gaan en dat hij daarom uit de weg geruimd moest worden?'

Hij haalde zijn schouders op. 'Zoiets.'

'Nou, volgens mij zit je er helemaal naast, en ik zal je vertellen waarom,' zei ze, achteroverleunend in haar stoel. 'Niemand kon namelijk weten dat David Lindsay die ochtend naar school zou brengen. Normaliter deed ik dat, zie je, maar op het laatste moment werden de plannen veranderd. Stel dat jouw theorie klopt en er inderdaad boze opzet in het spel was, dan was dus niet David, maar ik – of Lindsay – het doelwit.'

'Hm,' mompelde hij. 'Ja, misschien was jij inderdaad het doelwit. Misschien hoopten ze hem daarmee te dwingen om mee te werken.'

'Kom nu toch, Chaney. Dat slaat toch nergens op. Denk je nu echt dat David ineens wel zou meewerken als zijn vrouw en kind waren vermoord?'

'Nee, je hebt gelijk. Dan zal het ze toch om David te doen zijn geweest. Ik zou niet weten hoe ze wisten dat hij in die auto zou zitten – misschien werden jullie afgeluisterd en pasten ze hun plannen aan, maar het was beslist geen ongeluk,' hield hij vol. 'Daar blijf ik bij.'

'Maar op grond waarvan dan?' wilde ze weten. 'Kom nu eens met feiten over de brug, Chaney, want het is me allemaal veel te vaag.'

Hij wendde zijn blik af en slaakte een diepe zucht. 'De chauffeur van de vrachtauto was een Turkse gastarbeider genaamd Mohammed Kamal.'

'Nou en?'

'Ik ben erachter gekomen dat de ware Mohammed Kamal op het moment van het ongeluk thuis in Ankara zat met aids. Een paar maanden geleden ben ik hem gaan opzoeken – nog net op tijd, want twee dagen later was hij dood. Hij vertelde me dat hij drie maanden voor het ongeluk zijn Oostenrijkse verblijfs- en werkvergunning aan een Libiër had verkocht om terug naar huis te kunnen gaan en daar te sterven.'

Ze staarde hem aan. 'Maar de chauffeur van de wagen? Die hebben ze toch te pakken gekregen?'

'Ja. Hij werd aangeklaagd wegens roekeloos rijden en autodiefstal. Vreemd genoeg overleed hij kort daarna in de cel aan een hartaanval. Een jonge vent van begin twintig,' voegde hij er veelbetekenend aan toe. 'Dat hij gepakt werd was een streep door de rekening natuurlijk. Blijkbaar was hij vlak voor het ongeluk uit de wagen gesprongen. Een onverschrokken Weense burger belette hem echter te vluchten en overhandigde hem later aan de politie.'

'Het was dus een gestolen vrachtwagen...'

'Ja. Eigendom van Intertransport, een transportfirma in Salzburg, die drie dagen voor het ongeluk aangifte deed van diefstal van een van hun wagens.'

Ze stond op en begon te ijsberen. Ze bleef bij de boekenkast staan en staarde naar een foto van David en Lindsay die ze vorig jaar voor haar verjaardag van hen had gekregen. Een vrolijke, zorgeloze foto waarop duidelijk te zien was dat ze een speciale band hadden.

Ze sloot haar ogen een ogenblik, haalde diep adem en draaide zich om naar Chaney. 'Ik begrijp het niet. Er zwerven toch honderden vogelvrije sterrenplukkers rond op het moment? Dat heb je zelf gezegd.'

'Honderden wat?'

'Sterrenplukkers. In Los Alamos werden de theoretische fysici zo genoemd door de ingenieurs. Altijd met hun hoofd in de wolken, altijd bezig met het uitwerken van een of andere theorie, hopeloze gevallen voor wat betreft de praktische dingen des levens, waar gewone stervelingen zich mee bezighouden. Sterrenplukkers.'

Zijn mondhoeken gingen onwillekeurig omhoog.

'Dus waarom nu juist David?' vroeg ze. 'Waarom zou iemand nu uitgerekend David benaderen als er toch zoveel keus is? Na zijn vertrek uit Los Alamos veertien jaar geleden wilde hij niets meer te maken hebben met die wereld. Hoe komt iemand dan op het idee dat hij geïnteresseerd zou zijn?'

'Ik had zo gehoopt dat jij daar het antwoord op zou weten.'

Ze ging weer zitten en schudde haar hoofd. 'Volgens mij zit je op een dood spoor, Paul. David was een briljant theoreticus, maar hij had ook een geweten. Bovendien kan ik me niet voorstellen dat je iemand gaat inhuren die al jaren uit het vak is. Je zoekt iemand die op de hoogte is van de laatste technologie – ingenieurs en techneuten die vorige week nog werk hadden, niet een theoretisch natuurkundige die slechts kan bogen op kennis die inmiddels allang achterhaald is.'

Hij strekte peinzend zijn lange benen voor zich uit. 'Het IAEA,' mompelde hij. 'Dat is de enige andere mogelijkheid.' Hij keek haar aan. 'David werd niet benaderd voor een geheime operatie – hij ontdekte het bestaan ervan, en hij was niet van plan om zijn mond erover te houden. Dus moest hem het zwijgen worden opgelegd.'

Ze huiverde en voelde een beginnende hoofdpijn opkomen. 'Pure speculatie, lijkt me. Hoor eens, Paul, ik ben moe. Wat wil je precies van me weten?'

'Werkte David in Wenen misschien in het geheim voor de CIA, Mariah?'

Terwijl ze hem aanstaarde, voelde ze al het bloed uit haar gezicht wegtrekken.

'Ja, hè? Dat moet bijna wel, wil je zo'n geheime operatie op het spoor komen,' hernam hij. 'Dat zou hem via het IAEA nooit zijn gelukt, want die krijgen niet eens toegang tot de meest simpele informatie. Ze moeten altijd toestemming vragen om ergens te mogen komen kijken en hun bezoek ruim van tevoren aankondigen. Tegen de tijd dat ze eindelijk eens kunnen komen controleren, is alles wat het daglicht niet kan verdragen allang uit het zicht. Nee, als de Russen betrapt zouden worden op het handelen in kernkoppen, dan kan daar alleen de CIA achter zitten.'

Ze was opgestaan en begon de koffiekopjes op te ruimen. 'Volgens mij wordt het tijd om op te stappen, Paul. Dit gesprek begint absurde vormen aan te nemen.'

'Krijg ik nog antwoord op mijn vraag of niet?'

'Het antwoord is: nee, Paul. David heeft nooit voor de CIA gewerkt. Niet in Wenen en ook niet ergens anders.'

'Zou jij ervan hebben geweten als het wel zo was geweest?'

'Ja, dat zou ik zeker hebben geweten. Zoiets zou hij voor mij niet verborgen hebben kunnen houden. Ik ken hem al vanaf zijn vijfentwintigste, Paul. En ik ken hem door en door. Geloof me, als geheim agent zou hij het binnen de kortste keren verpest hebben.'

Ze liep naar de keuken, zette de kopjes op het aanrecht en pakte op de terugweg Chaneys jack. Toen ze zich omdraaide, stond ze oog in oog met hem.

'Mariah, je moet destijds toch op de een of andere manier gevoeld hebben dat er iets mis was? Ik zuig dit allemaal heus niet uit mijn duim, hoor?'

Ze reikte hem zijn jack aan, maar hij maakte geen aanstalten om het aan te trekken.

'Waar of niet?' drong hij aan.

'Ja! Nou goed?' Opnieuw voelde ze de tranen achter haar ogen branden. 'Hij was de laatste tijd nerveus, niet helemaal zichzelf,' bekende ze. 'Na het ongeluk heb ik er niet meer over nagedacht – ik had wel wat anders aan mijn hoofd. Wat mij nu zo dwarszit, Paul, is dat jij er indertijd met je neus bovenop stond – wat het ook geweest mag zijn. Dus ga nu niet ineens de Don Quichot uithangen om je geweten te sussen! David is alles kwijt en mijn kleine meid moet verminkt door het leven gaan. En waar was jij toen het allemaal misging? Jij hield je onledig met het spelen van stomme, levensgevaarlijke spelletjes!'

'Mariah, toe –'

Ze hield de voordeur voor hem open. 'Laat me in het vervolg met rust, Chaney. We hebben elkaar niets meer te zeggen.'

Rollie Burton vocht tegen de slaap. Hij was moe en hij had het koud. Het zat hem vandaag ook niet mee, dacht hij somber, terwijl hij zijn thermoskan met warme koffie onder de bank vandaan haalde. Als die stomme oude kerel hem niet voor de voeten had gelopen, had hij Mariah Bolt allang te pakken gehad. Tot overmaat van ramp bleek ze bij thuiskomst ook nog bezoek te hebben – hij had duidelijk het silhouet van een man gezien; bezoek dat maar niet wilde ophoepelen.

Vrouwen! Altijd hetzelfde gezeik. Nou, hij zou haar wel eens even laten zien dat Rollie Burton niet met zich liet sollen.

Net op het moment dat hij de schroefdop van de thermoskan draaide, zag hij de man het huis uit komen. Hij liet zich onmiddellijk onderuitzakken. Toen hij de man in zijn auto zag stappen en wegrijden, herkende hij de journalist die haar bij het verpleeghuis had staan opwachten. Hij had veel meer moeten vragen voor deze klus, dacht hij.

Hij schonk zichzelf wat koffie in en richtte zijn aandacht weer op het huis. Even later zag hij beneden een voor een de lichten uitgaan. Op de bovenverdieping ging een licht aan – in haar slaapkamer waarschijnlijk. Toen zag hij haar silhouet voor het raam verschijnen. Ze had een telefoon in de hand en toetste een nummer in. Het gesprek duurde maar kort. Ze duwde de antenne weer in en bleef nog een paar seconden uit het raam staren alvorens de gordijnen dicht te doen.

Jij denkt dat je Rollie Burton te slim af bent geweest, dacht hij chagrijnig, maar daarin zou je je nog wel eens lelijk vergist kunnen hebben, meid. Hij dronk zijn koffie op en startte de auto.

8

Zoals gewoonlijk wist Stephen Tucker zich geen raad met zijn houding. Hij staarde nerveus naar de vochtige, ronde afdruk die de plastic beker met cola op de formicatafel had achtergelaten en traceerde de omtrek van de cirkel met zijn wijsvinger.

Een wijsvinger met een afgekloven nagel, zag Mariah, net als al zijn andere vingers. Arme Stephen – achtentwintig en nog altijd één brok zenuwen. In al die zestien jaar dat ze hem nu kende was hij niets veranderd.

Het werd langzamerhand tijd dat hij daar eens overheen groeide. Het was natuurlijk niet eenvoudig om volwassen te worden met zo'n dominante vader als Frank, maar hij zou nu toch oud en wijs genoeg moeten zijn om daar doorheen te kunnen prikken. Wonderlijk toch dat maar weinige mensen inzagen dat er onder die norse, intimiderende buitenkant een zachtaardige man school.

Na Chaneys vertrek de vorige avond had ze Stephen gebeld en een boodschap op zijn antwoordapparaat achtergelaten. Toen ze vanochtend om half negen de parkeerplaats op reed van het drive-inrestaurant waar ze had voorgesteld samen te ontbijten, zat hij al op haar te wachten.

Hij voelde zich duidelijk niet op zijn gemak, maar er waren dan ook maar een paar mensen bij wie hij zich wel op zijn gemak voelde. David behoorde bijvoorbeeld tot de uitverkorenen.

Mariah wilde alleen koffie. Na die paar jaar in Wenen kon ze niet goed meer tegen de hoeveelheid vet die dit soort etablissementen in zijn gerechten verwerkte. Stephen daarentegen bestelde een uitgebreid ontbijt dat voornamelijk uit junkfood bestond. Wie hem zo zag, zou niet zeggen dat zijn vader een gastronoom was die zelf graag en veel in de keuken stond. Aan de andere kant had Stephen altijd al de behoefte gehad om zich tegen zijn vader af te zetten, en misschien waren zijn eetgewoonten daar ook een uiting van.

Toch was hij in de loop der jaren qua uiterlijk steeds meer op zijn vader gaan lijken, constateerde ze. Zo had hij de diepbruine, bijna zwarte ogen en zware wenkbrauwen van zijn vader. Net als Frank was hij nogal behaard – ze hadden allebei haar op hun handen – en begon hij vroeg kaal te worden. Hij had ook dat forse van Frank; alleen waar Frank duidelijk een grote, sterke kerel was die met de jaren – en door zijn kookkunst – wat gezetter was geworden, was Stephen gewoon dik te noemen. Alles, maar dan ook alles aan hem was rond, en slap.

Voor de rest verschilden vader en zoon van elkaar als hemel en aarde. Stephen was oerverlegen en bezat niets van zijn vaders charisma. Eigenlijk was hij nog steeds het eenzame, onzekere kind dat een groot deel van zijn jeugd ernstig geleden had onder de ziekte van zijn moeder, die ten slotte stierf toen hij vijftien was.

Toen in de eerste jaren na Joannes dood de relatie tussen vader en zoon ernstig was verslechterd, hadden David en Mariah Stephen geregeld onder hun hoede genomen. Hij was vaak een paar dagen blijven logeren; dan verslond hij Davids verzameling science-fictionboeken en speelde hij met Lindsay, die destijds nog maar een peuter was. Hij kon het vooral goed vinden met David. Persoonlijk betwijfelde Mariah of Stephen over de dood van zijn moeder heen gekomen zou zijn als David niet zo'n stabiliserende invloed op hem had gehad.

Ze keek naar zijn gebogen hoofd en legde een hand over de zijne. Hij trok zijn hand schielijk terug, schrok toen van zijn eigen reactie en kreeg een kleur als vuur.

'We hebben elkaar al veel te lang niet gesproken,' begon ze verontschuldigend. 'Idioot eigenlijk, als je bedenkt dat we in een en hetzelfde gebouw werken. Maar ja, jullie zitten dan ook min of meer begraven tussen jullie computers.'

Hij haalde zijn schouders op. 'We draaien ook rare diensten. We moeten wel: er komt dag en nacht informatie uit alle hoeken van de wereld binnen,' zei hij op vergoelijkende toon. 'De meesten van ons zien nooit iemand van Analysis of Operations.'

'Ik weet nog dat je net begonnen was toen wij naar Wenen vertrokken. Ik was al een tijd van plan om je eens te bellen en te vragen hoe het met je was, maar ik had zoveel aan mijn hoofd met David en Lindsay en zo...'

Hij knikte.

'Dus vertel eens, hoe gaat het met je?'

'Goed, wel.'

'En hoe bevalt het je bij ons?'

'Gaat wel. Het soort werk dat ik doe is in principe natuurlijk overal hetzelfde. Ze hebben hier alleen betere apparatuur dan op de meeste andere plaatsen.'

'Frank vertelde me dat je ook computerspellen ontwerpt, en dat je er zelfs in geslaagd bent ze op de markt te brengen.'

Hij grinnikte. 'Het verbaast me dat hij je dat verteld heeft. Hij vindt het bedenken van computerspelletjes maar een minderwaardige bezigheid voor een volwassen vent.'

'Ach, je kent je vader toch. Hij heeft nu eenmaal niet veel op met al die moderne technologie. Pat heeft hemel en aarde moeten bewegen om hem zover te krijgen dat hij 's ochtends eigenhandig zijn eigen computer aanzet. Daar is het bij gebleven, dus ik bedoel maar.'

'Mijn vader is een Neanderthaler op computergebied. Een paar jaar geleden hebben mijn zus en ik hem voor kerst een pc gegeven. Handig om zijn recepten in op te slaan en zo, dachten wij. Ik hoopte eigenlijk ook dat hij, als hij nou eens een paar van mijn spelletjes kon spelen, een beter beeld zou krijgen van de dingen waar ik me mee bezighoud. Maar helaas, het ding staat alleen maar te verstoffen in een hoek van zijn studeerkamer.'

Ze kon hem maar beter niet vertellen dat Frank de diskettes met Stephens spelletjes aan haar had meegegeven voor Lindsay, dacht ze. 'Ik weet het,' zei ze. 'Toch is Frank op zijn manier trots op je. Zo vertelde hij me dat die spelletjes erg in trek zijn. Volgens mij schept hij een pervers genoegen in het feit dat jij meer verdient dan hij.'

'En niet zo'n beetje meer ook.' Er speelde een glimlach rond zijn lippen.

'Dat geloof ik graag. Geld verdienen met je hobby – het kan slechter. Hij kwam een tijd terug zelfs met een of ander computerblad aanzetten waarin een lovende recensie stond van Wizard's Wand.'

Daar keek hij van op. 'Dat hij daar belangstelling voor heeft.'

'Wist jij dat dan niet?' Ze sloeg haar ogen ten hemel toen hij zijn hoofd schudde. 'Jullie zijn me ook een stelletje, zeg! Er zijn van die momenten waarop ik jullie met je koppen tegen elkaar zou willen slaan.'

'Met onze kale koppen, bedoel je zeker.' Hij streek over zijn schedel.

'Zoals je wilt. Ik kan je in ieder geval wel wurgen, Stephen Tucker,' zei ze met een glimlach. 'Lindsay heeft dat ellendige verslavende spel van je natuurlijk ook, en als ze achter de computer zit, kun je een kanon naast haar afschieten zonder dat ze het merkt. Het verbaast me dus niet dat het zo goed loopt.'

Hij begon gaten in zijn plastic beker te prikken. 'Hoe gaat het eigenlijk met haar?'

'Wel goed, vind ik. Ze heeft een zware tijd achter de rug, en ik maak me natuurlijk nog steeds zorgen over haar, maar ik heb het idee dat ze er langzaam bovenop begint te komen.'

Hij hield op met prikken en keek haar doordringend aan met die donkere ogen van hem. 'Dat kan waarschijnlijk niet van David worden gezegd.'

Ze schudde haar hoofd en sloeg haar ogen neer.

Een paar maanden geleden, kort nadat ze naar de Verenigde Staten waren teruggekeerd, was ze Stephen bij het verpleeghuis tegengekomen. Zij was op weg geweest naar David; hij kwam er net vandaan. Toen hij haar had gezien, had hij niet uit zijn woorden kunnen komen – iets waar wel meer vrienden last van hadden na hun eerste bezoek aan David.

Stephen liet zijn hoofd hangen. 'Dit had niet mogen gebeuren. Hij verdiende dit niet,' mompelde hij met een stem die verdacht schor klonk.

Mariah slikte de opkomende tranen weg en pakte zijn hand. 'Stevie,' zei ze op zachte, maar dringende toon. 'Ik heb je hulp nodig.'

Zijn hoofd schoot omhoog. 'Mijn hulp?'

'Ik heb informatie nodig over iets wat is misgegaan in Wenen in de tijd dat David en ik er zaten.'

'Iets.'

Mariah zuchtte. 'Een bepaalde operatie waar ik bij betrokken was, ja.'

'Waarom kom je daar bij mij mee aan?' Hij wist natuurlijk allang waar ze heen wilde – Stephen was niet op zijn achterhoofd gevallen.

'Ik heb geen keus. Ik krijg geen toegang tot bepaalde dossiers, en ik moet weten wat erin staat – wat er achter mijn rug is gebeurd.'

Hij leunde achterover in zijn stoel. 'Wat zoek je precies?'

'Dat weet ik zelf ook niet. Misschien staat er ook helemaal niets in, maar dat weet ik pas als ik die dossiers heb ingezien. Maak je geen zorgen, ik zal niets doen wat wettelijk verboden is.'

'Behalve het je wederrechtelijk toegang verschaffen tot geheime dossiers,' mompelde hij.

'Ik wil er alleen maar inzage in hebben.'

Hij zweeg een hele tijd – overwoog de risico's, vermoedde Mariah, zichzelf verachtend voor het feit dat ze hem moest vragen iets te doen wat illegaal was.

'Ik doe het voor David,' zei ze zacht. 'Dat is alles wat ik je erover kan zeggen, Stevie. Als het niet urgent was, zou ik het je niet vragen. Jij weet hoe je erin moet komen, of niet soms?'

'Hangt ervan af,' mompelde hij. 'De ene keer gaat het gemakkelijker dan de andere keer. Wat moet je precies hebben?'

'Een dossier met de codenaam Chaucer. Ik heb het zelf aangelegd toen ik in Wenen zat. Het omvat de informatie-uitwisseling tussen Frank, Operations en mij uit die periode, maar het kan zijn dat er sindsdien het een en ander is bijgekomen – dat weet ik niet.'

Hij keek haar argwanend aan. 'Weet Frank hiervan?'

'Nee, zeg. Wat dacht je? Hij ziet me al aankomen!' Ze zuchtte weer. 'Niet te geloven dat ik ertoe over moet gaan om jou te vragen om zoiets te doen. Ik weet zelfs niet eens zeker of het dossier iets zal opleveren, maar ik weet gewoon niet wat ik anders moet. Wil je me alsjeblieft helpen?'

Kauwend op een van zijn vingers liet hij zijn blik in de rondte gaan. Toen knikte hij langzaam. 'Goed. Ik zal kijken wat ik kan doen. Het kan een dag of wat duren, want ik zal moeten wachten tot iedereen naar huis is.'

'Kijkt niemand gek op als je langer blijft?'

Hij schudde zijn hoofd. 'Ik werk heel vaak door tot diep in de nacht. In feite kom ik nu ook net van mijn werk. Ik hoef pas vanmiddag om vier uur weer te beginnen.'

'Wat laat.'

'Iedereen heeft de schurft aan late dienst, ik heb niets liever. Het is 's avonds veel rustiger, dan zitten er maar een paar man achter de monitoren; niemand die je lastigvalt. Ik krijg dan ook altijd veel meer gedaan dan overdag.'

Niemand die je lastigvalt, dacht Mariah. Niemand om een praatje mee te maken. 'Dat moet wel ten koste gaan van je sociale leven, lijkt me.'

'Ach.' Hij haalde zijn schouders op. 'Daar heb ik het momenteel toch te druk voor. Ik ben bezig met een nieuw spel; daar gaat al mijn vrije tijd in zitten. Bovendien ben ik toch nooit zo'n fuifnummer geweest.'

Ergens kon ze wel begrijpen dat hij de voorkeur gaf aan computers boven menselijk gezelschap. Computers gedroegen zich voorspelbaar, ze uitten nooit kritiek en ze deden wat je wilde. Ze konden je ook geen verdriet doen.

'Kom je morgenavond wel op de jaarlijkse kerstborrel van je vader?' vroeg ze.

'Tja,' verzuchtte hij. 'Ik was het eigenlijk helemaal niet van plan, maar mijn zus heeft me zo lang aan mijn kop zitten zeuren, dat ik maar heb toegezegd om van haar af te zijn.'

Ze bestudeerde zijn gezicht. 'Hoe is het nou toch mogelijk dat Frank en jij na al die jaren elkaar nog steeds niet kunnen velen, Stevie?'

'Nou, het is anders lang zo erg niet meer als vroeger, hoor. We liggen elkaar gewoon niet, daarom proberen we elkaar maar zo'n beetje te ontlopen. Het is Carol die ons ertoe dwingt om eens in de zoveel tijd samen te komen.'

'Hoe ben je eigenlijk bij ons terechtgekomen?' vroeg ze. 'Daar heeft Frank zeker iets mee te maken gehad?'

'Inderdaad,' gaf hij met tegenzin toe. 'Toen ik studeerde regelde hij een bijbaantje voor de zomervakantie voor me – een poging om me aan te zetten tot het werken aan een, zoals hij dat noemde, serieuze carrière. Computerspelletjes ontwerpen was immers maar niets. Na mijn afstuderen ben ik er zo'n beetje blijven hangen en verder gerold. Het kwam iedereen goed uit: ik had geen zin om overal te gaan solliciteren, en zij hadden mensen nodig en wisten inmiddels wat ze aan me hadden. Zo is het gekomen. Ik kom mijn vader ook nooit tegen, behalve een enkele keer in de kantine, en dat is wel best zo.'

Ze schudde meewarig het hoofd. 'O, Stevie. Mensen doen elkaar nu eenmaal pijn, en vaak zonder dat ze er erg in hebben. De dingen kunnen niet ongedaan worden gemaakt, maar er bestaat wel zoiets als elkaar vergeven, weet je.'

Hij hoorde haar aan met stijf opeengeklemde kaken. 'Misschien wel. Maar voor mijn vader en mij is het te laat,' mompelde hij.

'Het is nooit te laat om het goed te maken, Stevie.'

Hij keek haar aan met een blik die verried dat hij daar zo zijn twijfels over had.

Het was druk toen Gus McCord en zijn gezelschap bij Adam's Rib aankwamen. Dieter Pflanz trok zijn wenkbrauw ironisch op bij het zien van het beeld dat naast de ingang stond: een stenen versie van de bijbelse eerste mens. Je wordt bedankt, makker, dacht hij. Door die ene stommiteit van jou zitten wij nu nog altijd met de brokken.

Hij had de ochtend doorgebracht in het Smithsonian in het kielzog van de McCords. Na Mrs. McCord te hebben afgezet bij het Madison Hotel, ging de rest van het gezelschap lunchen in een restaurantje vlak achter Pennsylvania Avenue, op een steenworp afstand van het Witte Huis, waar McCord om twee uur bij de president werd verwacht – niet dat dat de belangrijkste reden was om daar te gaan lunchen. McCord kwam er graag vanwege hun eenvoudige keuken. Hier stonden tenminste geen onbegrijpelijke woorden op het menu, zoals in het Franse restaurant dat Siddon hem een keer had aangeraden omdat iedereen in Washington die ook maar iets betekende, daar nu eenmaal zijn gezicht liet zien. Pflanz vond echter dat je mensen maar beter op je eigen terrein kon ontmoeten en niet op dat van henzelf. Intussen was hij maar wat blij dat McCord de voorkeur gaf aan een tent waar je tenminste wist wat je op je bord kreeg.

Zodra het gezelschap had plaatsgenomen, kwam de eiegenaar, Charlie Briggs, haastig op hen af. McCord, Siddon en Pflanz hadden een tafel apart; de twee lijfwachten zaten niet ver van hen vandaan met hun rug naar de muur gekeerd en hun gezicht naar de ingang.

'Mr. McCord! Wat fijn om u weer eens te zien,' zei Briggs.

McCord stak de man zijn hand toe. 'Hallo, Charlie. Hoe staan de zaken?'

'Kan niet klagen. Zijn de plaatsen naar wens? Toen Mr. Siddon belde om te zeggen dat u vandaag zou komen, heb ik ze meteen gereserveerd.'

'Perfect, perfect. Hoe is het met je zoon?'

Drie jaar geleden had Briggs' destijds dertienjarige zoon tijdens een scheikunde-experiment derdegraads brandwonden opgelopen over dertig procent van zijn lichaam. Toen McCord dat had gehoord, had hij 's lands bekendste brandwondenspecialisten en plastisch chirurgen ingeschakeld en de langdurige behandeling voor zijn rekening genomen.

'Hij gaat nog steeds met de dag vooruit.' De man schudde zijn hoofd. 'Ik weet niet wat we hadden moeten doen als u niet –'

McCord klopte hem op zijn schouder. 'Het doet me deugd om te horen dat hij aan de beterende hand is.'

Briggs knikte trots. 'Waar kan ik u een plezier mee doen – op rekening van het huis, dat spreekt vanzelf. Ik heb vandaag een malse filet mignon die ik u van harte kan aanbevelen.'

McCord kreeg een verlangende uitdrukking op zijn gezicht. 'Het klinkt erg aanlokkelijk, Charlie, maar nee, laat ik het maar niet doen.' Hij slaakte een diepe zucht en keek op de menukaart. 'Straks vraagt mijn vrouw wat ik heb gegeten en ik moet aan mijn cholesterol denken. Geef me de forel maar.'

'Zeker, Mr. McCord. Een lekker wijntje erbij misschien?'

'Deze keer niet, Charlie. Ik moet het hoofd helder houden, want er staat vanmiddag nog heel wat op het programma. Laat ik het bij mineraalwater houden.'

Briggs nam de rest van de bestellingen op en verdween.

Siddon had het laatste nummer van Newsweek uit zijn koffertje te voorschijn gehaald. Voorop prijkte een foto van McCord in zijn werkkamer op het hoofdkantoor in Newport Beach. ANGUS MCCORD – DE COWBOY EN HET KREMLIN, stond er met grote letters boven; eronder, in kleinere letters: 'Hoe een Amerikaanse zakenman het communistische monster hielp temmen – en op welke manier onze economie daar profijt van heeft'.

'Vers van de pers, Gus,' zei Siddon.

McCord pakte het tijdschrift aan. 'Een tikkeltje overdreven, vind je ook niet?' mompelde hij grijnzend.

'Ach, misschien wel,' meende Siddon. 'Een lovend artikel in ieder geval. Dankzij jouw contacten met Gorbatsjov was de Amerikaanse zakenwereld als eerste binnen toen daar de deuren opengingen.'

McCord sloeg zijn ogen ten hemel. 'Nou, nou, nou! Dit begint werkelijk buitenproportionele vormen aan te nemen. Ik heb de goede man in tweeëntachtig gewoon een beetje rondgereden in North Dakota, en toevallig konden we meteen goed met elkaar overweg. Zoals Maggie Thatcher zei: "Een kerel met wie je zaken kunt doen".'

'Ja, maar als Gorby niet ook zo over jou had gedacht, had het allemaal wel eens heel anders kunnen lopen.'

'Het heeft allemaal wel gunstig uitgepakt,' zei McCord, intussen het tijdschrift doorbladerend. Toen de serveerster hun bestelling kwam brengen, gaf hij het terug aan Siddon.

Na de koffie stapten ze naar buiten. Het was weliswaar koud, maar er was geen wolkje aan de lucht, en de decemberzon scheen fel.

'Ik denk dat ik maar ga lopen,' mompelde McCord, de klaarstaande limousine negerend. Dit was het soort weer dat hem aan zijn jeugd op het platteland deed denken.

Pflanz keek hem onaangenaam verrast aan. 'Lopen? Lijkt me geen goed plan, Gus. Ga maar gewoon met de auto.'

'Nee, ik heb behoefte aan frisse lucht. Het is hier zo ongeveer om de hoek – ik heb zeeën van tijd, en het is alweer veel te lang geleden dat ik hier gewoon op straat heb gelopen. Regelmatig je gewoontes veranderen, zeg jij toch altijd, Dieter?'

'Dit is niet wat ik daarbij voor ogen had,' gromde Pflanz.

'Dieter heeft gelijk, Gus,' zei Siddon. 'Neem de auto nou maar. Nog afgezien van de risico's die je loopt, maak je geen goede indruk als je lopend bij het Witte Huis aankomt.'

Gus keek Siddon en Pflanz beurtelings aan. 'Ik ga lopen, zei ik. En stuur de auto maar vast vooruit. Kan de chauffeur die jongens aan het hek vast zeggen dat ik eraan kom.'

Pflanz fronste zijn wenkbrauwen, gebaarde toen de chauffeur dat hij kon vertrekken en stuurde de twee lijfwachten gauw achter McCord aan, die zich inmiddels had omgedraaid en wegliep.

'Altijd even onvoorspelbaar, die kerel,' mopperde Pflanz tegen Siddon, terwijl ze het drietal achternagingen. 'En stronteigenwijs.'

ᘛᗕ

'Hier willen ze echt niet aan, Mariah.' Frank Tucker leunde achterover in zijn stoel en tikte met zijn pen veelbetekenend op haar rapport over de Libische wapenhandel dat voor hem op zijn bureau lag.

'Ik heb nog zo mijn best gedaan om de connectie met de rederij van McCord af te zwakken,' protesteerde ze. 'Maar ik vind niet dat we het er helemaal uit moeten gooien. Vanochtend nog kwam er een bericht binnen uit Tripoli over een ophanden zijnde verkoop van een lading machinegeweren en lanceerinrichtingen ter waarde van twaalf miljoen dollar. Er móet gewoon een connectie bestaan, Frank. Dat kan bijna niet anders. Ik voel het gewoon.'

'Ik mag dan wel op jouw intuïtie vertrouwen, maar George Neville ontplofte zo ongeveer toen hij het concept onder ogen kreeg. Die verwijzing naar McCord moest er onmiddellijk uit, zei hij.'

'Sinds wanneer heeft Operations het laatste woord over de inhoud van onze rapporten?'

'Dat is normaal gesproken ook niet het geval, en onder andere omstandigheden zou ik er ook tegenin zijn gegaan, maar in dit geval ben ik het met hem eens. Het bewijs is te mager.'

Toen ze opnieuw wilde protesteren, stak hij zijn hand op. 'Vermoedens horen niet thuis in een rapport aan de president, Mariah. Als er harde bewijzen bestaan, ja, dan pakken we hem meteen bij zijn kladden. Maar dit moet er echt uit.'

Ze staarde hem verstoord aan. Toen kreeg ze een inval. Sinds Chaneys vertrek de vorige avond had ze zich suf gepiekerd of ze het onderwerp 'Wenen' ter sprake zou brengen en zo ja, hoe. Nu zag ze haar kans schoon. 'Goed dan. Ik ga wel op zoek naar bewijzen. Misschien levert Chaucer wat op.'

Helaas had Frank haar meteen door. 'Onzin. Pure tijdverspilling, want er bestaat geen verband met Chaucer.'

'Hoe kun je dat nu zomaar zeggen? We weten toch van het bestaan van terroristische organisaties die hebben geprobeerd om op deze manier aan wapens te komen! We weten toch ook dat bij alle belangrijke illegale leveranties Libiërs betrokken zijn. De kans is groot dat er een verband bestaat, lijkt me.'

'Verdomme nog aan toe, Mariah!' hij smeet zijn pen met kracht op het bureau. 'Denk je nu echt dat ik stom ben of zo? Gisteren heb ik tegen je gezegd je er niet mee te bemoeien – en voor Chaucer geldt hetzelfde, begrepen?'

Ze stak haar kin naar voren. 'Ik weet niet of je het weet, Frank, maar Chaucer is toevallig wel mijn dossier. Ik heb het opgestart.'

'Het is jouw dossier helemaal niet! Het dossier is eigendom van Operations, en jij bent – voor het geval je dat vergeten was – verbonden aan Analysis. Ga hier nu dus niet opeens de geheim agent uit zitten hangen. Die gouden tijd is voorbij. Je bent nu weer thuis.'

'Zo eenvoudig ligt het anders niet.'

Hij fronste zijn voorhoofd. 'Is er soms iets wat ik moet weten?'

Ze aarzelde. Ze kon toch moeilijk vertellen dat Chaney bij haar langs was geweest met een aantal interessante gegevens die haar besluit om de zaken nog eens onder de loep te nemen alleen maar hadden versterkt – laat staan dat zijn zoon op haar verzoek een geheim dossier zou gaan kraken. 'Paul Chaney stond gisteravond ineens bij me op de stoep,' zei ze ten slotte.

'En?'

'Hij heeft ontdekt, beweerde hij, dat de vrachtwagen die het ongeluk veroorzaakte een paar dagen ervoor was gestolen en dat de chauffeur een valse identiteit had opgegeven. Hij zou in werkelijkheid een Libiër zijn. Verder vermoedde hij dat de man niet een natuurlijke dood gestorven is in de gevangenis, maar dat hij is geliquideerd.' Ze haalde diep adem. 'Chaney denkt dat David wellicht betrokken is geraakt bij de illegale handel in Russische kernwapens.'

'En denk jij dat ook?'

'Ik? Welnee, zeg. Wie Davids achtergrond kent, ziet toch zo dat hij daar het type niet voor is. Waarom zou hij zoiets doen? Niet om ideologische redenen – heeft hij nooit gehad, ook vroeger in zijn studententijd niet – en ook niet om financiële reden, want hij geeft niets om geld. Hoewel,' voegde ze er grijnzend aan toe, 'voor een magische spreuk waarmee hij de grootste ijshockeyer aller tijden zou kunnen worden, had hij vast wel een paar geheimen overgehad.'

Haar gezicht werd weer ernstig. 'David was ook niet gevoelig voor omkoping, omdat hij, hoe briljant hij ook was, in wezen een eenvoudige, ongecompliceerde ziel was. Zijn leven bestond uit Lindsay, mij, en zo nu en dan een vrijblijvend partijtje ijshockey. Dus niet iemand die in de wieg is gelegd voor dubbelspion. Bovendien, en dat is misschien wel het belangrijkste argument: hij was een fel voorvechter van ontwapening. Hij was wel de laatste om zich in te laten met de verspreiding van kernwapens.'

'Wat moet je dan toch met die Chaney?'

'Is het waar wat hij over die chauffeur zegt?'

Frank zweeg.

'Dan weet ik zeker dat het ze om mij te doen was,' concludeerde ze. 'Ze besloten mij het zwijgen op te leggen omdat ik iets te weten gekomen ben, en dat iets kan alleen maar met Chaucer te maken hebben. Eerst verdwijnt Tatyana Baranova van de ene op de andere dag spoorloos en vervolgens wordt er een aanslag gepleegd op een auto waar ik in had moeten zitten. Die twee dingen moeten gewoon met elkaar in verband staan.'

'Heb je deze gedachten ook tegen Chaney uitgesproken?'

'Ik heb wel tegen hem gezegd dat het ze onmogelijk om David te doen kon zijn geweest, om de doodeenvoudige reden dat niemand kon weten dat hij die ochtend Lindsay naar school zou brengen. Hoewel hij niet erg overtuigd leek, heeft hij geen redenen om te denken dat het ze misschien wel om mij te doen was. Een andere mogelijkheid – volgens hem – was dat David in het geheim voor de CIA werkte en dat hij uit de weg geruimd moest worden omdat hij een geheime wapentransactie op het spoor was gekomen.'

Frank staarde een tijd naar zijn bureau zonder iets te zeggen. 'Vooruit,' zei hij uiteindelijk, 'ik zal je vertellen wat ik weet – meer kan ik je niet vertellen trouwens – op voorwaarde dat je meteen weer vergeet wat je nu gaat horen.' Hij schoof naar het puntje van zijn stoel en sloeg zijn handen ineen. 'Je vriendin Tanya blijkt een ware beerput te hebben geopend. Ze had gelijk: een paar jaar geleden hebben de Russen een minikernwapen ontwikkeld, waarvan er – vermoeden we – een paar honderd zijn geproduceerd. Een dingetje van zo'n vijfentwintig kilo, gemakkelijk mee te nemen in een rugzak. Weliswaar een wapen met een beperkt bereik, maar in hoge mate radioactief; in ieder geval genoeg om een kleine stad volledig mee van de kaart te vegen. Uitermate geschikt voor terroristische doeleinden dus. Het grote probleem is dat ze, in tegenstelling tot bijvoorbeeld de langeafstandsraketten, niet te lokaliseren zijn – althans niet op de gewone manier.'

'Wat is er met Tanya gebeurd, Frank?'

'Ze is door de KGB teruggehaald naar Rusland. Waarschijnlijk doorgestuurd naar Siberië of opgesloten in een krankzinnigengesticht. Het zou ook best kunnen dat ze al niet meer in leven is, we weten het niet. De nieuwe bewoners van het Kremlin laten al even weinig los als de vorige. Vooral als de verkoop van deze wapens onderdeel uitmaakt van een overheidsplan om geld in het laatje te krijgen. Ik kan je in ieder geval wel zeggen dat eraan wordt gewerkt,' besloot hij. 'Door een klein maar volledig ingewijd team.'

'Onder leiding van George Neville zeker.'

Hij knikte. 'Er is echt maar een heel klein aantal mensen bij betrokken, en Mariah, daar zit jij niet bij. Hoor je me? Zelfs ik ben niet op de hoogte van alle details. In dit geval moeten we het zekere voor het onzekere nemen en er gevoeglijk van uitgaan dat onze tegenstanders hebben ontdekt wie en wat jij precies bent. Als jij nu gaat zitten graven, krijgen ze wellicht argwaan en zijn we nog verder van huis. Daarom verbied ik je je hiermee te bemoeien. Begrepen?'

Ze knikte. Zijn opmerking sneed hout, moest ze met tegenzin toegeven. Het zou haar er echter niet van weerhouden toch het Chaucer-dossier in te zien – vooropgesteld natuurlijk dat Stephen erin slaagde om het te pakken te krijgen. Ze maakte aanstalten om de kamer te verlaten. Bij de deur bleef ze staan. 'Eén ding nog, Frank. Hoe zat dat met Katarina Müller?'

'Daar weet je dus van...' Hij was duidelijk geschrokken.

Ze voelde al het bloed uit haar gezicht wegtrekken. Waarom moest ze die vraag nu ook zonodig stellen? Ze kende Frank lang genoeg om te weten wat zijn reactie inhield. Hoe had ze zo stom kunnen zijn – zo blind voor iets wat pal onder haar neus gebeurde?

'O, nee.' Wankelend zocht ze steun bij de deur. 'Eigenlijk had ik in Wenen al zo'n vermoeden. Ik wilde er gewoon niet aan. David had een verhouding met haar, hè?'

Hij staarde naar zijn handen. 'Ze fungeerde als lokaas; verleiding en afpersing waren haar specialiteiten.'

'Maar waarom pikte ze David eruit? Om mij een lesje te leren?'

Hij keek haar aan met een blik waaruit frustratie sprak. 'Weten we niet. Misschien om problemen tussen jullie te veroorzaken in de hoop dat jullie eerder dan gepland uit Wenen zouden vertrekken. Of misschien dachten ze, net als Chaney, wel dat David een CIA-agent was.'

'Wist Chaney hiervan?'

'Geen idee – het zou kunnen, maar ik acht het niet waarschijnlijk. Als het iets met Chaucer te maken heeft, dan zou het best eens kunnen dat ze ook geprobeerd hebben om hem te bewerken. Bij een operatie als deze kan een nieuwsgierige journalist even gevaarlijk zijn als een geheim agent.'

Mariah was als versteend bij de deur blijven staan. Ze herinnerde zich dat David plotseling genoeg van Wenen had gehad en ervoor had gepleit om terug te gaan naar huis. Dat was twee dagen voor het ongeluk geweest. Ze herinnerde zich ook dat zijn kleren anders hadden geroken dan anders. Zeker te dicht in de buurt gekomen van een te zwaar geparfumeerde secretaresse, had ze nog gedacht. Voor het eerst sinds het ongeluk gaf ze haar tranen de vrije loop.

'Och, Mariah. Je weet niet half hoe vreselijk ik het vind,' bromde Frank. Hij was opgestaan en sloeg zijn armen onhandig om haar heen. 'Ik wou dat je er nooit achter was gekomen.'

'Hij wilde weg,' zei ze. 'Opeens. Hij heeft me letterlijk gesmeekt om onze koffers te pakken en terug te gaan naar huis. Ik vond het onzin. We hoefden het nog maar één jaar uit te zingen. Dat was toch niet onoverkomelijk? Bovendien waren er nog een paar dingen die we Lindsay graag wilden laten zien; zo waren we nog van plan om een fietsvakantie in Frankrijk door te brengen.'

Ze drukte haar vuisten tegen zijn borstkas en keek hem aan. 'Waarom is hij erop ingegaan?' vroeg ze zacht. 'Waarom heeft hij die vrouw tussen ons laten komen?'

'Die vraag heb ik me ook ik weet niet hoe vaak gesteld, Mariah,' verzuchtte Frank. 'David was dol op je, daarover bestaat geen enkele twijfel. En op Lindsay. Wat zag hij in vredesnaam in zo'n Katarina Müller? En waarom nam hij het risico om het dierbaarste wat hij bezat kwijt te raken? Het is me een raadsel – tot op de dag van vandaag. Het enige wat ik nog heb kunnen bedenken is dat ze hebben gedreigd om jou en Lindsay iets aan te doen als hij niet meedeed; dat hij het heeft gedaan om jullie te beschermen. Maar Mariah, ik beloof dat ik niet zal rusten voor ik weet wie hier achter zit,' besloot hij. 'En dat meen ik. Ik zal je niet in de steek laten.'

'Dat weet ik, Frank. Ik weet dat ik altijd op jouw steun kan rekenen.'

'Dat is dan wederzijds. En dat geldt niet alleen voor het werk, hoewel je de beste analist bent die ik onder mijn gelederen heb, en ik ben er eigenlijk ook best trots op dat ik jou persoonlijk binnen heb gehaald.' Hij aarzelde een ogenblik. 'Het geldt ook op het persoonlijke vlak. Wat je allemaal niet hebt gedaan toen Joanne op sterven lag... De manier waarop je Stephen opving en zo. Dat jij er in die moeilijke periode was voor mij én mijn gezin zal ik nooit, nooit vergeten.'

Op dat moment werd er geklopt. Pat stapte de kamer binnen en botste prompt bijna tegen hen op. Ze bleef abrupt staan en keek verbaasd van de een naar de ander.

Mariah maakte zich los uit Franks armen en veegde met de rug van haar hand de tranen van haar wangen. 'Het heeft niets te betekenen, Pat,' zei ze. 'Ik heb het vanochtend een beetje moeilijk, en die man van je was zo lief om me zijn sterke schouder te bieden.'

Pat knikte langzaam. 'Gaat het weer een beetje?'

'Ja, hoor.'

Na een laatste bezorgde blik op Mariah te hebben geworpen ging Frank weer achter zijn bureau zitten. 'Wat is er?' vroeg hij Pat.

'Sorry dat ik zo binnen kom vallen, maar ik heb je dochter aan de lijn. Ze wilde weten hoe laat je haar morgenmiddag wilt hebben in verband met de voorbereidingen voor de kerstborrel.'

'Nou ja, wanneer het haar uitkomt. Het maakt mij niet uit.'

'Goed. O, en Mariah,' ging Pat verder, 'ik moest jou even doorgeven dat het wat haar betreft prima is als Lindsay komt babysitten wanneer zij morgenmiddag Frank gaat helpen.'

'Mooi. Ik zet haar wel even af als we van David komen. Vraag even hoe laat het Carol uitkomt.'

'Doe ik.' Pat aarzelde en draaide zich om om de kamer te verlaten, na een laatste blik op hen beiden te hebben geworpen.

'Ik loop meteen mee,' zei Mariah, terwijl ze achter Pat aan ging. Bij de deur draaide ze zich nog even om. 'Ik zal dat rapport aanpassen, Frank,' zei ze, hem doordringend aankijkend.

Hij knikte en boog zich over zijn paperassen, waarna ze de deur geruisloos achter zich sloot.

Nadat ze verdwenen was, staarde Frank een tijd voor zich uit. Toen pakte hij de telefoon.

'Met het kantoor van Mr. Neville,' klonk het opgewekt aan de andere kant van de lijn.

'Met Frank Tucker. Kan ik hem even spreken?'

'Momentje, alstublieft.'

'Frank!' zei George Neville een paar seconden later. 'Vertel het eens.'

'Paul Chaney. Hij is haar thuis op gaan zoeken. Hij heeft zich vastgebeten in de zaak en is druk bezig om de puzzelstukjes aan elkaar te passen.'

'Hm. Dat is niet best.'

'Nee. Mariah is nu dus ook op de hoogte van Katarina Müller.'

'Verdomme! Hoe reageerde ze daarop?'

'Nou, wat denk je?' snauwde Frank. 'Hoor eens even, George. Dit gaat helemaal fout zo. Die Chaney moet aan banden worden gelegd.'

'Helemaal mee eens. Ik zal zien wat ik kan doen.' Hij aarzelde. 'Zeg, Frank...'

'Ja?'

'Hoe zit het met haar? Gaat ze hier werk van maken, dat je weet?'

'Nee, we hoeven ons geen zorgen te maken. Ze zal zich er niet mee bemoeien.' Frank hing op en staarde naar de muur. 'Alsjeblieft, Mariah, doe dat ook niet. Doe het in godsnaam niet,' mompelde hij voor zich heen.

9

Op zaterdagochtend was de wereld bedekt met een dun laagje poedersneeuw. Mariah had slecht geslapen; zelfs in haar dromen werd ze achtervolgd door Franks bevestiging van haar bange vermoeden dat David in Wenen een verhouding had met een andere vrouw. En niet met de eerste beste – met Elsa. Nee, corrigeerde ze zichzelf, niet met Elsa, met Katarina Müller. Ze was er kapot van – ze begreep het ook niet.

'Lins!' riep ze, terwijl ze afdaalde naar de garage. 'Kom je? We hebben niet de hele dag de tijd, hoor.'

Er kwam een onverstaanbaar antwoord. Op hetzelfde ogenblik rinkelde de telefoon.

Ook dat nog, dacht ze geïrriteerd. Vast een van Lindsays vriendinnen. 'Laat maar, het antwoordapparaat staat aan!' riep ze. 'We zijn al aan de late kant, Lindsay.'

Lindsay verscheen boven aan de trap. 'Het is voor jou.'

Ze zuchtte. 'Kan ik straks niet terugbellen?'

Lindsay haalde haar schouders op.

'Laat maar, ik kom wel.' Ze rende de trap op. 'Zet je spullen maar vast in de auto. Heb je nette kleren bij je voor oom Franks borrel? En schoenen? Oké. Ga maar in de auto zitten. Ik kom eraan.' Ze liep naar de telefoon. 'Hallo?'

'Mariah? Met Stephen. Zeg, ik heb dat spelletje waar je me laatst om vroeg.'

Spelletje? Het duurde even voor ze begreep waar hij het over had – natuurlijk, het Chaucer-dossier! 'Tjonge, vlot werk, zeg. Geweldig. Heeft het je veel tijd gekost?'

'Viel wel mee.'

'Kan ik er nu gewoon mee spelen?'

'Ik heb het hier op diskette. Heb je tijd om even bij me langs te komen? Anders wil ik het vanavond wel even komen brengen.'

Hij had dat dossier mee naar huis genomen! Hoe had hij dat nu voor elkaar gekregen, vroeg ze zich af. Ze had verwacht dat hij de boel zo zou aanpassen dat ze op kantoor het dossier kon opvragen. Alle documenten waren immers zodanig beveiligd, dat ze niet zomaar op diskette konden worden gezet. Een kopie kon alleen aangevraagd worden door degenen die daar toestemming voor hadden. Kennelijk was Stephen erin geslaagd om alle hindernissen te omzeilen.

'Ik kom hem wel halen,' zei ze. 'Aan het eind van de ochtend, tegen half twaalf of zo, schikt dat? Geef me je adres maar even.' Ze krabbelde zijn adres op een stukje papier dat ze in haar jaszak stopte, hing op en haastte zich naar de garage.

Lindsay zat al in de auto en rommelde in haar schooltas, die aan haar voeten stond. Het deed Mariah deugd om te zien dat ze van plan was om straks tijdens het babysitten bij Carol haar huiswerk vast te gaan maken.

Ze startte de auto, wierp een blik in haar spiegeltje en reed achteruit de garage uit. Ze was zo in gedachten, dat ze geen aandacht besteedde aan de verse schoenafdrukken in de sneeuw – zo die haar al waren opgevallen. Ze draaide de oprit af en zette de auto in de eerste versnelling. Nog net op tijd bedacht ze dat de garage nog openstond en drukte ze op de afstandsbediening. Terwijl ze wegreed, zag ze in haar spiegeltje de garagedeur langzaam omlaaggaan.

Zodra Rollie Burton de Volvo uit het zicht zag verdwijnen, kwam hij uit de struiken naast de garage te voorschijn. Hij bukte zich en schoot nog net op tijd de garage binnen. Even later stond hij in de keuken. Hij voelde aan de koffiepot. Toen die nog warm aan bleek te voelen, schonk hij zichzelf een mok koffie in. Per slot van rekening zou het wel een tijdje kunnen duren voor ze terug was. Nippend aan zijn koffie besloot hij op onderzoek uit te gaan.

In de hal gekomen schoof hij de grendel van de voordeur – voor het geval hij zich snel uit de voeten zou moeten maken. Daarna draaide hij zich om en nam nog een slok koffie. Eerst de slaapkamer maar eens bekijken, dacht hij. Onwillekeurig likte hij met zijn tong langs zijn lippen.

Sinds die bewuste avond dat hij haar in het zwembad had gezien, dacht hij vrijwel constant aan haar – aan haar welgevormde lichaam in dat sexy, strakke badpak. Ha! Ze dacht zeker hem te slim af te zijn geweest. Die wijven vonden zichzelf toch altijd zo geweldig. Ze keurden hem nauwelijks een blik waardig, behandelden hem als minderwaardig. Wie geen grote, knappe en vooral rijke kerel was kon het wel schudden. Zelfs straathoertjes aarzelden als ze door hem werden benaderd – waarschijnlijk in de hoop dat er iets beters langs zou komen. Zijn vingers sloten zich om het mes in zijn zak. Gelukkig had hij zo zijn methoden om uiteindelijk zijn zin te krijgen.

Boven op de overloop opende hij een kast. Zijn oog viel op een witte sjaal, die hij eruit haalde en tegen zijn neus drukte. Hij inhaleerde haar geur en glimlachte gelukzalig bij het vooruitzicht haar straks op de knieën te zullen krijgen – net als alle anderen. Het zou zijn opdrachtgever een zorg zijn wat hij met haar uithaalde, zolang ze maar dood was tegen de tijd dat hij klaar was met haar.

⌘

Bij terugkeer van het Witte Huis had McCord zijn vrouw bewusteloos in hun hotelsuite gevonden, en nu zat hij al ruim zestien uur naast haar bed op de afdeling Cardiologie.

Nancy McCord was er slecht aan toe. McCord had het zekere voor het onzekere genomen en besloten zijn zoons over te laten komen. Daarop had Pflanz het vliegtuig terug naar Californië gestuurd om hen op te laten halen. Ze werden tegen het einde van de ochtend in Washington verwacht.

Pflanz had de lijfwachten opdracht gegeven om om de beurt

de wacht te houden bij Nancy's kamer tot McCords zoons er zouden zijn. Misschien dat McCord zich dan eindelijk zou laten overhalen om terug te gaan naar het hotel om het tekort aan slaap een beetje in te halen.

Zelf was Pflanz met Siddon neergestreken in de wachtkamer van de afdeling Cardiologie – voor het geval ze nodig waren.

'Wat een tegenvaller,' verzuchtte Siddon. 'Vooral nu de president Gus openlijk zijn steun heeft toegezegd, mocht hij besluiten volgend jaar met de verkiezingen mee te gaan doen. Allemachtig, dat dit net nu moest gebeuren!'

Pflanz wierp een blik op McCords assistent. 'Tjonge, wat een medeleven nu toch weer.'

Siddon maakte een grimas. 'Ach, je weet best wat ik bedoel. Het is vreselijk voor Mrs. McCord natuurlijk. Ik hoop voor haar dat ze er weer snel bovenop komt, want anders zie ik nog aankomen dat Gus het niet trekt. En ook al komt ze er snel weer bovenop, dan nog is het maar de vraag of Gus haar na dit voorval het gedoe rond zo'n verkiezingscampagne zal willen aandoen.'

'Nou, dan doet hij toch gewoon niet mee. Het zal heus het einde van de wereld niet betekenen. Ik dacht trouwens dat de president zijn steun officieel al had toegezegd aan de vice-president.'

'Ja, dat is wat hij de buitenwereld wil doen geloven.' Siddon sloeg zijn ogen ten hemel. 'De vice-president is een idioot. De man is te stom om voor de duvel te dansen, laat staan om een land te regeren. De president is zich daarvan bewust. Wat wij nodig hebben is iemand als Gus McCord; alleen een man als hij is in staat om de puinhoop op te ruimen die de politici van dit land hebben gemaakt.'

'Ik weet het niet, Jerry,' mompelde Pflanz peinzend. 'McCord kan misschien wel veel meer voor dit land betekenen wanneer hij niet gevangen zit in zo'n bureaucratische situatie.'

Siddon leek niet overtuigd, maar hij kon dan ook niet weten dat Pflanz de dag ervoor, terwijl Siddon en McCord bij de president zaten, in een van de zijkamers van de Oval Office een ontmoeting had gehad met zijn contactman bij de CIA en woorden van gelijke strekking had gehoord.

'Je beseft natuurlijk wel,' had George Neville tegen Pflanz gezegd, 'dat de president nooit zal toegeven dat hij op de hoogte is van de activiteiten van je baas. Als dit ooit in de openbaarheid komt, zal niemand kunnen aantonen dat hij er weet van had. Dat neemt niet weg dat hij grote waardering heeft voor wat McCord voor ons land doet. Door die commissies van toezicht kunnen wij geen kant op natuurlijk; daarom zijn we allang blij dat iemand als McCord het vuile werk opknapt waar, als puntje bij paaltje komt, die schijnheilige moraalridders van het Congres zo'n schande van spreken.'

'Dat is allemaal heel leuk en aardig,' had Pflanz gezegd, 'maar zorg er dan in ieder geval voor dat we ongestoord onze gang kunnen gaan.'

Neville had ernstig geknikt. 'Hoe minder mensen ervan weten, hoe veiliger. Om die reden ben ik een van de weinigen die van alles op de hoogte is. Lastiger is het om onze mensen de andere kant te laten opkijken zonder onszelf te verraden.' Hij had op zijn onderlip gebeten. 'Daarnaast is er een klein probleempje met de pers gerezen.'

'Met de pers? Wie?'

'Paul Chaney van CBN.'

'Verdomme! Altijd hetzelfde gelazer met die ellendige journalisten. Bloedzuigers zijn het; ellendige sensatiezoekers!' Pflanz was naar het raam gelopen en had naar buiten gestaard. 'Laat mij dat varkentje maar wassen.' Hij had zich omgedraaid naar Neville. 'Ik weet wel hoe ik die vent aan moet pakken.'

Na een korte wandeling door het park dat het verpleeghuis omringde, brachten Mariah en Lindsay David weer terug. Hij had een paar keer geniesd, en Mariah was bang dat hij kou zou vatten. De zon mocht dan wel schijnen, maar voor iemand die roerloos in een rolstoel zat was het buiten al gauw te koud.

Ze gingen naar de recreatieruimte, waar Lindsay direct achter de piano kroop. Ze speelde een van de lievelingsstukken van David, een etude van Chopin die ze speciaal voor hem ingestudeerd had. Hij keek naar zijn dochtertje met een scheve glimlach op zijn gezicht.

Mariah keek op haar beurt naar hem, haar boosheid en frustratie wanhopig bestrijdend. Hij was immers al zwaar genoeg gestraft voor het feit dat hij haar ontrouw was geweest. Daar leek het althans op, wat verder de link ook mocht zijn tussen zijn verhouding met Elsa, het Chaucer-dossier en het ongeluk.

Het punt is alleen, David, zei ze in gedachten tegen haar echtgenoot, dat niet alleen jij, maar ook ik gestraft ben – om nog maar niet te spreken over Lindsay, die fysiek en emotioneel voor het leven getekend is. Je zult er wel spijt van hebben als haren op je hoofd, ging ze in gedachten verder, maar dat interesseert me niets. Waar haalde je het recht vandaan? Ik hield van je, ik vertrouwde je volkomen. Desondanks heb je mij en Lindsay in de steek gelaten, zoals mijn vader destijds mijn moeder, Katie en mij in de steek liet. Ik denk eigenlijk dat ik dat nog het ergste vind van alles, dacht ze, hem een verbitterde blik toewerpend.

Lindsay was uitgespeeld en keek vol verwachting in de richting van haar vader. Hij antwoordde met een glimlach in zijn ogen.

Plotseling verscheen er een ondeugende grijns op Lindsays gezicht. 'Zeg, pap,' zei ze op vleiende toon. 'Ik geloof dat ik een acute chocoladeaanval voel aankomen.'

Zijn ene mondhoek ging beverig omhoog. Het was iets tussen hen tweeën – beiden waren ze verslaafd aan chocola. Het was een oud grapje, dat nog dateerde uit de tijd dat Lindsay heel klein was. Een van hen zakte dan opeens kreunend in elkaar; de ander nam snel de pols van de patiënt op en schreef onmiddellijke toediening van een portie chocola voor voor deze vreselijke aandoening, die anders tot een wisse dood zou leiden. Daarna renden ze samen gierend van de lach op de dichtstbijzijnde snoeptrommel, winkel of automaat af. Ze haalden het geintje te pas en te onpas uit, of het nu vlak na het eten was of vlak voor het slapengaan. Mariah werd er soms stapelgek van. Dat ze zelf allergisch voor chocola was, hielp natuurlijk ook niet echt.

Ze sloeg haar ogen ten hemel: 'Werkelijk, jullie zijn onverbeterlijk. Nou ja, vooruit dan maar, Lins,' bromde ze, haar portemonnee pakkend. 'Ga maar even naar de kantine, dan rijd ik papa intussen terug naar zijn kamer. We moeten over niet al te lang weg, want Carol zit op ons te wachten.'

Eenmaal terug op zijn kamer zette ze hem achter zijn computer. Bang dat ze in haar boosheid dingen zou zeggen waar ze later spijt van zou hebben, begon ze fanatiek het toetsenbord af te stoffen.

Toen ze zijn hand op haar arm voelde, draaide ze zich naar hem om. Hij staarde haar aan met grote, vragende ogen. Ze dwong zichzelf zijn blik te negeren en wilde zich weer omdraaien, maar hij verstevigde zijn greep. Met een diepe zucht plofte ze in de stoel naast hem. Hoe graag ze ook zou willen, het was onmogelijk om hem te haten. 'Ik wou dat je me kon vertellen hoe het kon gebeuren,' fluisterde ze. 'Dat is iets wat ik gewoon moet weten.'

Hij trok verwonderd zijn wenkbrauwen samen. Toen verscheen er een lege blik in zijn ogen en wendde hij zijn gezicht van haar af.

Zuchtend streek ze met haar andere hand over zijn wang. 'O, David,' mompelde ze verdrietig.

Hij richtte zijn blik weer op haar gezicht en trok bevend haar hand naar zijn schoot.

'Nee!' Ze sprong op. 'Verdomme, David. Hoe heb je me dat aan kunnen doen?' Ze liep naar de andere kant van de kamer en draaide zich toen woedend naar hem om. 'Waar is die Elsa van je nu, hè?' siste ze. 'Laat haar je maar bevredigen, dat kon ze in Wenen toch ook zo goed!'

Het was er nog niet uit, of ze had er spijt van. David sperde zijn ogen wijdopen, terwijl hij een rauwe keelklank uitstootte. Ze sloeg haar hand voor haar mond, niet goed wetend wat ze nu het ergst vond: de bevestigende blik in zijn ogen of het zelfverwijt dat eruit sprak. Ze hurkte naast de rolstoel en sloeg haar armen om hem heen. 'Stil maar, David. Het doet er nu toch niet meer toe.' Ze trok zijn hoofd tegen haar schouder aan en streelde door zijn donkere krullen. Hij klemde zich kreunend aan haar vast. Zachtjes wiegde ze hem een tijdlang heen en weer, tot ze Lindsays ongelijke stap op de gang hoorde.

'Daar is Lins,' fluisterde ze. Ze liet hem los en veegde haar tranen en de zijne af. 'Kom, David. Laten we ons een beetje groothouden – al was het alleen maar voor haar.'

'Kijk eens!' zei Lindsay, triomfantelijk met een chocoladereep zwaaiend.

David richtte zijn blik op zijn dochter. Mariah slaagde erin te glimlachen. Lindsay liet zich languit op bed vallen en begon het papiertje eraf te wikkelen. Ze brak een stukje af en legde dat in Davids hand, maar hij was niet in staat om zijn hand naar zijn mond te brengen en liet het stukje chocolade op de vloer vallen.

'Pappie toch! Chocoladeverspilling – je weet toch dat daar de doodstraf op staat,' riep Lindsay quasi-verontwaardigd uit.

'Papa is een beetje moe, geloof ik, Lins. Hij klinkt ook alsof hij kougevat heeft. Misschien is het beter als hij nu wat gaat rusten.'

'Oké,' zei Lindsay. Ze brak een stukje chocola af voor zichzelf en stak de rest van de reep in het borstzakje van Davids overhemd. 'Dan neem je later toch lekker wat.'

Hij strekte zijn hand uit naar haar gezicht en streek met onvaste hand over haar wang.

'Ik hou ook van jou,' zei Lindsay. Ze gaf hem een knuffel, trok haar jas aan en liep naar de deur.

'Ga maar vast, Lins, ik kom eraan,' zei Mariah. Zodra Lindsay weg was, nam ze Davids gezicht in haar handen. 'David,' zei ze zacht. 'Ik hou van je, ik heb altijd van je gehouden en ik zal altijd van je blijven houden. Ik weet ook dat jij van mij houdt.' Toen hij zijn ogen neersloeg, dwong ze hem om haar aan te kijken. 'En wat er in Wenen ook gebeurd mag zijn, dat zal nooit veranderen. Wat wij samen hebben gehad kan niemand ons afnemen.'

Hij keek haar treurig aan; toen knipperde hij langzaam met het enige oog waarover hij controle had.

'Hier,' zei Lindsay toen ze stilstonden voor Carols huis en Mariah Lindsays weekendtas van de achterbank pakte. 'Dit was ik je helemaal vergeten te geven.' Ze rommelde in haar rugzak en haalde er een bruine envelop uit die ze aan haar moeder gaf.

'Wat is dat?'

'Weet ik veel. Gisteren op school kwam er in de gang een of andere man naar me toe. Hij gaf me een envelop die ik aan jou moest geven, zei hij.'

'Een of andere man? Hoe bedoel je? Je weet niet wie hij was?'

'Nee. Een van de leraren waarschijnlijk. Ik ken nog niet iedereen. Het was voor jou, zei hij in ieder geval.'

'Leg maar op de stoel. Ik kijk er straks wel in.'

Michael, Carols echtgenoot, kwam hen tegemoet en nam Lindsays rugzak over. 'Kom even binnen,' zei hij. 'Carol legt Alex net in bed voor zijn middagslaapje. Ze komt zo beneden.' Hij loodste hen de zitkamer in, waar een prachtig versierde kerstboom stond.

'Hier ben ik al!' Carol stormde binnen en viel Lindsay en Mariah enthousiast om de hals. Zoals Stephen sprekend op zijn vader leek, zo was Carol het evenbeeld van haar moeder: lang en slank met lichtbruin haar en dito ogen. Ze had ook dat hartelijke, extraverte van haar moeder. Het was niet verwonderlijk dat Joannes dood een enorme klap voor het gezin was geweest.

Franks vrouw was halverwege de dertig toen Mariah kennis met haar had gemaakt, en ze had haar op het eerste gezicht gemogen. De warme vertrouwdheid waarmee Carol met Lindsay omging, deed Mariah sterk denken aan de hartelijke manier waarop Joanne haar had ontvangen toen ze voor de eerste keer bij Frank thuis was komen eten. Hoeveel vrouwen zouden een jongere, vrouwelijke medewerker van hun man niet hebben ontvangen met de nodige scepsis, of – erger nog – argwaan en afstandelijkheid? Mariah had het meer dan eens meegemaakt. Joanne had daar allemaal geen last van gehad – integendeel. Ze had feilloos aan lijken te voelen dat Mariah, die indertijd nog geen kip in de stad kende en bovendien nog niet over haar breuk met David heen was, zich een beetje verloren voelde en had haar meteen onder haar hoede genomen. Binnen de kortste keren had ze Mariah het gevoel weten te geven dat ze bij de familie hoorde.

'Jij gaat zo met Michael naar je vader?' vroeg Mariah aan Carol.

Carol knikte. 'Hij belde net nog. Of we zo lief wilden zijn onderweg de kerstboom op te pikken. Pat zit daar, en ze hadden de boom gisteravond al willen gaan halen, maar het is er kennelijk niet van gekomen.'

Michael grinnikte. 'Je begrijpt zeker wel waarom.'

'Hè, jij ook altijd!' Carol gaf haar man lachend een tik op zijn arm. 'Pa kennende zat hij waarschijnlijk tot over zijn ellebogen in de inktvis of zoiets en heeft hij totaal niet meer aan de boom gedacht.'

'Inktvis?' Lindsay trok een vies gezicht. 'Jakkes! Wat moet hij nou met inktvis?'

'Hij probeert een nieuw recept uit,' antwoordde Carol. 'Iets Thais, als ik me niet vergis.'

'Mm, interessant,' meende Mariah.

Michael en Lindsay hadden duidelijk zo hun twijfels.

'Ach, hij heeft er zo'n lol in,' zei Carol. 'Dat koken deed hij vroeger al met plezier, en dat terwijl hij na een zware werkdag toch ook nog het nodige in het huishouden deed om mam te ontlasten. Hij probeerde toen al van alles uit, tot groot verdriet van Stephen, die alleen maar hamburgers en hotdogs lustte. Sinds we uit huis zijn kan pa zich eindelijk uitleven op culinair gebied.'

Stephen. Dat was waar ook, dacht Mariah. Ze had hem beloofd aan het einde van de ochtend het Chaucer-dossier op te komen halen. 'Nou, ik ben benieuwd,' zei ze. 'We zullen het gauw genoeg weten. Ik ga er trouwens maar weer eens vandoor, want ik heb nog een hoop te doen vandaag. Hoe doen we dat vanavond? Nemen jullie haar straks mee naar Frank? Ze heeft haar nette kleren al wel bij zich.'

'Natuurlijk.' Carol sloeg een arm Lindsay. 'We moeten toch terug om ons te verkleden en Alex op te halen. Je weet niet half hoe ik sta te popelen om straks iets met die mooie haren te kunnen doen.' Glimlachend streek ze over Lindsays rode krullen. 'Aan het haar van kleine Alex valt maar weinig eer te behalen.'

Michael sloeg zijn ogen ten hemel. 'Nee,' schamperde hij tegen Lindsay. 'Maar moet je zien waar ze hem straks in hijst: een soort elfenpak! Nou vraag ik je, mijn zoon in een elfenpak!'

Lindsay giechelde en Mariah glimlachte.

Stephen Tucker woonde in een van die torenhoge, kleurloze woonkazernes die begin jaren zestig in alle grote steden als paddestoelen uit de grond waren gerezen.

Mariah drukte op de bel naast nummer 601, het nummer van

zijn appartement. Toen de deur openging, liep ze de hal door naar de lift, in het voorbijgaan een meewarige blik werpend op de enige plant in de kale ruimte, een verlepte ficus. Op de zesde verdieping stapte ze de lift uit, waar Stephen haar in de deuropening van zijn appartement stond op te wachten.

'Hallo,' begroette ze hem. 'Ik realiseerde me onderweg hierheen dat je de afgelopen nachten waarschijnlijk niet meer dan een paar uur slaap moet hebben gehad. Dit moeten we voortaan anders aanpakken, dat is duidelijk.'

'Geeft niets. Kom binnen.'

Het interieur van het appartement was al even deprimerend als de buitenkant suggereerde. Het zonlicht maakte pijnlijk duidelijk dat er al in geen jaren stof was afgenomen en dat het tapijt nodig aan een shamponeerbeurt toe was. Het meubilair bestond uit een versleten leunstoel, een bruine, doorgezakte bank en een salontafel die bezaaid lag met tijdschriften, en tegen een van de wanden stond een stereo-installatie. Hier en daar hingen affiches van bekende computerspelletjes aan de muur.

'Allemaal van jou?' vroeg ze belangstellend.

Hij knikte. 'Er is er weer één in productie genomen: Wizard's Weapon. Over een maand of zo komt het op de markt. Het is soort vervolg op Wizard's Wand, maar dan wel iets ingewikkelder. Ze hebben er een hele vette affiche voor gemaakt. Volgens de distributeur stromen de bestellingen nu al binnen.'

'Ongelofelijk, Stevie,' zei ze vol ontzag. 'Je moet miljoenen omzetten – en dat in je dooie eentje. Hoe is het mogelijk dat je nog nooit in bladen als People of Fortune hebt gestaan?'

'Spaar me, zeg. Ik werk onder een pseudoniem, en de distributeur verzorgt alle reclame en p.r.'

'Er zal anders toch een moment komen waarop je met al dat talent van je naar buiten moet treden, Stephen Tucker,' zei ze streng. 'Het is gewoon zonde dat niemand hiervan weet.'

'Ach,' mompelde hij. 'Het stelt niet zoveel voor. Het zijn maar computerspelletjes voor kinderen, hoor.' Hij haalde zijn schouders op. 'Ik had net koffiegezet. Wil je ook?'

Ze volgde hem naar de keuken. 'Nee dank je, ik niet, maar ga jij vooral je gang. Hoezo, het stelt niet zoveel voor? Wat een onzin. Ik mag dan wel geen verstand hebben van computerspelletjes, maar ik kan op mijn tien vingers natellen dat de concurrentie op dat terrein moordend moet zijn. Er zijn zo ontzettend veel spelletjes. Je moet volgens mij verdomd goed zijn, wil je in die wereld succes hebben.'

'Gewoon een uit de hand gelopen hobby.' Hij viste een mok tussen de vuile vaat op het aanrecht uit en spoelde hem om. Hij schonk zichzelf koffie in, deed er drie grote scheppen suiker in en opende de deur van de koelkast.

Naast de koffieroom, waarvan hij een flinke plens aan zijn koffie toevoegde, bestond de inhoud van de koelkast uit een paar blikjes cola, een fles ketchup en de resten van een pizza, constateerde ze in de gauwigheid.

Ze draaide zich om en liet haar blik rusten op de tafel en de stoelen die ze jaren geleden in zijn ouderlijk huis had zien staan. 'Je bent veel te bescheiden,' zei ze. Toen viel haar oog op de oven. 'Stevie! Waarom bewaar je je havermout in de oven?'

Hij volgde haar blik. 'Voor het gemak. Ik ontbijt meestal om een uur of twee, drie 's nachts als ik thuiskom. Dan ben ik meestal niet zo erg helder meer. Zo hoef ik niet te zoeken.'

Ze staarde hem ongelovig aan en barstte vervolgens in lachen uit. 'Malloot!'

'Dat zou mijn vader zeker beamen,' merkte hij droogjes op.

'Vat het nu niet op als kritiek, want zo bedoel ik het helemaal niet. De wereld heeft ernstig behoefte aan excentriekelingen. De hemel weet dat al die zogenaamde normale mensen er voornamelijk een puinhoop van maken. Je bent een unicum, jongen. Blijf in vredesnaam zoals je bent.'

Hij kreeg een kleur als vuur en sloeg zijn ogen neer. 'Kom, ik zal je even laten zien wat ik voor je heb.' Hij ging haar voor naar zijn slaapkamer, die tevens dienstdeed als werkkamer.

Ze wist niet wat ze zag. Waar de zitkamer en de keuken veel weghadden van een soort uitdragerij, daar leek de slaapkamer wel een hightech studio – het onopgemaakte bed in de hoek even daargelaten. Er stonden verschillende computers opgesteld met de nodige randapparatuur – waarvan minstens de helft bestond uit apparaten waarvan ze niet zou weten waar ze voor dienden – en de vloer was één wirwar van kabels.

'Goeie genade!' riep ze uit. 'Wat een apparatuur!' Ze liet haar vingers over een vreemd uitziend toetsenbord gaan. 'Wat is dit in vredesnaam?'

'Een digitale sampler,' legde hij uit. 'Die is voor het maken van stemmen en geluidseffecten in mijn spelletjes.'

Hoofdschuddend keek ze om zich heen, tot haar blik op een paar foto's boven zijn bed bleef rusten. Op een ervan stond zijn moeder; de andere, zag ze toen ze hem van dichtbij bekeek, was een foto van Stephen en David terwijl ze aan het schaken waren. Ze had hem zelf gemaakt, herinnerde ze zich.

'Goh, ik was het bestaan van die foto helemaal vergeten,' mompelde ze. 'Dat waren nog eens tijden.'

Hij kwam naast haar staan en drukte het stukje plakband aan waarmee de foto aan de muur bevestigd was.

'Je mist hem ook, hè?' vroeg ze.

Hij knikte, liep toen op een van de computers af en zette hem aan. 'Je had gezegd dat Lindsay ook erg van spelletjes houdt, dus ik ben er maar van uitgegaan dat je thuis een computer hebt staan met een muis of een joystick,' zei hij, terwijl hij een doos met diskettes uit een muurkluisje te voorschijn haalde.

Ze knikte.

Hij hield een diskette op. 'Dinowarriors' stond erop.

'Dit is een aangepaste diskette,' legde hij uit. 'Zo koop je hem in ieder geval niet in de winkel.' Hij schoof hem in het diskette-station, en even later verscheen er een prehistorisch landschap op het scherm, dat bevolkt was met holenmensen en reusachtige dinosauriërs. Uit de luidsprekers klonk vervaarlijk gesnuif en ge-grom onder begeleiding van opzwepende elektronische klanken.

'Geschiedkundig klopt er natuurlijk geen hout van dit spel,' hernam hij, 'want toen de mens op aarde verscheen, waren de dinosauriërs al zestig miljoen jaar uitgestorven.'

Dit is zijn wereld, dacht Mariah, zijn gezicht bestuderend. De wereld die hij heeft geschapen, een virtuele wereld waarin hij het voor het zeggen heeft. Maar dit was niet waarvoor ze gekomen was. 'Stevie, waar zijn we nu mee bezig?'

'Geduld,' zei hij. 'Goed opletten nu.' Met behulp van de muis bracht hij de cursor naar het kleine menu boven in het scherm en hield hem op Quit. 'Nu klik je één keer op de linker muisknop, je houdt hem tien seconden ingedrukt, en dan klik je nog een keer. Snap je het? Als je dat niet doet, dan sluit hij af.'

Ze knikte en lette goed op terwijl hij de handelingen uitvoerde die hij zojuist had uitgelegd. Even later hielden de geluiden op en verdwenen de dinosauriërs van het scherm. Vervolgens verscheen de naam Chaucer in beeld.

'Goeie hemel, Stevie!' riep ze uit. 'Hoe heb je dat voor elkaar gekregen?'

Om zijn lippen speelde een triomfantelijke grijns.

Ze sloeg haar armen over elkaar en keek hem aan. 'Hoor eens, ik weet er niet zo vreselijk veel van, maar ik ben ook niet helemaal achterlijk,' zei ze. 'Toevallig weet ik dat er alleen maar computers zonder diskettestations in huis zijn om te voorkomen dat iedereen met allerlei kopieën van dossiers de deur uit wandelt. Hoe is het jou dan toch gelukt?'

'Kwestie van een paar verbindingskabeltjes tussen mijn computer op het werk en mijn laptopje,' antwoordde hij. Hij wees met een kousenvoet naar een koffertje naast de werktafel.

'Maar hoe... Een laptop smokkel je toch niet zo gemakkelijk binnen?' Ze keek hem strak aan. 'Of wel soms?'

'Dat wil je niet weten.'

'Hm. Misschien ook maar beter van niet. Hoewel, ja, ik wil het eigenlijk wel weten.'

'Nou ja, de bewaking wil zich 's nachts nog wel eens vervelen. Dan leen ik mijn laptop aan ze uit, zodat ze de tijd kunnen doden met mijn spelletjes. Ze zijn maar wat blij als ik hem weer eens bij me heb.'

Ze sloot haar ogen en zuchtte. 'O, Stevie. Ik geloof dat we hier niet goed aan doen. Ik had je nooit moeten vragen om dit te doen. Het spijt me.'

'Maak je maar geen zorgen, Mariah. Geen hond zal er ooit achter komen. Het valt niet na te gaan wie er in de archieven heeft gekeken, en wie deze diskette gewoon gebruikt zal alleen een stom spelletje vinden.'

Ze opende haar ogen weer en keek hem doordringend aan.

'Hoe heb jij toegang tot het dossier gekregen? Daar is immers een wachtwoord voor nodig.'

'Dat soort dingen valt altijd te omzeilen, je moet alleen weten hoe.'

'Heb je het dossier gelezen?'

Hij aarzelde. 'Ik heb het ingekeken om zeker te weten dat ik het goede te pakken had. Jouw eerste bericht aan pa heb ik gelezen, en zijn antwoord daarop. Die Russische contactpersoon van je – is hij uiteindelijk naar ons overgelopen?'

Als hij het hele dossier had doorgelezen, had hij geweten dat het geen man was, maar een vrouw dacht ze opgelucht. 'Nee. Mijn geheime contactpersoon werd helaas ontmaskerd en is door de KGB teruggehaald naar Rusland.'

'Hm. Zuur, zeg.'

'Zeg dat wel, ja.'

Arme Tanya, dacht Mariah, toen ze niet lang daarna terugreed naar huis met Stephens diskette in haar tas. Waar zou ze nu zijn?

Het was op net zo'n heldere zaterdagochtend dat ze Tanya voor de tweede keer had ontmoet – op de ijsbaan in Wenen, tijdens een vriendschappelijke wedstrijd tussen Davids team en een plaatselijk amateurijshockeyteam, inmiddels alweer meer dan twee jaar geleden.

Tijdens de tweede helft van de wedstrijd merkte Mariah opeens dat Tanya naast haar was komen zitten. De Russin glimlachte weliswaar, maar ze was duidelijk nerveus, want ze sprong geschrokken overeind toen er een luid gejuich opsteeg.

Toen Mariah opkeek, zag ze dat David en Paul elkaar op de schouders sloegen en vervolgens triomfantelijk in haar richting keken. Lindsay, die naast haar zat, sprong enthousiast op en neer. Mariah stak haar duim op en wendde zich toen tot Tanya. 'Je bent dus toch gekomen,' zei ze. Ze legde een hand op Tanya's arm en voelde dat ze trilde als een rietje.

'Ja, Mariah,' zei Tanya. 'Hallo, Lindsay.'

Lindsay keek verrast op. 'Hoi, Tanya! Fijn dat je toch kon komen. Heb je dat doelpunt daarnet gezien? Goed, hè? Mijn vader gaf de voorzet.'

'Ja, ik heb het gezien. Hij is erg goed, hoor. Je zult wel trots zijn op hem.'

Lindsay knikte. 'Wedden dat hij het volgende doelpunt maakt? Ze maken die anderen helemaal in!' Na die woorden richtte ze haar aandacht weer op de wedstrijd.

'Wat een verrukkelijk levendig kind,' mompelde Tanya glimlachend. 'Net haar vader. Je man is ook zo aardig.'

'Dat vinden wij ook.'

'Uiterlijk mag ze dan wel niet erg op hem lijken, maar qua karakter des te meer.'

Mariah knikte. 'Die twee zijn twee handen op één buik, ik zweer het je. Geen wonder ook; toen ze werd geboren liet de arts hem haar navelstreng doorknippen. Daarna nam David haar meteen in zijn armen; hij was de eerste met wie ze kennismaakte, en het was liefde op het eerste gezicht.'

'Wat heerlijk. De meeste vaders hebben niet zo'n nauw contact met hun kinderen.'

Praat me er niet van, dacht Mariah grimmig. 'Heb jij eigenlijk kinderen, Tanya?' vroeg ze.

Tanya's gezicht betrok. Ze staarde een ogenblik lang naar de voorbijschietende ijshockeyers.

'Sorry,' mompelde ze snel. 'Het was niet mijn bedoeling om nieuwsgierig te zijn.'

Tanya schudde haar hoofd. 'Ik had een dochtertje,' verzuchtte ze. 'Ze is helaas niet ouder dan twee jaar geworden.'

'O nee, Tanya! Wat vreselijk voor je!' Ze zag aan Tanya's ogen dat ze op het punt stond om haar in vertrouwen te nemen. Waarom Tany háár daarvoor had uitgekozen wist ze niet.

'Ze was al ziek toen ze ter wereld kwam,' hernam Tanya. 'Ze was helemaal geel – haar lever werkte niet goed. Ze was bovendien zwakzinnig,' voegde ze er haastig aan toe. 'Misschien was het ook maar goed dat ze jong is gestorven, want ze zou geen gemakkelijk leven hebben gehad. Niettemin was ze een wolk van een kind.' Ze zweeg en richtte haar aandacht weer op de ijsbaan. Mariah wachtte tot ze verder zou gaan.

'Het lag aan mij,' zei Tanya na een lange stilte. 'Er is iets mis met me – het werkt niet goed vanbinnen. Voor ze geboren werd, had ik al twee keer een miskraam gehad. Beide keren kreeg ik te horen dat de foetus misvormd was.'

Mariah begon te protesteren. 'Maar dat hoeft dan toch niet meteen te betekenen dat dat aan jou –'

'Je begrijpt het niet. Mijn vader was kernfysicus, net als ik en jouw man. Hij was betrokken bij de ontwikkeling van kernwapens. Ik ben opgegroeid in een van de buitenwereld afgesloten gemeenschap; iedereen daar was verbonden aan het onderzoeksinstituut. Ik ben er pas weggegaan toen ik ging studeren. Maar veel van de mensen die daar zijn opgegroeid, kregen later problemen met hun gezondheid – kanker, miskramen, onvruchtbaarheid.'

Langzaam begon het tot Mariah door te dringen wat Tanya zei.

'Allemaal gevolgen van het werken met radioactief materiaal. Onvoldoende bescherming, slechte voorzorgsmaatregelen. Bovendien werd er met het radioactieve afval nogal slordig omgesprongen: het werd gewoon in de meren gedumpt waar we 's zomers zwommen, of zonder poespas in de grond gestopt.'

'Het is niet waar,' fluisterde Mariah ontzet.

'Ja, ja. Die briljante fysici toch!' Tanya's ogen spuwden vuur. 'Wel in staat om de meest geavanceerde moordwapens te bedenken, maar niet in staat om de veiligheid van hun nageslacht te waarborgen.'

Sterrenplukkers, dacht Mariah.

'Mariah, ik zou doctor Tardiff graag een keer willen spreken, maar op kantoor durf ik hem niet te benaderen. Er zitten daar meer Russen, waarvan een aantal voor de KGB werkt. De KGB zit overal – het heeft me vanochtend de grootste moeite gekost om ze van me af te schudden.'

'Waarom wil je David zo graag spreken?'

'Omdat er dingen zijn die... Ons land verkeert op de rand van bankroet en heeft dringend geld nodig – liefst buitenlandse valuta. Er zijn mensen die daar alles voor overhebben, mensen met veel macht en geen geweten.' Ze staarde naar haar handen. 'Onze veiligheidsdienst houdt ons voor dat alle Amerikanen die bij de Verenigde Naties zitten, voor de CIA werken. Het zou dus best kunnen dat dat ook voor doctor Tardiff geldt. Het kan me niets schelen. Hij lijkt me een goed mens.' Ze wierp een blik op Lindsay en keek Mariah toen aan. 'Iemand met zo'n gezin kan ik wel vertrouwen, dat voel ik gewoon.'

Mariah keek het stadion rond. Er waren niet veel toeschouwers, maar stuk voor stuk leken ze helemaal in de wedstrijd op te gaan. Ook Lindsay zat zo geconcentreerd te kijken, dat het gesprek dat haar moeder met Tanya voerde haar totaal ontging.

Tanya beet nerveus op haar onderlip. Mariah stootte haar aan en wees in de richting van de spelers. 'Laten we onder het praten vooral doen alsof we het over de wedstrijd hebben,' zei ze, om meteen de draad van het gesprek weer op te pakken. 'Heel verstandig om David niet openlijk te benaderen, Tanya. Ik zou het ook maar vooral laten. Het zou namelijk wel eens levensgevaarlijk kunnen zijn, zowel voor jou als voor hem. Maar misschien kan ik je helpen.'

Tanya zoog haar adem scherp in, maar was alert genoeg om te applaudisseren toen Davids team opnieuw scoorde.

'Ze wilden natuurlijk van je weten waar je heen ging vanochtend,' ging Mariah verder. 'Wat heb je toen gezegd?'

'Ik zei dat ik naar Museum Hofburg ging.'

'Goed. Ik heb een plan. Luister goed. Ken je Wienerhaus, een klein café vlak bij je werk?'

Tanya knikte.

'Eens kijken. Vandaag is zaterdag, hè. Loop vanaf maandag elke ochtend op weg naar je werk langs dat café en kijk dan naar de deurpost. Zie je linksonder een groene punaise zitten, ga dan die middag eerder weg van kantoor en zorg dat je tussen drie en vier in het museum bent.'

'Waar moet ik dan precies heen?' vroeg Tanya. 'Het is nogal groot.'

'Maak je daar maar geen zorgen over. Er zal iemand naar je toe komen.'

'En als ik niet weg kan?'

'Dan kom je de dag daarop, of de dag daarop. Maar altijd tussen drie en vier. Degene die naar je toe komt, zal je vragen hoe laat het is. Als je antwoord hebt gegeven zal die persoon belangstellend informeren of je de verentooi van Montezuma op de afdeling Etnologie al hebt bewonderd. Dan weet je dat je de juiste persoon voor je hebt.'

'Verentooi,' herhaalde Tanya. 'En dan?'

'Dan zul je horen wat je verder moet doen.' Mariah keek naar Tanya, die als versteend naar de wedstrijd staarde. Ze gaf haar een geruststellend kneepje in de arm. 'Wees maar niet bang, Tanya. De persoon door wie je wordt aangesproken, zal je doorverwijzen naar een plaats waar je veilig kunt praten. Vertrouw maar op me.'

Tanya knipperde met haar ogen en knikte toen onmerkbaar.

❧

Vertrouw maar op me, dacht Mariah vol zelfverwijt. O, Tanya, hoe kwam ik er in vredesnaam bij om jou te garanderen dat je veilig was? In feite ben ik geen haar beter dan die stomme sterrenplukkers: ik heb noch jou, noch mijn familie kunnen beschermen.

Rollie Burton was boven toen hij het zoemen van de garagedeur hoorde. Nadat Mariah vertrokken was met Lindsay, had hij het hele huis doorgelopen om uiteindelijk terug te keren naar haar slaapkamer, waar hij de tijd had gedood met het bekijken en besnuffelen van haar ondergoed – iets waar hij maar geen genoeg van kon krijgen.

Hij verschanste zich achter het raam, van waaruit hij de Volvo de oprit op zag rijden en in de garage verdwijnen.

Er werd een portier dichtgeslagen, en even later hoorde hij de keukendeur open- en weer dichtgaan. Hij schrok even toen hij gepiep uit de keuken hoorde komen, gevolgd door stemmen. Toen herinnerde hij zich dat hij de afgelopen uren twee keer de telefoon had horen rinkelen en haalde hij opgelucht adem. Dat was het natuurlijk, ze luisterde het antwoordapparaat af – kinderstemmen waren het, zeker vriendjes of vriendinnetjes van haar dochter.

Hij sloop geruisloos naar de deur en spitste zijn oren. Onwillekeurig sloot hij zijn vingers om het mes in zijn broekzak. Hij besloot te wachten. Misschien had hij geluk en kwam ze over niet al te lange tijd naar boven. Zo niet, dan kon hij haar nog altijd beneden te grazen nemen.

10

Na de boodschappen op het antwoordapparaat te hebben afgeluisterd, hing Mariah haar jas op. Toen ze terugkwam in de keuken viel haar blik op de vuile koffiemok op het aanrecht. Ze pakte de mok en opende de afwasmachine, die leeg was op de ontbijtboel van die ochtend na. Een ogenblik bleef ze verwonderd naar de mok in haar hand staren, toen haalde ze haar schouders op en zette ze hem in de machine.

Een blik op haar horloge leerde haar dat het al tegen enen liep. Ze pakte de twee hartige taarten die ze de dag ervoor voor Franks borrel had gemaakt uit de vriezer – vanmiddag zou ze er nog een maken – en zette ze op het aanrecht. Het eerste wat ze namelijk wilde doen, was Stephens diskette bekijken.

Net toen ze zich had omgedraaid om naar Lindsays kamer te gaan, omdat daar de computer stond, herinnerde ze zich de bruine envelop die Lindsay op school had gekregen. Nieuwsgierig bekeek ze hem. Alleen haar naam stond erop – geen afzender, constateerde ze, terwijl ze een briefopener uit een la pakte en hem vervolgens opensneed. Toen keerde ze hem om en hield haar hand eronder om de inhoud op te vangen.

In de periode dat ze met David in New Mexico zat, had ze meer dan eens een tarantula van dichtbij bekeken: voornamelijk dode dieren die, verpakt in glas, aan toeristen werden verkocht. De paar levende exemplaren die ze had gezien, hadden zich in een dierenwinkel bevonden, en één keer – ze zou het nooit vergeten – had ze er tot haar afschuw een in huis aangetroffen. Alleen al de herinnering daaraan bezorgde haar nog steeds de rillingen.

Ze schrok zich dan ook een ongeluk toen er iets harigs uit de envelop op haar hand viel. Ze gaf een gil, liet prompt alles vallen en deinsde achteruit. Met grote schrikogen en open mond staarde ze naar de envelop die boven op het harige ding terecht was gekomen, in de verwachting dat het harige ding er onderuit zou kruipen.

Toen er na een paar seconden niets gebeurde, haalde ze zonder de envelop ook maar een ogenblik uit het oog te verliezen, een bezem te voorschijn. Nadat ze de bezem een paar keer met kracht op de envelop had laten neerkomen, pakte ze hem andersom beet en wipte ze de envelop omhoog. Tot haar verbazing trof ze geen smerige kliederboel aan zoals ze had verwacht, maar iets wat erg veel weghad van een pluk zwart haar. Ze liet zich op haar hurken zakken en prikte met de stok in de zwarte massa alvorens haar hand ernaar uit te steken.

Het was geen tarantula; het was zelfs geen spin. Het was een pluk haar, menselijk haar. Een pluk zwart haar met hier en daar wat grijs ertussen. Een pluk haar van David – daar twijfelde ze geen seconde aan.

Haar blik viel op de envelop. Ze stak de bezemsteel onder haar arm, pakte de envelop op en kwam overeind. Nogmaals keek ze naar de naam die erop getypt was: MARIAH BOLT. Niet Tardiff, of Mrs. Tardiff-Bolt, zoals er gewoonlijk op de aan haar gerichte brieven van Lindsays school stond, maar haar eigen naam, de naam die ze alleen op het werk gebruikte.

Nader onderzoek wees uit dat er nog iets in de envelop zat. Ze stak haar hand erin en haalde er drie foto's uit. Ze waren van slechte kwaliteit en duidelijk onder te donkere omstandigheden genomen. Het waren foto's van een vrijend stelletje in verschillende standjes; zij had lange blonde haren, hij donkere krullen. Op alle drie de foto's waren hun gezichten goed te zien en duidelijk herkenbaar.

Het waren foto's van David en Elsa.

Rollie Burton schrok toen hij haar hoorde gillen. Met zijn mes in de aanslag sloop hij de slaapkamer uit en bleef op de overloop staan luisteren. Voorzichtig keek hij over de balustrade, maar van daaruit had hij geen zicht op de keuken.

Het geluid van een paar harde klappen deed hem verstijven. Daarna werd het weer stil en hoorde hij alleen het bonzen van zijn eigen hart. Hij klemde zijn vingers om zijn mes en begon voetje voor voetje de trap af te dalen, met zijn rug tegen de muur en telkens na iedere stap luisterend.

Toen schreeuwde ze voor de tweede keer – dit keer klonk het als een gesmoorde keelklank, die hem deed denken aan een kreet van een dier in doodsnood. Wat gebeurde er daar beneden in vredesnaam?

Ze liet zich op een stoel zakken. De foto's die ze op tafel had gesmeten, leken haar spottend aan te staren. Alsof het al niet erg genoeg was om te weten dat David een affaire met Elsa had gehad, om zich de hele tijd te moeten afvragen hoe dat had kunnen gebeuren, waarom ze er niets van had gemerkt, waarom ze geen argwaan had gehad toen hij steeds vaker tot 's avonds laat moest overwerken. Het deed pijn, maar het was nog tot daaraan toe.

Geconfronteerd worden met het onweerlegbare bewijs van zijn overspelige activiteiten was echter heel andere koek. Het was onverdraaglijk om hem in de armen van een ander te zien liggen. Het was om misselijk van te worden.

Ze sloot haar ogen, balde haar vuisten en dwong zichzelf na te denken. Wat was hier de bedoeling van? En van wie was de envelop afkomstig? Ze deed haar ogen weer open. Hoe waren deze foto's in het bezit gekomen van een leraar van Lindsays school?

Wacht eens – het was een man geweest die Lindsay niet kende; het hoefde dus niet per se een van de leraren te zijn geweest. Maar waarom was de envelop dan niet gewoon over de post gekomen? Ze wist het antwoord nog voor ze de vraag had gesteld: om haar te laten weten dat ze haar en haar kind wisten te vinden. En David ook, dacht ze met een blik op de zwarte haarlok die ze nog steeds in haar hand had.

Het was een poging tot intimidatie. De vraag was alleen: wie vond het nodig om haar de stuipen op het lijf te jagen? En waarom? Wat dacht hij of dachten zij ermee te bereiken? Wat werd er van haar verwacht?

Eén ding stond vast, dacht ze, ze moest haar dierbaren beschermen. Over Lindsay hoefde ze zich op het moment waarschijnlijk geen zorgen te maken, maar ze zou toch Frank maar even bellen en vragen of hij haar niet zolang onder zijn hoede wilde nemen.

David was een probleem. Gezien het feit dat iemand kans had gezien om bij hem op bezoek te gaan en ongemerkt een stuk van zijn haren af te knippen, zat hij daar niet veilig in dat verpleeghuis. Bewaking was er niet, en ze was zelf vaak genoeg binnengekomen zonder dat het iemand opviel. Zoals alle verpleeghuizen had het te kampen met onderbezetting, en de verpleging had het over het algemeen razend druk.

Ze stond op en wierp de pluk haar in de vuilnisbak onder de gootsteen, waarna ze de bezem tegen het aanrecht zette en zich omdraaide naar de telefoon. Het leek haar het beste om eerst het verpleeghuis te bellen om te vragen of ze de afgelopen dagen toevallig nieuwe bezoekers hadden gehad, en om te vragen of ze een oogje op David konden houden. Misschien konden ze hem een kamer dichter bij de balie geven. Daarna kon ze altijd Frank nog inlichten. Ze pakte de hoorn en begon het nummer van het verpleeghuis in te toetsen.

'Leg die maar hoorn maar weer gauw terug op de haak, juf.'

Ze draaide zich als door een wesp gestoken om. De hoorn die ze van schrik uit haar hand had laten vallen, kwam kletterend op het aanrecht terecht.

'Leg hem op de haak, zei ik,' herhaalde de man, terwijl hij zich strategisch opstelde door in de deuropening tussen de keuken en de hal te gaan staan.

Ze kon niets anders dan naar zijn pokdalige gezicht staren. Pas toen ze iets zag flikkeren in zijn hand en ze besefte dat hij een mes bij zich had, kwam ze in beweging. Zonder haar blik van zijn gezicht af te wenden tastte ze achter zich tot ze de hoorn te pakken had, waarna ze hem terug op de haak legde.

'Wie ben je? Wat moet je hier?'

Hij glimlachte slechts.

'Moet je soms geld hebben? Ik heb niet veel geld in huis, maar wel creditcards. In mijn portemonnee, die zit in mijn tas daar. Pak wat je wilt en maak dat je wegkomt.'

'Tut, tut. Ben je altijd zo bazig?' Hij schudde meewarig het hoofd. 'Ik laat me anders niet zomaar commanderen.'

'Wat wil je dan?'

'Jou, Mariah.'

Ze voelde haar maag samentrekken toen hij met een wellustige blik haar lichaam bekeek. Enge ogen had hij, schoot het door haar heen. Het ene was blauw, het andere groen. 'Hoe weet je hoe ik heet?' fluisterde ze.

Hij keek haar aan en likte met zijn tong verlekkerd langs zijn lippen. 'Ik weet heel veel over je, Mariah. Ik weet precies waar je gaat of staat, wat je doet. Ik weet ook hoe je eruitziet zonder kleren aan.'

'Jij bent degene die me van de week achternazat toen ik van het zwembad kwam!'

'Hoe raad je het! En ik had je ook bijna te pakken. Als die stomme oude kerel er niet was geweest – ik was behoorlijk pissig.'

'Wat ben je dan van plan?'

Weer glimlachte hij alleen maar. Toen viel zijn blik op de foto's op tafel. Hij liep naar de tafel met zijn mes in de aanslag. 'Sappige kiekjes.' Hij pakte een van de foto's en bekeek hem van dichtbij. 'Kijk je graag naar dit soort plaatjes, Mariah?'

'Nee.'

Hij liet een verachtelijk gesnuif horen. 'Kom nou. Anders zou je ze niet in huis hebben. Of staat er soms iemand op die je kent?'

Ze reageerde niet.

'Ik vroeg je wat!'

'Ik heb ze van iemand gekregen.'

'Perverse kennissen hou jij erop na, zeg. Maar volgens mij doet een vrouw als jij het liever dan dat ze ernaar kijkt. Waar of niet, Mariah? Ik trouwens ook.'

Ze zweeg en klemde haar kaken opeen.

Hij wierp de foto achteloos op tafel en keek haar aan. 'Ik weet waar jij behoefte aan hebt, Mariah,' zei hij grijnzend. 'Je voelt je eenzaam en alleen. Wat jij nodig hebt is een man.'

Op dat moment kwam ze in actie. Voordat hij het zelfs maar in de gaten had, sloeg ze hem met de bezem vol op zijn borst. Hij klapte dubbel en het mes viel kletterend op de keukenvloer. Ze haalde opnieuw uit, maar deze keer dook hij onder de bezem door, en met een razendsnelle beweging greep hij het andere einde beet.

'Teringwijf! Ik zal je krijgen!'

Ze gaf een flinke ruk aan de bezem, waardoor hij bijna zijn evenwicht verloor. Hij herstelde zich echter onmiddellijk, rukte de bezem uit haar handen en wierp hem weg.

Ze sprong opzij, pakte in het voorbijgaan de koffiekan en wierp die met kracht in zijn richting. Ze miste haar doel, waarop de glazen kan in duizend scherven tegen de muur uit elkaar spatte. Intussen had ze de deur naar de garage bereikt, maar net op het moment dat ze hem opendeed, werd ze vanachteren besprongen. De deur sloeg dicht, en ze hapte naar adem. Een paar seconden lang pinde hij haar vast tegen de deur.

Toen trok hij haar zo hard bij haar haren naar achteren, dat ze viel. Hij draaide van haar weg, waardoor ze onzacht op haar stuitje op de vloer belandde.

'Sta op!' gromde hij, opnieuw aan haar haren rukkend. Met zijn vrije hand greep hij haar bij haar trui en sleurde haar weg van de deur. Midden in de keuken liet hij haar trui los. Hij rukte haar hoofd nog verder achterover en duwde een knie in haar rug.

Toen voelde ze het koele staal van het mes tegen haar keel.

'Je bent er geweest, juf!' siste hij.

'Nee! Alsjeblieft!'

Hij trok nog harder.

'Ik heb een kind dat me nodig heeft,' smeekte ze, de pijn verbijtend. 'Ze heeft geen vader meer, ze heeft alleen mij nog.' Ze sloot haar ogen en bad in stilte dat hij te vermurwen was.

Zijn greep werd iets losser, maar hij hield het mes nog altijd tegen haar keel gedrukt. 'Sta op!'

Hij bleef haar vasthouden terwijl ze trillend als een rietje overeind krabbelde. Een dun straaltje bloed liep langs haar hals omlaag. Zodra ze op haar benen stond, ramde hij haar tegen de tafel en drukte hij zich tegen haar aan. Aan zijn zware, onregelmatige ademhaling hoorde ze dat hij over haar schouder naar de foto's op tafel keek.

'Naar boven,' gebood hij. 'En vlug een beetje. En denk erom – geen geintjes meer, anders vermoord ik je.' Na die woorden sleurde hij haar aan haar haren naar de hal en duwde haar voor zich uit de trap op.

⚜

'Verdomme!' vloekte Paul Chaney, toen hij de bekende sirene hoorde en in zijn spiegeltje het blauwe zwaailicht zag. Hij wierp een blik op zijn dashboard – honderddertig wees de kilometerteller aan.

Hij minderde vaart en stuurde naar de kant van de weg, waar hij even later tot stilstand kwam. Nadat de politiewagen vlak achter hem was gestopt, stapte een van de agenten uit. Paul had intussen zijn portefeuille te voorschijn gehaald en zijn raampje omlaag gedraaid.

'Goedemiddag,' zei de agent. 'Mag ik even uw papieren zien, sir?'

'Alstublieft.' Hij deed zijn zonnebril af en gaf de man zijn opengeslagen portefeuille met zijn rijbewijs erin.

'Wilt u zo vriendelijk zijn om uw rijbewijs er even uit te halen? En uw autopapieren ook, als het kan.'

'Dit is een huurauto. De papieren zullen wel in het handschoenenvakje liggen.'

'Als u die er dan even uit wilt halen.'

Hij knikte, haalde zijn rijbewijs uit zijn portefeuille en gaf het aan de agent, die stond te wachten met één hand op zijn wapen. Wat een hondenbaan, dacht hij, terwijl hij de paperassen van de huurauto uit het handschoenenvakje pakte en ook deze aan de agent gaf. Te moeten leven met de wetenschap dat ieder ogenblik een of andere geflipte kerel je een wapen onder je neus kan duwen – het zou niets voor hem zijn. 'Het spijt me, agent,' mompelde hij schuldbewust. 'Ik reed zeker te hard, hè?'

'Dat klopt. We registreerden een snelheid van honderdeenendertig kilometer per uur, om precies te zijn.'

'Honderdeenendertig zegt u? Meent u dat nou? Zo hard reed ik anders niet, hoor. Zou de snelheidsmeter wel goed zijn?'

'We hebben het geregistreerd,' herhaalde de agent droogjes. 'En de maximumsnelheid op deze weg is tachtig...'

Paul knikte zuchtend.

'Als u zo lang even in de auto wilt blijven zitten?'

Terwijl de agent met zijn papieren terugkeerde naar de patrouillewagen om de gegevens met die van de computer te vergelijken, zakte Paul achterover in zijn stoel. Ach ja, dacht hij, in zijn vermoeide ogen wrijvend, dat kan er vandaag ook nog wel bij.

De bespreking die hij gisteren zou hebben gehad met Mort Rosen, de directeur van CBN, was uitgesteld. Vanochtend vroeg was hij door Rosen opgebeld in zijn hotel met het voorstel samen te ontbijten. Chaney was naar de ontbijtzaal gegaan in de volle overtuiging dat Rosen hem de positie van bureauchef Washington ging aanbieden – een baan waar hij de afgelopen tijd druk voor had gelobbyd. In plaats daarvan had hij van Rosen te horen gekregen dat hij kon vertrekken.

'Maar jullie kunnen me toch niet zomaar ontslaan?' had hij verontwaardigd uitgeroepen. 'Ik ben een van jullie beste journalisten! Ik heb meer prijzen gewonnen dan wie dan ook, om maar eens wat te noemen.'

Rosen had zich duidelijk niet op zijn gemak gevoeld. 'Het bestuur heeft het nu eenmaal zo besloten. Het spijt me, maar ze vinden het tijd voor een imagoverandering.'

'Een imagoverandering? Hoe bedoel je?'

'Er zitten nieuwe mensen in het bestuur, en die hebben andere ideeën over hoe we het zouden moeten doen. Het beleid schijnt helemaal te worden omgegooid.' Rosen had hem aangekeken. 'Luister eens, Paul, ik wil jou niet kwijt – integendeel. Maar ik heb het helaas niet voor het zeggen. Ik heb nog mijn best voor je gedaan, maar ze wilden er niet van weten.'

Paul had zijn ogen vernauwd tot spleetjes en het gezicht van zijn baas bestudeerd. 'Wie heb ik nu weer voor het hoofd gestoten?' vroeg hij.

'Al sla je me dood, ik heb geen idee. Maar het lijkt erop dat je deze keer iets hebt gedaan wat werkelijk niet door de beugel kon.' Rosen had gegrinnikt. 'Als ik nog denk aan die keer dat we opeens beelden kregen uit Tunesië van jou met Arafat, terwijl we niet beter wisten dan dat jij braaf naar de milieuconferentie in Wenen was vertrokken.'

'Mooi dat ik wel de eerste journalist was die met hem sprak na zijn vliegtuigongeluk. Dankzij mijn contacten kon ik iedereen te vlug af zijn en had CBN een wereldprimeur.'

'Dat is zo,' had Rosen toegegeven. 'Je hebt in het verleden voor een paar grote klappers gezorgd. Helaas mocht dat niet baten.'

'Hier zit een luchtje aan, Mort. Dit ga ik tot op de bodem uitzoeken.'

'Paul, doe jezelf dit niet aan en zoek je heil elders. De oprotpremie is bovendien niet kinderachtig.'

Hij had zacht gefloten toen Rosen het bedrag noemde.

'Zodra het bekend wordt dat je bij ons weg bent, zullen ze om je vechten,' had Rosen vervolgd. Hij had een diepe zucht geslaakt. 'Zo gezellig is het de laatste tijd ook niet meer bij CBN,' had hij gemompeld. 'Politieke spelletjes en winstmarges, dat is wat de klok tegenwoordig slaat. En dat gaat natuurlijk ten koste van de journalistieke kwaliteit. Nee, Paul. Als ik jou was, zou ik maken dat ik wegkwam. Pak die poen en laat het verder zitten.'

Misschien was het maar het beste om ze voorlopig in de waan te laten, besloot Paul, wachtend op de terugkeer van de agent. Zijn ontslag had niets te maken met beleidsveranderingen, maar met iets heel anders. Zijn blik bleef een ogenblik rusten op de nieuwste Newsweek die op de passagiersstoel lag. Voorop prijkte een foto van een minzaam glimlachende Angus Ramsay McCord.

De stem van de agent deed hem opschrikken. 'Hier zijn uw papieren weer, Mr. Chaney. Ik had u niet herkend, terwijl ik u een tijdje terug tijdens de Golfoorlog toch dagelijks op het nieuws zag. Het moet erg spectaculair zijn geweest, werken met al dat luchtafweergeschut om je oren.'

Paul stopte zijn rijbewijs weer in zijn portefeuille en de autopapieren in het handschoenenvakje. 'Dat was het zeker,' zei hij. Hij maakte een grimas naar de agent, die druk aan het schrijven was. 'Krijg ik desondanks toch een bon?'

'Ik vrees het wel, Mr. Chaney.' De agent scheurde de bon af en reikte hem aan met een brede grijns. 'Het spijt me voor u.'

Daar lijkt het anders totaal niet op, dacht Paul chagrijnig.

Dit gebeurt niet echt, dacht Mariah, terwijl de man haar hardhandig de slaapkamer in duwde. Dit kan gewoon niet waar zijn. Het zonlicht stroomde door de ramen naar binnen. Ze hoorde de kinderen van de buren buiten lachen en schreeuwen.

'Blijf staan,' gromde Burton in haar oor toen ze midden in de kamer stonden.

Ze verstijfde. Hij legde het mes tegen haar keel, sloeg zijn andere arm om haar middel en trok haar ruw tegen zijn onderlichaam aan. Vechtend tegen de opkomende misselijkheid sloot ze haar ogen toen hij haar borsten begon te kneden.

'Ik heb je gezien, Mariah,' fluisterde hij hees. 'Ik heb een hele tijd naar je staan kijken. Je dacht zeker dat je ongestraft aan me kon ontsnappen, hè? Dat had je beter niet kunnen doen, Mariah. Ik zal je leren.'

Hijgend bewoog hij tegen haar rug. Zijn hand gleed tussen haar dijbenen om haar beter tegen zich aan te kunnen drukken. Plotseling voelde ze zijn tong in haar oor, zijn vochtige lippen die zich vastzogen in haar nek.

Alleen het kille staal dat tegen haar hals drukte weerhield haar ervan terug te vechten, hem van zich af te werpen. Ze moest hier levend uit zien te komen, hield ze zich voor. Laat me niet sterven, bad ze in stilte. Hij mag met me doen wat hij wil, als hij me maar niet vermoordt. Ik moet in leven blijven voor Lindsay.

Zijn bewegingen werden heftiger en heftiger. 'Verdomme,' bracht hij hijgend uit. 'Je maakt me zo heet, ik hou het gewoon niet meer.'

Grote God! Hij staat hier midden in de kamer klaar te komen, dacht ze, terwijl ze hem tegen haar rug tekeer voelde gaan. In weerwil van alle angst en walging die ze voelde kreeg ze bijna de slappe lach. Hij hield het mes echter nog steeds tegen haar keel, en denkend aan zijn woedeaanval van daarnet in de keuken, hield ze zich in, bijtend op haar lip en met gebalde vuisten.

Hij stootte nog een paar keer omhoog, vervolgens ging er een siddering door zijn lichaam en toen werd het stil, op het geluid van zijn zware ademhaling na.

Als hij nu maar opdondert, dacht ze tegen beter weten in.

Ga maar, druiloor, dacht Paul, de politieauto nakijkend. Ga maar gauw op zoek naar een volgend slachtoffer. Dat is goed voor je ego.

Hij liet een paar auto's passeren voordat hij wegreed, ervoor zorgend dat hij zich deze keer aan de maximumsnelheid hield. Niet lang daarna werd de afslag McLean op de borden aangekondigd.

Hij was weer bezig haar achterna te lopen, realiseerde hij zich opeens. Het was niet zijn bedoeling, het leek wel alsof het vanzelf ging. Hij had behoefte om haar te spreken, vandaag nog. Haar, en niet dat stomme antwoordapparaat van haar. Ze negeerde zijn berichten trouwens toch.

Het was te absurd voor woorden. Hij schudde meewarig het hoofd. Hoeveel vrouwen liepen er wel niet op deze aardbodem rond! Een paar miljard? Als je de minderjarigen niet mee zou tellen, bleef er misschien een miljard over, van wie een niet gering aantal belangstelling voor hem had getoond. Waarom moet ik dan uitgerekend verliefd worden op een vrouw die getrouwd is met een goede vriend en die me bovendien behandelt als een stuk vuil?

Hij was het helemaal niet van plan geweest. Hij had haar voor het eerst ontmoet in Wenen tijdens een groot galadiner bij een Engelse diplomaat. Ze was daar in haar eentje geweest; later had hij gehoord dat David die avond verhinderd was vanwege een receptie van het IAEA. Ze waren toen nog maar pas in Wenen.

Paul zat naast haar aan tafel. Ze was een aantrekkelijke vrouw, in tegenstelling tot de vrouw aan zijn andere zijde, die bovendien bekendstond als een roddeltante, en zo besloot hij zijn aandacht aan Mariah te wijden om tenminste nog iets van de avond te maken.

'Hallo, Mariah Bolt,' zei hij, nadat hij het kaartje naast haar wijnglas had bekeken. 'Ik ben Paul Chaney.'

Ze keek hem aan, wierp een blik op zijn uitgestoken hand en legde de hare erin. 'Weet ik. Aangenaam.'

'Je bent Amerikaanse?'

Ze knikte.

Hij bestudeerde haar gezicht. 'Op de een of andere manier kom je me bekend voor. Kan het zijn dat ik je al eens eerder heb ontmoet?'

Ze trok een wenkbrauw op en glimlachte spottend. 'Tjonge, wat een originele openingszin.'

'Nee, ik meen het serieus. Je doet me echt aan iemand denken – O, ik weet het.' Hij sloeg zichzelf tegen het voorhoofd. 'Natuurlijk! Aan Benjamin Bolt. Ik ken hem alleen van foto's natuurlijk. Je hebt echt iets van hem.'

De glimlach maakte plaats voor een frons. Op dat moment werd de soep opgediend. Pas nadat de kelner hen beiden had bediend, richtte Paul zich weer tot Mariah, die peinzend in haar soep zat te roeren.

'Ben je toevallig familie van Benjamin Bolt?'

Zuchtend legde ze haar lepel terzijde. 'Ik ben zijn dochter.'

'Zijn dochter? Echt waar? Hoe is het mogelijk, zeg. Ik ben tijdens mijn studie in aanraking gekomen met zijn werk. Ik herinner me nog de sensatie die de ontdekking van zijn werk veroorzaakte. De critici waren laaiend enthousiast. Sommigen onder hen meenden zelfs dat zijn werk beter was dan dat van Jack Kerouac, die tot op dat moment toch werd beschouwd als de belangrijkste vertegenwoordiger van de beatgeneration.'

Ze knikte. 'Dat weet ik nog, ja.'

'Nou, ze hadden gelijk. Hij schreef fantastisch. Er is een periode geweest waarin ik nergens heen ging zonder Cool Thunder onder mijn arm.' Hij grijnsde. 'Als je Cool Thunder las had je het gegarandeerd gemaakt – vooral bij de meiden.'

'Prettig voor je.'

'Niet dat ik er alleen daarom mee leurde, hoor,' mompelde hij schaapachtig. 'Het is natuurlijk ook een waanzinnig goed boek.'

Ze was intussen begonnen met eten.

'Ik wist trouwens niet eens dat hij een vrouw en kinderen had,' hernam hij, haar voorbeeld volgend. 'Ik wist niet beter dan dat hij in zijn eentje in Parijs woonde toen hij stierf.'

'Dat was ook zo.' Ze liet haar lepel zakken en keek hem koeltjes aan. 'Kunnen we het nu over iets anders hebben? Ik heb mijn vader nauwelijks gekend en ik heb niet zo erg veel zin om het over hem te hebben.'

Ze had kennelijk hoe dan ook niet zo'n zin om met hem te praten, herinnerde hij zich, want niet lang daarna had ze een gesprek aangeknoopt met haar andere buurman. Tegen het einde van het diner was hij, na nog een of twee vruchteloze pogingen te hebben gewaagd, tot de slotsom gekomen dat ze een koude kikker moest zijn. Aantrekkelijk en intelligent, daar niet van, maar waarschijnlijk frigide. Het was een wonder dat ze een trouwring droeg – hij benijdde haar arme echtgenoot dan ook absoluut niet.

Daar zou het bij gebleven zijn als hij niet bevriend was geraakt met David Tardiff. Gaandeweg had hij ontdekt dat achter die afstandelijke buitenkant een zachte, verlegen, kwetsbare Mariah Bolt schuilging – een hartelijke, loyale vrouw die dol was op haar man en dochtertje, een vrouw met een betoverende glimlach die slechts een handjevol uitverkorenen ten deel viel. Een vrouw die ongemerkt onder zijn huid kroop en hem achtervolgde tot in zijn dromen, en die zijn voornemen om zich nooit meer kwetsbaar op te stellen langzaam maar zeker deed afbrokkelen.

❧

'Uit die kleren,' gebood hij. Hij draaide haar om, zodat ze nu met haar gezicht naar hem toe gekeerd stond. Terwijl hij het mes tegen haar buik hield, legde hij een hand in haar nek en trok haar naar zich toe.

Ze kneep haar ogen stijf dicht toen ze zijn lippen op de hare voelde en hij met zijn tong haar mond binnen drong. Toen ze het niet langer kon verdragen, draaide ze haar hoofd weg, waardoor zijn mond een vochtig spoor op haar wang achterliet. Het mes prikte tegen de huid van haar buik.

'Kom, Mariah,' gromde hij. 'Je doet er verstandiger aan om een beetje mee te werken.' Hij trok haar weer naar zich toe en begroef zijn gezicht in haar hals. 'Denk maar aan die foto's. Dat mokkel was zo heet als ik weet niet wat. Zo heet wil ik jou ook zien, begrepen?'

'Hou je kop!' schreeuwde ze, zich met kracht tegen hem verzettend.

Hij keek haar verbaasd aan.

'Hou je kop over die ellendige foto's, smeerlap.'

'Hoezo? Wie staan er dan op?'

'Gaat je geen moer aan!'

Hij bleef haar een ogenblik aanstaren. Toen knikte hij langzaam. 'Het is zeker die kerel van je, hè? Waar of niet, Mariah?'

'Hou erover op, zei ik toch!' Ze sloot haar ogen. 'Laat me met rust,' smeekte ze. 'Ga alsjeblieft weg.'

Hij liet het mes op haar sleutelbeen rusten, liet toen het heel langzaam omlaag glijden tot aan haar kruis en vervolgens weer omhoog. 'Ik ben bang dat dat er niet in zit, Mariah,' mompelde hij met een wellustige grijns.

Op dat moment zonk de moed haar in de schoenen. Het was duidelijk dat hij niet van plan was haar in leven te laten.

11

Paul drukte nog maar eens een paar keer op de bel. Ze moest thuis zijn – de garage stond open en haar auto stond er. Hij luisterde aan de deur en gaf er een roffel op. 'Hallo, Mariah! Doe eens open!'

Geen reactie. Hij draaide zich om en zag een paar jongens voorbijkomen die een handdoek bij zich hadden. Het zwembad, dacht hij. Daar had ze de vorige keer dat hij haar was komen opzoeken ook gezeten. Had David niet ooit gezegd dat ze zo'n goede zwemster was?

'Hé, jongens! Zijn jullie soms op weg naar het zwembad?'

De jongens bleven een ogenblik staan en bekeken hem argwanend. 'Ja, hoezo?'

'Ik wilde even bij een vriendin langsgaan.' Hij wees met zijn duim over zijn schouder naar het huis achter hem. 'Maar misschien is ze even gaan zwemmen. Waar is het zwembad precies?'

De jongens lieten hun argwaan varen. 'Gewoon dit pad af lopen, dan kom je vanzelf bij het recreatiegebouw. Daar is het.'

'Mooi. Bedankt.'

'Geen dank.' Het tweetal vervolgde hun weg.

Hij daalde het trapje af en ging achter hen aan.

Zodra de man de bel hoorde, duwde hij Mariah tegen de muur. Hij legde een hand over haar mond en hield de punt van het mes tegen haar keel. 'Geen kik, denk erom,' siste hij.

Ze knipperde met haar ogen en durfde geen vin te verroeren.

'Wie kan dat zijn?' vroeg hij, toen het bellen aanhield. 'Verwachtte je soms iemand?'

Ze schudde zo goed en zo kwaad als het ging haar hoofd. Zijn hand bedekte grotendeels ook haar neus, waardoor ze nauwelijks kon ademhalen. De paniek op het gezicht van de man toen er luid op de deur werd gebonsd, gaf haar echter weer hoop; hij begon nerveus te worden – hierop had hij duidelijk niet gerekend. Laat hem er als een haas vandoor gaan, bad ze in stilte.

Op dat moment hield het gebons op. Er klonken stemmen – in een ervan meende ze die van Paul Chaney te herkennen. Ze spitste haar oren. Hij sprak met iemand, maar tegen wie en wat er werd gezegd was niet te verstaan. Toen was het stil en hoorde ze niets meer. Nee, schreeuwde ze in gedachten, niet weggaan, alsjeblieft! Het hielp niet. Het bleef stil.

Ze sloot haar ogen en vocht tegen de opkomende tranen. Het duurde een eeuwigheid voor de indringer eindelijk vond dat de kust weer veilig was en hij zijn hand van haar mond haalde. Hij kuste haar ruw op haar mond en vervolgens in haar hals. Ze balde haar vuisten en drukte zich plat tegen de muur toen hij haar met zijn vrije hand overal onbeschaamd begon te betasten.

Op een gegeven moment gaf hij een ruk aan haar trui. 'Trek dat ding uit.' Hij deed een stap achteruit, met zijn mes nog altijd in de aanslag. 'En schiet een beetje op,' gromde hij, ongeduldige bewegingen met het mes makend.

Ze staarde naar die vreemde ogen en besefte dat de man haar niet beschouwde als een vrouw, een levend wezen, de moeder van een kind. Voor hem was ze niet meer dan een stuk speelgoed, een slachtoffer – zijn zoveelste wellicht. Wat er nu ging gebeuren leek onafwendbaar: hij zou haar verkrachten en daarna van kant maken. Het enige wat er van haar werd verwacht, was dat ze zich eraan overgaf.

Ze kruiste haar armen voor haar borst, pakte haar trui bij de onderkant en trok hem over haar hoofd uit. Langzaam begon ze een voor een haar armen uit de mouwen te trekken.

'Goed zo,' bromde hij, met zijn blik strak op haar borsten gericht en een verlekkerde grijns op zijn bezwete, pokdalige gezicht. Hij zwaaide weer met het mes. 'Doorgaan.'

Ze knikte en schudde haar trui uit. Het volgende moment sprong ze met het dikke kledingstuk voor zich uitgestoken op hem af. Ze wierp het over de hand die het mes vasthield en wikkelde het er razendsnel omheen. Terwijl hij achteruitdeinsde en verwoede pogingen deed om zijn hand te bevrijden, raakte ze hem met de zijkant van haar rechterhand vol op zijn neus.

Hij wankelde en dreigde door zijn knieën te zakken. Het bloed stroomde uit zijn neusgaten. Ze nam haar kans waar en sprintte naar de deur van de slaapkamer. In het voorbijgaan greep hij haar met zijn vrije hand bij een arm, maar ze wist zich los te rukken, en hij belandde onzacht op de vloer. Ze rende de kamer uit, smeet de deur met kracht achter zich dicht en vloog de trap af.

Halverwege hoorde ze hem uit de slaapkamer komen. Onder aan de trap gekomen, wierp ze in de gauwigheid een blik omhoog en zag hem net op de overloop verschijnen. Met een bebloed, van pijn en woede vertrokken gezicht staarde hij haar aan. Toen bracht hij zijn hand met het mes tot vlak bij zijn oor.

Als in slowmotion zag ze het dodelijke wapen recht op zich af komen. Op het allerlaatste moment wist ze het te ontwijken door zich zijdelings op de grond te laten vallen. Pas toen ze overeind krabbelde, zag ze waar het mes terecht was gekomen.

'Paul!'

Hij wist niet wat hem overkwam toen hij ineens een moordwapen op zich af zag komen. Met stomheid geslagen keek hij beurtelings van het mes in zijn buik naar Mariah en de vreemde figuur op de trap. Toen deinsde hij achteruit.

'Kijk uit!' gilde ze.

Maar de man was al van de trap gesprongen. Hij wierp zich boven op Chaney en trok aan zijn mes. Chaney aarzelde geen ogenblik en greep hem bij zijn pols, waardoor er een felle worsteling ontstond.

Intussen zocht Mariah wanhopig naar iets om mee te slaan. Toen ze zo gauw niets kon vinden, sprong ze de man op zijn nek. Ze klemde een arm om zijn hals en kneep zijn strot dicht. Uiteindelijk liet hij gorgelend en hoestend het mes vallen. Chaney, die in de consternatie een trap in zijn kruis kreeg, kromp kreunend in elkaar.

De man stapte naar achteren, waardoor Mariah, die hem nog steeds van vasthield, keihard tegen de muur knalde. Haar greep verslapte. Ze gleed van zijn rug en zakte half bewusteloos in elkaar. Met een gezicht waaruit een allesverslindende haat sprak draaide hij zich naar haar om. Hij aarzelde, maar toen hij zag dat Chaney aanstalten maakte om overeind te komen koos hij eieren voor zijn geld en vluchtte hij het huis uit.

Mariah hees zich moeizaam overeind. Nadat ze de grendel voor de voordeur had geschoven, boog ze zich over Chaney, die met een van pijn vertrokken gezicht en met opgetrokken knieën op de grond zat. Naast hem op de vloer lag een mes met een ivoren heft.

'Ben je gewond?' vroeg ze.

Hij sloeg zijn ogen op en toonde haar zijn bloedende linker handpalm. Er zat een flinke jaap in. Vervolgens stak hij met een verbijsterde uitdrukking op zijn gezicht twee vingers door het gat in zijn leren jack. Het mes was precies daar terechtgekomen waar de revers over elkaar heen vielen. De lagen stugge koeienhuid bleken zijn leven te hebben gered. Hij schudde zijn hoofd en sloot zijn ogen weer, wachtend tot de pijn in zijn kruis enigszins draaglijk werd.

Toen bleek dat Chaney niets ernstigs mankeerde, rende Mariah naar de keuken om de deur naar de garage op slot te draaien. Daarna sloot ze haar ogen en legde ze haar wang tegen het koele hout. Ze slaakte een diepe zucht en dankte de hemel in stilte dat het allemaal zo goed was afgelopen.

Ze draaide zich langzaam om en nam de schade op. De keuken was één grote puinhoop. De vloer was bezaaid met glasscherven, er zaten koffiespetters op de muur, de bezem lag ergens in een hoek, en op de tafel lagen de foto's van David en Elsa. Wat een nachtmerrie, dacht ze, terwijl ze terugliep naar de hal.

'Hemel, Mariah!' riep Chaney uit. Hij stond inmiddels weer op zijn benen. 'Je bloedt!'

Verbaasd volgde ze zijn blik. Er liep een dun straaltje bloed van haar hals over haar borstbeen naar beneden. Ze bracht een hand naar haar keel. 'O, dat is niets. Een piepklein sneetje,' bracht ze zachtjes uit, starend naar het bloed aan haar vingers.

Chaney liep op haar toe en sloeg zijn armen om haar heen, maar ze maakte zich onmiddellijk los. Ze huiverde, hield instinctief een hand voor haar borsten en deed de gangkast open om Davids oude ijshockeyjack te pakken.

Halverwege bleef haar hand in de lucht hangen. Ze staarde een ogenblik naar het jack, dat opeens allerlei herinneringen in haar losmaakte. Hoe vaak had ze haar gezicht er niet tegenaan gevlijd, naast hem zittend in de auto of samen met hem liggend onder een boom in het park... Ze wendde haar blik af en pakte de fleecetrui die ernaast hing.

'Ik was al bijna weer weggegaan,' zei Chaney. 'Ik was al bij het zwembad geweest om te kijken of je daar misschien was. Toen ik je daar niet zag, gaf ik het op. Onderweg naar mijn auto liep ik toch nog even de garage binnen. Daar was je ook niet. Ik klopte op de keukendeur – hij bleek niet op slot. Toen ik hem opendeed, zag ik...' Hij aarzelde. 'Zag ik de puinhoop. Tegelijk hoorde ik lawaai op de trap. Ik stapte naar binnen en –'

Ze ging met haar rug tegen de muur staan en liet zich langzaam zakken tot ze op de vloer zat. 'Je hebt mijn leven gered. Als jij niet net was gekomen, had hij me vermoord.'

'Wie was hij?'

Ze haalde haar schouders op.

Hij keek haar aan. 'Ik ga de politie bellen.' Hij verdween naar de keuken.

Ze trok haar knieën op en begroef haar gezicht in haar armen. Ze hoorde Chaney op de achtergrond praten, maar wat hij zei scheen van heel ver weg te komen.

'Ze komen eraan,' zei hij, terwijl hij zich vlak voor haar op zijn hurken liet zakken.

Ze keek op en knikte alleen maar.

'Mariah, wat zijn dat voor foto's daar op de –'

'O hemel! Die moeten zo snel mogelijk verdwijnen!' Ze krabbelde verschrikt overeind.

Hij pakte haar bij haar schouders. 'Nee, Mariah. Je kunt ze beter laten liggen. Misschien kan de politie er wat mee. Het is bewijsmateriaal.'

'Nee! Die foto's hebben helemaal niets met die insluiper te maken. Ik wil niet dat iemand ze ziet. Ze moeten zo snel mogelijk worden vernietigd. Laat me los, Chaney!'

Ze deed verwoede pogingen om zich los te rukken, maar hij hield haar stevig vast.

'Wat bedoel je? Ik snap het niet. Hoe kom je aan die foto's?'

'Van Lindsay.'

'Wat?'

'Lindsay gaf me vanochtend een envelop met mijn naam erop. Ze had ze gisteren op school van iemand gekregen. Iemand probeert me daarmee te bedreigen. Waarom is me een raadsel.'

'Probeert? Hij heeft je vandaag bijna om zeep geholpen, Mariah!'

'Nee, dat zeg ik toch. Met die foto's had hij niets te maken. Hij had kans gezien om het huis binnen te komen en zat me op te wachten toen ik thuiskwam nadat ik Lindsay bij Carol had afgezet. Die envelop gaf ze me vanochtend in de auto. Ik stond hem net open te maken toen die griezel de keuken binnen kwam.'

'Nou en? Het een kan met het ander te maken hebben.'

'Hij was een stalker, Chaney,' zei ze. 'Hij was degene die me van de week achterna zat toen ik van het zwembad kwam.'

'Misschien was hij wel een huurmoordenaar.'

Ze keek hem argwanend aan. 'O ja? En wie ben jij, Chaney? Wat is jouw rol precies in dit alles?'

'Hè?'

'Je hebt me heus wel verstaan! Dit heeft allemaal met Wenen te maken, of niet soms? Met die vuile spelletjes van jou en Katarina Müller.'

Hij staarde haar verbijsterd aan. 'Hoe weet je haar echte naam?' Ineens viel het muntje. 'Jij was het dus! Jíj werkt voor de CIA!'

'Hoe ik dat weet doet helemaal niet ter zake! Wat voerden jullie in je schild daar in Wenen?'

'Ik heb nooit iets met dat mens gehad, als je dat soms denkt. Ze heeft me gebruikt. Misschien wel om in contact te komen met David, dat weet ik niet. Stomme idioot die ik was. Ik wist wat ze in werkelijkheid was, maar ik besloot het spelletje een tijdje mee te spelen in de hoop dat er een verhaal in zou zitten.'

'Hoezo? Wat voor verhaal?'

'Ze kwam zomaar op me af op een of andere receptie. Probeerde me te versieren. Ik moest eigenlijk niet veel van haar hebben, maar toch intrigeerde ze me.'

'Ja, dat zal best.'

'Nee, zo bedoel ik het niet. Op de een of ander manier vertrouwde ik haar niet helemaal. Ze had iets berekenends, iets geraffineerds – ik weet het niet precies. Hoe dan ook, via een kennis van me bij de Duitse ambassade kwam ik te weten dat ze tijdens de koude oorlog voor de Stasi had gewerkt. Hij wilde wel eens weten waar ze op uit was, en ik ook, dus ik hield me van de domme.' Hij zuchtte. 'Je moet me geloven, Mariah. Ik zuig dit niet uit mijn duim. Ik had geen idee dat ze het op David had voorzien. Als ik dat had geweten, was ik er nooit mee doorgegaan, ik zweer het je.'

'Aha. Je was dus op de hoogte van hun verhouding.'

Hij beet op zijn lip, keek haar aan en knikte toen. 'Ik zag ze toevallig samen haar flat binnen gaan – op de avond van de receptie bij de ambassadeur.' Hij slaakte opnieuw een diepe zucht. 'Dat verklaart mijn gedrag die avond, Mariah. Je zag er zo ongelukkig uit. Ik meende dat je wel vermoedde dat David je bedroog. Ik wilde je troosten, ik wilde de pijn wegnemen.'

Ze staarde hem aan. 'Hoe heeft zoiets kunnen gebeuren?' fluisterde ze, terwijl ze zich weer op de grond liet zakken. 'Hoe heeft hij me dit aan kunnen doen?'

Hij ging op zijn hurken zitten. 'Dat weet ik ook niet, Mariah. Ik weet alleen dat we in hetzelfde schuitje zitten.'

'Hoezo? Wat heb jij ermee te maken?'

'David is een vriend van me... En ik ben ook erg gesteld op jou,' zei hij zacht. 'Na het ongeluk besloot ik zelf op onderzoek uit te gaan. Ik wilde weten wie en wat hierachter zat. En er is kennelijk iemand die dat niet zo heel geweldig vindt.'

'Wat bedoel je?'

'Ik ben vanochtend op staande voet ontslagen.'

Ze staarde hem een ogenblik zwijgend aan. In de verte klonk het geluid van een naderende sirene. Toen pakte ze zijn arm.

'Oké, laten we dan maar samenwerken. Dat levert misschien meer op. Ik beschik over informatie die misschien van nut kan zijn. Maar eerst moet ik zorgen dat ik van die foto's afkom.'

Hij schudde zijn hoofd.

'Alsjeblieft,' smeekte ze, zijn arm bijna fijnknijpend. 'Natuurlijk wil ik graag dat die smeerlap van daarnet gepakt wordt, maar als de politie die foto's in handen krijgt, kun je er de donder op zeggen dat ze straks in de rechtszaal worden getoond, en dan komt Lindsay te weten dat haar vader een verhouding had, en dat wil ik kost wat kost voorkomen. Ze is dol op hem, hij is altijd haar held geweest. Kijk, ik kan hem natuurlijk wel wurgen om wat hij me heeft aangedaan, maar ik wil niet dat Lindsay nog meer ellende te verwerken krijgt. Ze heeft haar portie wel gehad, zou ik zeggen. Toe, Paul, werk nou even mee.'

De sirene klonk hoe langer hoe luider en hield toen abrupt op. Op hetzelfde moment hoorden ze het dichtklappen van autoportieren. Toen er werd aangebeld, aarzelde Chaney een ogenblik, waarna hij opsprong en zich naar de keuken haastte. Mariah was eveneens overeind gekomen en sloeg hem vanuit de deuropening gade terwijl hij de foto's terug in de envelop stopte. Pas nadat hij de envelop in zijn broek had gepropt en haar toeknikte, liep ze naar de voordeur om open te doen.

In de uren die volgden moest ze haar verhaal keer op keer opnieuw vertellen – eerst aan de dienstdoende agent, toen aan de rechercheurs en ten slotte nog eens op de afdeling Spoedeisende Hulp, waar Chaney en zij werden behandeld voor hun kneuzingen en snijwonden. Ze kon er niet over uit dat haar afschuwelijke avontuur niet langer dan twintig minuten bleek te hebben geduurd. Voor haar gevoel lag het meer in de orde van enkele uren. Ze vertelde alles, maar over de foto's repte ze met geen woord.

Chaney werd apart ondervraagd in een politiebusje. Intussen liep Mariah het huis door met brigadier Albrecht, die de leiding had over het onderzoek.

'Hij was dus al binnen toen u thuiskwam,' zei Albrecht.

Ze knikte.

'Enig idee hoe hij binnen is gekomen?'

Ze haalde haar schouders op. 'Toen ik van huis ging zat de grendel op de voordeur. Ik gebruik meestal de achterdeur.'

'Dat is de deur naar de garage?'

'Ja.'

'En die sluit u af wanneer u het huis verlaat?'

'Nee, maar ik doe altijd wel de garagedeur omlaag. Met de afstandsbediening.'

De brigadier trok een bedenkelijk gezicht. 'Die dingen zijn anders niet erg betrouwbaar. Ze zitten op een paar gangbare frequenties en zijn vrij gemakkelijk te kraken.' Hij zuchtte. 'U hebt de garagedeur vanochtend wel dichtgedaan toen u wegging?'

'Ja, dat weet ik zeker. Ik was een beetje laat en ik had nogal haast. Ik ben niet blijven staan tot hij helemaal omlaag was, dat niet.' Ze begroef haar gezicht in haar handen. 'Het is mijn eigen schuld, hè? Ik ben te nonchalant geweest.'

'U hebt uzelf niets te verwijten, Ms. Bolt,' zei Albrecht. 'Misschien hebt u het hem een beetje gemakkelijker gemaakt, maar dit soort mensen – aangenomen dat deze man en de stalker één en dezelfde zijn – laat zich over het algemeen door niets en niemand tegenhouden. Vroeg of laat krijgen ze hun slachtoffer toch te pakken. Maar maakt u zich maar geen zorgen, we vatten hem wel in de kraag. Mijn mannen zijn beneden bezig met het nemen van vingerafdrukken. Bovendien hebben we zijn wapen en een bloedmonster voor een DNA-test,' voegde hij er tevreden aan toe. 'Hebt u zijn neus gebroken, denkt u?'

Ze wierp een blik op de zijkant van haar hand, die blauw en opgezet was. Ze had ook last van haar pols. 'Nou, zeker weten doe ik het natuurlijk niet, maar hij bloedde in ieder geval behoorlijk. En mijn hand doet ook behoorlijk pijn, kan ik u zeggen.'

'Nou, ik ben blij dat ik niet in zijn schoenen sta,' zei Albrecht. 'U bent een gevaarlijke vrouw.'

Ze glimlachte.

'We zullen voor alle zekerheid de eerstehulpposten in de omgeving verzoeken om uit te kijken naar slachtoffers met een gebroken neus die voldoen aan de beschrijving, hoewel ik betwijfel of dat iets zal opleveren. Waarschijnlijk houdt hij zich de eerste tijd gedeisd, maar goed, je kunt niet weten.'

Ze knikte. 'Ik herinner me opeens dat ik bij thuiskomst een vuile mok in de keuken aantrof. Ik vond het al zo vreemd, omdat mijn dochter en ik na het ontbijt altijd alles meteen in de afwasmachine zetten.'

'Wat hebt u met die mok gedaan?'

'In de afwasmachine gestopt. Het is die blauwe; de witte mok heb ík vanochtend gebruikt.'

'Mooi. Ik zal mijn mannen opdracht geven om die mok na te kijken op vingerafdrukken. We hebben natuurlijk ook uw vingerafdrukken en die van Mr. Chaney nodig om uit te maken welke die van de indringer zijn.'

Voor de deur van haar slaapkamer hield hij haar staande. 'Hier,' zei hij, haar een veiligheidsbril met gekleurde glazen aanreikend. 'Zet die eerst even op.'

Ze wierp een verbaasde blik op de vreemd uitziende bril, maar zette hem zonder commentaar op haar neus, waarna ze de kamer betraden. Het was er donker; de gordijnen waren dicht. Iemand was de ruimte centimeter voor centimeter aan het aftasten met een vreemd apparaat.

'Dit is rechercheur Harmon,' vertelde Albrecht. 'Ze zoekt met behulp van een draagbare laser naar vezels en vloeistoffen die met het blote oog niet te zien zijn.'

'Het is bijna klaar,' zei Harmon. 'Nog heel even, dan kan het licht weer aan.'

'Blijf hier maar even bij de deur staan, anders lopen we misschien in de weg,' zei Albrecht tegen Mariah, die blij was dat de politie zo gedegen te werk ging, maar tegelijk haar woede opnieuw voelde oplaaien.

'Zo, dat is ook weer gebeurd. Doe het licht maar aan, brigadier.'

Albrecht reikte naar het lichtknopje en pakte de bril van Mariah aan. 'Ik draag u over aan rechercheur Harmon, Ms. Bolt, dan kan ik intussen even gaan kijken hoe het de jongens buiten vergaat.'

Mariah knikte, wierp een korte blik op rechercheur Harmon, een jonge, zwarte vrouw die het snoer van haar laserapparaat stond op te rollen, en keek de kamer rond. Haar trui lag nog midden in de kamer op de plaats waar de aanrander hem had laten vallen. Ineens viel haar oog op een opengetrokken la – die waarin haar ondergoed lag, constateerde ze ontzet. Er hing het een en ander over de rand, en op de vloer lag een stel slipjes.

Rechercheur Harmon volgde haar blik. 'U had behalve uw trui geen kledingstukken uitgetrokken, hè?' vroeg ze.

Mariah schudde haar hoofd.

'In dat geval lijkt het erop dat de insluiper tijdens het wachten in uw ondergoed heeft zitten graaien, want ik neem niet aan dat u de boel altijd zo laat slingeren?'

Mariah keek haar aan. 'Nee, ik probeer het hier thuis altijd netjes te houden.' Met een mengeling van afschuw en woede keek ze weer naar de la. 'Het was me nog niet opgevallen dat die la openstond. Ik stond er met mijn rug naar toe.'

De andere vrouw knikte. 'Vreselijk – iemand die zomaar in je spullen rommelt,' zei ze op meelevende toon. 'Ik kom het nogal eens tegen, en elke keer word ik er weer niet goed van. En dan te bedenken dat zulke smeerlappen de dans nogal eens ontspringen ook. Maar deze zullen we in zijn kladden grijpen, dat voel ik aan mijn water. Daarbij heb ik alleen wel uw volledige medewerking nodig, en dat betekent dat ik u een aantal pijnlijke vragen zal moeten stellen.'

Mariah keek de kamer rond en knikte. 'Dat begrijp ik. Ga uw gang.'

'Goed. Ik heb het ondergoed onderzocht op mogelijke spermasporen, maar dat heeft niets opgeleverd. Waarschijnlijk zullen we die ook niet vinden, want als ik het goed heb begrepen heeft hij zijn broek aangehouden – gelukkig maar. Niettemin zou ik toch graag de kleren die u aanhad willen onderzoeken in verband met mogelijke vezels van zijn kleding of wellicht wat haren. Verder kunt u me misschien vertellen... Heeft hij u ook gekust?' Ze trok een grimas. 'Geen adequaat woord in dit geval, dat geef ik direct toe.'

Mariah knikte.

'Dan zou ik graag wat speeksel willen afnemen. Gewoon voor alle zekerheid, want waarschijnlijk zullen we al wel voldoende hebben aan de bloedsporen.' Ze grinnikte. 'Ik mag lijden dat hij nu rondloopt met een gebroken neus.'

'Laten we het hopen.'

'Mooi. Als u dan zo vriendelijk wilt zijn om uw broek heel voorzichtig uit te trekken, dan kan hij mee naar het lab. Daarna zou ik graag wat speekselmonsters willen nemen en een paar foto's maken – in de badkamer, als u het goedvindt. Daar ben ik namelijk helemaal klaar. Hier in de slaapkamer moeten nog vingerafdrukken worden genomen.'

'Mag ik daarna douchen?'

Rechercheur Harmon schudde haar hoofd. 'Dat moet even uitgesteld worden, vrees ik. Beneden staat een auto te wachten om u en Mr. Chaney naar het ziekenhuis te brengen. We willen trouwens ook graag dat u beiden bloed laat afnemen.'

'O. Waarom?'

'Om erachter te komen welke sporen van de indringer zijn en welke niet.'

Mariah knikte. Ze trok voorzichtig haar broek uit en liet hem in de plastic zak vallen die Harmon openhield. Nadat de rechercheur er een etiket op had geplakt deed ze Mariahs klerenkast open.

'Is er iets wat u zo op het eerste gezicht mist?' vroeg ze.

Mariah wierp een vluchtige blik op haar kleren en schudde haar hoofd.

'Oké. Zodra we hier klaar zijn kunt u even andere kleren aantrekken.'

Tegen de tijd dat Mariah en Chaney eindelijk klaar waren in het ziekenhuis en ze door een politieauto terug naar haar huis werden gebracht, was het al donker. Er stond nog een enkele nieuwsgierige buurtbewoner achter het afzetlint, maar verder was de rust weergekeerd. Ook het politiebusje was vertrokken; er stond nog één patrouillewagen voor de deur.

In de zitkamer troffen ze brigadier Albrecht aan, die nog druk bezig was met het maken van aantekeningen onder het genot van een kartonnen bekertje koffie. De ontvanger aan zijn riem produceerde om de paar seconden een afschuwelijk gekraak. Zodra ze binnenkwamen keek hij op. Hij zag er afgepeigerd uit, maar begroette hen niettemin met een glimlach.

'Nog even geduld,' zei hij verontschuldigend. 'Dan bent u van ons af.'

'Heeft het onderzoek nog wat opgeleverd, brigadier?' informeerde Chaney.

De agent knikte. 'Zeker, zeker. We hebben een vrij duidelijke schoenafdruk tussen de struiken bij de garage gevonden en een paar minder duidelijke schoenafdrukken in de garage die met elkaar overeenkomen. Daar zal hij dus wel naar binnen geglipt zijn. Verder is de indringer gezien door een paar kinderen die even verderop aan het spelen waren. Ze wisten te vertellen dat zijn gezicht onder het bloed zat en dat hij is weggereden in een oude, groene auto van Japanse makelij – waarschijnlijk een Nissan of een Toyota. Daar wordt intussen al naar uitgekeken.'

'Is er nog iets wat wij kunnen doen?' vroeg Mariah.

'Ik geloof het niet. O, wacht. Ik heb nog één vraagje. In de vuilnisbak in de keuken troffen we een pluk haar aan, zwart krullend haar. Het is duidelijk niet afkomstig van Mr. Chaney of van uzelf, en de indringer had grijzig, dun haar volgens uw eigen beschrijving. Kunt u misschien vertellen wiens haren het zijn?'

Mariah stond heel even met haar mond vol tanden. Toen viel haar blik op een foto van David en Lindsay. 'Het zijn mijn mans haren,' zei ze.

De brigadier trok een wenkbrauw op en begon door zijn aantekeningen te bladeren. 'Had u niet gezegd dat uw man in een verpleeghuis zat?'

'Dat klopt.'

'Hoe komen zijn haren dan in uw vuilnisbak terecht?'

Ze keek hem aan. 'Die heb ik erin gegooid. Toen ik vanochtend bij hem op bezoek was heb ik zijn haren een beetje bijgeknipt. Bij thuiskomst ontdekte ik dat er een plukje aan mijn kleren was blijven hangen.'

Albrecht knikte langzaam. 'Goed.' Hij klapte zijn notitieboekje dicht en stond op. 'Nou, dat was het dan. We zullen een oogje op uw huis houden tot we de insluiper te pakken hebben, Ms. Bolt. Ik verwacht niet dat hij zijn gezicht binnenkort weer zal laten zien, maar je weet maar nooit. Blijf op uw hoede. Zodra we iets weten, zullen we contact met u opnemen.'

Ze gaf hem een hand. 'Hartelijk dank voor alles wat u gedaan hebt, brigadier.'

Albrecht knikte en vertrok. Terwijl Chaney hem uitliet, liet Ze zich op een stoel zakken. Even later plofte Chaney op de bank neer. Zodra de politiewagens waren vertrokken, haalde hij de enigszins verkreukelde envelop uit zijn broek en wierp hem op tafel.

'Dat ze die niet ontdekt hebben in het ziekenhuis,' merkte ze verbaasd op. 'Hoe heb je dat voor elkaar gekregen?'

Hij haalde zijn schouders op. 'Gewoon in mijn kleren gewikkeld,' antwoordde hij, zijn slapen masserend. Toen keek hij haar aan. 'Hoe zat dat nu met die pluk haar?'

Ze slaakte een diepe zucht. 'Ik had er helemaal niet meer aan gedacht. Die zat in die envelop met die foto's.'

'Wat zeg je?' Hij ging rechtop zitten.

'Het is een boodschap. Hiermee willen ze me duidelijk maken dat ze David of Lindsay kunnen pakken wanneer ze maar willen.' Ze sloot haar ogen. 'In het ziekenhuis ben ik toch maar even een paar telefoontjes gaan plegen. Een ervan was naar het verpleeghuis van David om te vragen of ze hem een kamer konden geven waar ze hem beter in het oog kunnen houden. Verder heb ik gebeld naar een vriend van me – de grootvader van het jongetje op wie Lindsay vanmiddag oppast – en hem gevraagd om haar zo snel mogelijk op te halen.'

Frank Tucker had meteen aangeboden om haar ook maar meteen op te komen halen, maar ze had hem ervan overtuigd dat dat nergens voor nodig was en dat hij zich maar beter kon bezighouden met de voorbereidingen voor zijn kerstborrel vanavond.

'Een vriend van je? Ook zo'n spion zeker?'

Ze slaakte een diepe zucht. 'Ik ben geen spion, Paul. Ik ben in ieder geval niet wat jij onder een spion verstaat. Ik ben maar een eenvoudige informatieanalist.'

'Nee, is het heus?'

'Ja. Echt waar. De meesten van ons zijn gewone alledaagse burgers, weet je, met een man of een vrouw en kinderen, met een hypotheek die afbetaald moet worden en vetkwabben die maar niet weg willen. Doodgewone mensen, geen James Bond-types. Geloof dat nou eens,' voegde ze eraan toe. 'Wat dacht je? Als ik werkelijk een goedgetrainde geheim agent was geweest, dan had die... schoft vanmiddag het huis heus niet levend verlaten, hoor.'

'Hm,' bromde hij. 'Misschien ook niet, nee. Maar wat nu, dat is de vraag.'

Ze keek op haar horloge. Het liep al tegen achten. 'Wat zou je ervan zeggen als ik je meenam naar een kerstborrel?'

'Wat? Je maakt een geintje zeker? We zouden toch gaan uitzoeken wat er allemaal aan de hand is?'

'Dat gaan we ook, maar ik heb behoefte om mijn kind te zien – ze is daar al. Ik wil wat kleren voor haar meenemen, dan kan ze daar blijven logeren en dan heb ik morgen mooi de tijd om de boel hier een beetje op te ruimen.' Ze wierp een blik om zich heen. Alles zat onder het poeder, en zelfs vanaf de plaats waar ze zat, waren de bloedsporen in de hal duidelijk te zien. 'En ik moet iemand spreken,' besloot ze.

'Is dit soms een CIA-feestje?'

'Nou, dat nu ook weer niet direct, maar de gastheer is toevallig wel mijn baas.'

'Zal hij blij zijn om me daar te zien, denk je?'

Ze sloeg haar ogen ten hemel. 'Dat denk ik niet.' En dat was nog zacht uitgedrukt.

'Wat zeg je straks dan tegen hem?'

Ze keek hem een ogenblik peinzend aan. 'Ik zeg dat je me vanmiddag het leven hebt gered. En Chaney, je zou me een groot plezier doen als je het daarbij laat en er verder met geen woord over rept. Kunnen we dat afspreken?'

Hij knikte. 'Mijn woord heb je.'

12

Frank stond kennelijk al op de uitkijk, want ze kwamen nog niet het tuinpad op, of de voordeur vloog open. Met een bezorgde uitdrukking in zijn ogen gebaarde hij hen binnen te komen. Hij knikte Chaney in het voorbijgaan toe, sloot de deur en wendde zich ten slotte tot Mariah.

Ze deed een dappere poging om te glimlachen, maar gaf het al snel op en liet zich door hem omhelzen. Zo bleven ze een tijdje staan zonder iets te zeggen, luisterend naar de muziek en het vrolijke geroezemoes dat uit de zitkamer kwam.

Toen liet hij haar los. 'Verdomme, Mariah,' bromde hij, haar doordringend aankijkend. 'Gaat het weer een beetje?'

Ze knikte. 'Jawel, hoor. Maar het heeft niet veel gescheeld of ik was je feestje misgelopen, Frank – en de rest van mijn levensdagen trouwens ook. Als Paul niet net op dat moment binnen was gekomen...'

Frank draaide zich om naar Chaney en liet een monsterende blik over zijn gestalte gaan. Chaney had zijn leren jack aan de politie moeten overdragen – het was immers bewijsmateriaal – en droeg het jasje en de das die hij altijd in de auto had liggen voor de momenten dat hij voor de camera moest verschijnen. Hij had zich snel hersteld van de traumatische gebeurtenissen van die middag en was weer zijn bekende kalme, zelfverzekerde zelf.

Nadat Frank de twee schalen met de hartige taarten die Mariah had gebakken van Chaney had overgenomen en op de haltafel had gezet, stak hij hem zijn hand toe. 'Frank Tucker,' zei hij. 'Dit is dus de held.'

'Nou, eerlijk gezegd was Mariah degene die de strijd met hem aanging,' zei Chaney. 'Eigenlijk heeft zij mij het leven gered, want in het gevecht om het mes dreigde ik het onderspit te delven, en toen sprong zij hem op zijn nek. Uiteindelijk vond hij de overmacht te groot en nam hij de benen.'

'Je hebt toch hoop ik niets tegen Lindsay gezegd, hè, Frank?' vroeg Mariah.

Hij schudde zijn hoofd. 'Nee, wees maar niet bang. Alleen Carol, Michael en Pat weten ervan. Lindsay weet niet beter dan dat we haar hulp nodig hadden bij het versieren.'

'O, gelukkig. Ik vertel haar alleen dat er is ingebroken. Ze kan vannacht bij Carol blijven slapen, hè? Ik moet namelijk eerst een beetje opruimen, want ik wil niet dat ze die puinhoop ziet.'

'Lindsay had hier anders ook mogen blijven, maar Carol meende dat ze het bij haar leuker zou vinden vanwege de kleine,' zei Frank, terwijl hij haar uit haar jas hielp. 'Kom verder, jongens, en neem gauw een borrel.'

'Dat kunnen we allebei prima gebruiken,' zei Chaney.

Mariah zag Frank fronsen bij het zien van het rekverband om haar zwaar gekneusde pols en was blij dat ze een coltrui had aangetrokken die het verband om haar hals aan het oog onttrok. Ze gaf hem een geruststellend klopje op zijn arm. 'Troost je, die insluiper is er een stuk slechter aan toe dan ik.'

Hij scheen de humor er niet van in te zien. Hij wierp een zijdelingse blik op Chaney en keek toen haar weer aan. 'Ik moet je spreken,' fluisterde hij haar toe. 'Alleen.'

Ze knikte. 'Ik jou ook. Maar eerst wil ik mijn kind zien.'

Frank pakte de twee schalen en ging hen voor naar de zitkamer, waar zo'n veertig tot vijftig mensen in kleine groepjes geanimeerd stonden te praten en te lachen. Pat Bonelli die te midden van een groep collega's stond, kwam onmiddellijk op Mariah af en sloot haar in haar armen. Toen ze zich terugtrok, had ze tranen in haar ogen.

'O, Mariah! Wat afschuwelijk. Het is toch niet te geloven,' riep ze uit.

'Rustig maar, Pat,' suste Mariah. 'Ik mankeer niets, ik ben alleen ontzettend kwaad.' Ze wierp een blik in de rondte. 'Laten we er maar gauw over ophouden. Ik ben ook niet van plan om het rond te bazuinen: ik wil Lindsay niet onnodig angst aanjagen.'

Pat knikte, maar haar gezicht verried dat ze er behoorlijk door aangegrepen was.

Grote mond, klein hartje, dacht Mariah, terwijl ze de secretaresse nog even tegen zich aan drukte. 'Mag ik je trouwens even voorstellen, Pat,' zei ze toen. 'Dit is Paul Chaney; Paul, dit is mijn goede vriendin Pat Bonelli, met wie ik al twintig jaar samenwerk.'

Chaney deed een stap naar voren en gaf Pat een hand. Pat was duidelijk onder de indruk, want ze rechtte onmiddellijk haar rug, slikte haar tranen weg en schonk hem een stralende glimlach.

Mariah schudde meewarig het hoofd. De zoveelste die niet bestand was tegen zijn charmes, dacht ze. Het zou verboden moeten worden.

Frank, die bij de deur was blijven staan met de taarten, kuchte nadrukkelijk om Pats aandacht te trekken.

'Geef maar hier,' zei Pat meteen.

'Ik was van plan geweest om er vanmiddag nog een te maken,' zei Mariah verontschuldigend. 'Maar op de een of andere manier is het er niet van gekomen.'

'Nou, maar dit ziet er heerlijk uit,' zei Pat, de taarten van Frank overnemend. 'Bovendien hebben we zo wel genoeg eten voor een heel regiment. Frank heeft deze keer flink uitgepakt. Kom maar kijken.'

'Zo meteen,' zei Mariah. 'Ik wil eerst Lindsay even zien. Waar is ze ergens?'

'In de slaapkamer, samen met Carol. Kleine Alex had een schone luier nodig.'

'O, dan ga ik daar even heen. Kun jij zorgen dat Paul wat te eten krijgt? Hij zal zo langzamerhand wel vergaan van de honger, want ik heb hem thuis niets aangeboden.'

Chaney glimlachte. 'Nou, ik moest tot voor kort niet aan eten denken, maar ik geloof dat ik er nu wel toe overgehaald kan worden. Het ruikt in ieder geval veelbelovend.'

'Nou dan. Ga je mee?' Pat bood hem een arm aan, die hij glimlachend accepteerde.

Mariah keek het tweetal hoofdschuddend na.

'Nou, dan zal ik de drank maar verzorgen,' bromde Frank met een verstoord gezicht.

Ze keek hem aan. 'Toe, Frank. Doe nou een beetje aardig tegen hem. We hebben alle reden om hem dankbaar te zijn.'

'Ja, je hebt gelijk,' gaf hij toe. 'Je gaat vannacht toch niet thuis slapen, hoop ik? Blijf maar liever hier. Of je kunt ook naar Carol en Michael als je dat liever wilt.'

Daar wilde ze echter niets van weten. 'Ben je gek? Ik ga gewoon naar huis. Ik ben absoluut niet van plan om me door de eerste de beste gek mijn eigen huis uit te laten jagen!'

'Ik vind het geen goed idee, Mariah. Straks komt die kerel terug om verhaal te halen.'

'Het lijkt me sterk. De politie verwacht ook niet dat hij zijn gezicht weer gauw zal laten zien, maar ze houden voor alle zekerheid een oogje in het zeil. Bovendien ben ik niet alleen in huis,' voegde ze eraan toe. 'Chaney heeft aangeboden op de bank te komen slapen.'

'Kom nou toch, Mariah. Die knaap?'

'Dank zij die "knaap", Frank, sta ik hier in levenden lijve met jou te bekvechten,' fluisterde ze kribbig. 'En diezelfde "knaap" heeft de moed gehad om opening van zaken te geven over wat er in Wenen is gebeurd, iets wat helaas niet van alle zogenaamde goede, oude vrienden gezegd kan worden.'

'Ik wilde je alleen maar beschermen, Mariah. Het verleden valt nu eenmaal niet te veranderen, en over de rest hoef je je geen zorgen te maken. Daar wordt voor gezorgd, dat heb ik je al eens gezegd.'

'Daar wordt voor gezorgd,' herhaalde ze. 'Wat houdt dat in, Frank?'

Hij werd even afgeleid. Toen ze zijn blik volgde, zag ze tot haar verbazing George Neville, de adjunct-directeur van Operations, op hen af komen met, naar ze aannam, zijn echtgenote. Voorzover ze zich kon herinneren was er nog nooit eerder iemand van

Operations op Franks kerstborrel geweest – laat staan zo'n hoge piet.

'Straks maar,' fluisterde Frank haar toe.

'Kijk eens aan – Mariah Bolt,' riep Neville uit. 'Wat leuk.' Hij kuste haar joviaal op de wang.

Ze moest haar best doen om haar wang niet meteen af te vegen. Het verbaasde haar wel dat hij haar naam nog wist, want ze had hem slechts één of twee keer ontmoet. Hoewel... bij nader inzien was het misschien toch niet zo verwonderlijk, dacht ze grimmig.

Neville had iets glads; hij zag er altijd onberispelijk uit, had een vlotte babbel, bewoog zich gemakkelijk en had een permanente glimlach op zijn gezicht. Maar de blik in zijn grijze ogen was kil en kritisch. Mariah kreeg altijd het gevoel dat hij dwars door haar heen kon kijken.

Toen hij zijn vrouw voorstelde en Mariah haar haar linkerhand gaf, pakte Neville voorzichtig haar verbonden rechterhand om hem van dichtbij te bekijken.

'Dat ziet er lelijk uit,' bromde hij. 'Toch geen ruzie met de media gehad of zo?' Hij keek haar aan met een licht geamuseerde uitdrukking op zijn gezicht. 'Je vriend. Ik zag jullie daarnet samen binnenkomen.'

'Hij is mijn vriend niet, hoor,' zei ze, zich met moeite inhoudend. 'En wat mijn pols betreft, die is alleen maar een beetje gekneusd. Gevallen en verkeerd terechtgekomen. Het had heel wat erger gekund.' Ze trok haar hand terug en schonk Nevilles vrouw een glimlach. 'Leuk u eens te hebben ontmoet. Als u me nu wilt excuseren, ik was eigenlijk op zoek naar mijn dochter.'

Ze maakte dat ze de kamer uit kwam en liep direct door naar Franks slaapkamer, waar ze Lindsay met Carol en kleine Alex aantrof.

Lindsay sprong verheugd op toen ze haar moeder in de deuropening zag staan. 'Mam! Daar ben je dan eindelijk. Ik dacht dat je hier om zeven uur zou zijn. Waar bleef je zo lang?'

Mariah aarzelde even, liep toen haastig op haar dochter toe en sloot haar in de armen. Ze sloot haar ogen en slikte, waarop Lindsay haar verbaasd aankeek.

'Wat is er, mam? Je huilt!'

'Een beetje maar. Niets van aantrekken. Ik ben gewoon zo blij om je te zien.'

'En wat heb je aan je hand? Wat heb je gedaan?'

Ze haalde diep adem en trok een grimas. 'Ik heb gevochten.'

Lindsay zette grote ogen op.

'Je hoeft je geen zorgen te maken, het is niets ernstigs. Hij is alleen maar een beetje gekneusd. Ik zei net ook al tegen oom Frank: mijn tegenstander is er heel wat beroerder aan toe.'

'Maar met wie heb je dan gevochten?'

'Met een inbreker.'

'Wát?'

'Toen ik vanmiddag thuiskwam, bleek er een vreemde man in huis te zijn. Gelukkig kwam Mr. Chaney even later net langs, en samen hebben we hem het huis uit gejaagd. Gelukkig is er niets gestolen.'

'Nee, echt? Jij en Mr. Chaney?'

Ze knikte. 'Ik zal nu wel aardig tegen hem moeten doen,' zei ze grinnikend. 'Ik heb maar meteen gevraagd of hij zin had vanavond mee te komen.'

'O, is hij hier? Gaaf!' riep Lindsay uit. Toen bewolkte haar gezicht. 'Heb je wel de politie gewaarschuwd?'

'Ja. Daarom ben ik zo laat. We hebben ze zesentwintig keer moeten vertellen wat er precies was gebeurd, en ze moesten natuurlijk overal in huis vingerafdrukken nemen. De kans is groot dat hij gepakt wordt, zeiden ze.'

Lindsay knikte. 'Heb je geen pijn?' vroeg ze met een bezorgde blik op haar moeders verbonden hand.

'Nee schat, maar ik ben wel bekaf, moet ik bekennen. Ik denk ook niet dat ik het vanavond zo vreselijk laat maak.'

Lindsay trok een lang gezicht.

'Weet je wat, Lindsay,' stelde Carol voor. 'Als je wilt, kun je wel een nachtje bij ons logeren. Dan kun je vanavond nog wat langer blijven.'

Het meisje fleurde direct op. Toen keek ze naar haar moeder en schudde ze haar hoofd. 'Nee, ik ga wel met jou mee naar huis, mam.'

Mariah pakte haar dochter bij de schouders. 'Dat hoeft niet, lieverd. Blijf maar gezellig bij Carol slapen, ik vind het prima. Ik had voor alle zekerheid je pyjama en je tandenborstel maar vast meegenomen, want ik dacht wel dat jij niet zo'n zin zou hebben om vroeg naar huis te gaan.'

Lindsay knikte. 'Goed.' Toen keek ze naar Alex, die inmiddels een schone luier had gekregen. 'Is hij niet schattig, mam? Hij noemt me Lala. Tenminste, dat denken we, want elke keer dat hij me ziet zegt hij lala.'

'La-la,' bracht Alex uit.

'Een dotje,' beaamde Mariah, terwijl Lindsay de baby bij zich op schoot nam. 'Wat is hij gegroeid, zeg. En kijk eens wat een mooie haren!' Teder streek ze door zijn rossige krullen.

Carol had de babyspullen weer opgeruimd en zette Alex zijn groene elfenkapje op, dat hij tot grote hilariteit van Mariah en Lindsay prompt weer afdeed.

'Kom, Mariah. Je hebt vast nog niets gegeten.' Carol maakte aanstalten de kamer te verlaten. 'Of heb je soms geen trek?'

'Nou, ik ben zo langzamerhand wel aan eten toe,' antwoordde Mariah. 'Hebben jullie al gegeten?'

Lindsay hees Alex op haar heup en liep achter hen aan naar de zitkamer. 'Ik wel. Ik heb zelfs die inktvis van oom Frank geproefd.' Uit haar gezichtsuitdrukking viel af te leiden dat ze het gerecht maar matig vond.

'Het is even wennen,' gaf Carol lachend toe, 'maar ik zou het zeker proberen, Mariah. Het is in ieder geval weer eens wat anders dan anders.'

Samen liepen ze naar de hoek van de kamer waar het koud buffet stond opgesteld, terwijl Lindsay met Alex naar de lichtjes van de kerstboom ging kijken.

Carol legde een hand op Mariahs arm. 'Ben je een beetje bijgekomen van de schrik?' vroeg ze zacht.

'Jawel,' antwoordde Mariah, afwezig naar de kinderen starend. 'Nu het achter de rug is, lijkt het niet meer dan een boze droom.' Ze maakte een weids gebaar. 'Dit hier, dit is de werkelijkheid. Wat er vanmiddag is gebeurd... Het is net of het niet mij, maar iemand anders is overkomen.' Ze bracht een hand naar haar keel en keek de andere vrouw ernstig aan. 'Het is idioot, maar toen ik vanmiddag in doodsangst zat, kon ik opeens nog maar aan één ding denken: Lindsay, dacht ik, ik kan Lindsay niet in de steek laten. Daar heb ik op de een of andere manier zo'n kracht aan ontleend... Vreemd, hè?'

Carol sloeg een arm om haar schouders. 'Als ik Alex niet had gehad, zou ik me daar waarschijnlijk niets bij hebben kunnen voorstellen, maar nu ik zelf moeder ben klinkt het me helemaal niet zo vreemd in de oren. Zo'n kind is afhankelijk van je, je voelt je er verantwoordelijk voor. Nee, ik begrijp precies wat je bedoelt.' Haar ogen glansden opeens verdacht. 'Sinds de geboorte van Alex moet ik ook vaak aan mijn moeder denken. Te moeten leven met de wetenschap dat ze er op een dag niet meer zou zijn voor Stephen en mij – wat moet dat moeilijk voor haar zijn geweest.'

Mariah knikte. 'Over Stephen gesproken: zou hij vanavond ook komen?'

'Ja, als het goed is moet hij hier al ergens rondzwerven. Ik heb hemel en aarde moeten bewegen om hem hier te krijgen. Verschrikkelijk gewoon,' verzuchtte Carol. 'Hij mag dan wel mijn tweelingbroer zijn, maar ik snap nog steeds niets van hem.'

'Hij is niet erg toegankelijk, hè?'

'Poe, praat me er niet van.'

'Ha, daar ben je, Mariah.'

De stem van Pat deed haar opschrikken.

'Ik was intussen al het een en ander voor je aan het opscheppen,' zei de secretaresse vrolijk. 'Hier, pak aan.'

Mariah pakte bord, bestek en servet van haar aan, verontschuldigde zich en ging bij Chaney op de bank zitten, die uitnodigend op de plek naast hem klopte. 'Trek je maar niet te veel aan van mij als ik alles ernaast gooi,' mompelde ze, haar vork en mes met moeite hanterend.

'Ben je gek?' zei hij. 'Behalve jouw vriendin Pat ben jij zo ongeveer de enige die zich bij me in de buurt waagt. De rest mijdt me als de pest. Bovendien vind ik die onhandigheid van jou juist wel iets aandoenlijks hebben.'

Ze keek om zich heen. Sommige gasten wierpen nieuwsgierige blikken in hun richting; de steelse blikken verraadden dat ze Chaneys aanwezigheid in hun midden maar een matig genoegen vonden.

'Neem het ze maar niet kwalijk,' zei ze vergoelijkend. 'Ze gaan zo intensief met elkaar om, dat het ze moeilijk valt om zomaar met een onbekende te gaan praten. Het is in zekere zin ook wel begrijpelijk. Vertel iemand maar eens dat je voor de CIA werkt; dan is het meteen einde gesprek, daar kun je gif op innemen. Verder zijn ze ook niet erg dol op de media; daarvoor hebben ze te vaak hun hoofd gestoten. Iedere fout wordt breed uitgemeten door de media, maar van alles wat we wel goed doen, wordt geen melding gemaakt.'

'Dat zal best,' zei hij, 'maar aan wie ligt dat? Sociale omgang is niet bepaald jullie sterkste kant.'

'Daar wordt aan gewerkt, maar dat soort dingen heeft nu eenmaal tijd nodig,' zei ze, worstelend met haar vork en mes. 'Met de pers omgaan is iets wat je moet leren.'

'Hm, ik geloof niet dat jouw baas daartoe genegen is, want voorzover ik heb kunnen merken ziet hij me liever gaan dan komen. Dat neemt niet weg dat het eten niet te versmaden is,' hernam hij met volle mond. 'Werkelijk, ik heb in tijden niet zo lekker gegeten.'

'Ja, hij kan er wat van. Hij heeft me leren koken.'

'Nee, serieus?'

'In zekere zin,' zei ze. 'Laten we zeggen dat hij me ertoe heeft uitgedaagd.' Zuchtend gaf ze haar pogingen om haar vlees te snijden op en liet het aan Chaney over.

'Hoe bedoel je?' Hij gaf haar haar bord terug.

'Bedankt.' Ze nam haar vork in haar linkerhand. 'Toen ik hier in Langley begon, kwam ik vrijwel meteen onder Frank te werken. Ik was hier nieuw, kende niemand. Gelukkig ontfermden Frank en zijn vrouw zich over me. Helaas heb ik haar niet lang mogen meemaken; ze stierf kort daarna. Hoe dan ook, ik was jong en alleen en ik hield er nogal slechte eetgewoonten op na. Ik had je geloof ik al eens verteld dat mijn moeder nu niet bepaald een keukenprinses was, dus lekker koken zat bij mij niet in het pakket.'

Ze nam een hap alvorens verder te gaan. 'Frank vond dat maar niets. Hij nam altijd de kliekjes van de dag daarvoor mee voor de lunch en hij nam hoe langer hoe vaker ook een speciale portie voor mij mee. De meest verrukkelijke dingen: cordon bleu van kip, lamsvlees met kerrie, noem maar op. Als ik iets lekker vond, kwam hij de volgende dag met het recept aanzetten Het duurde dan ook niet lang of ik had een hele stapel recepten. Daarbij kwam ook dat ik me langzamerhand nogal schuldig begon te voelen dat ik nooit eens wat meenam voor hem, dus ik heb eigenlijk leren koken uit zelfbescherming.'

Op dat moment kwam Frank op hen af met in iedere hand een glas wijn, waarvan hij er een aan haar gaf en het andere aan Chaney.

Chaney hief zijn glas. 'Op de chef-kok.'

Mariah volgde zijn voorbeeld en nam een flinke slok. 'Ik vertelde Paul net dat jij me min of meer gedwongen hebt om te leren koken,' zei ze bij het zien van Franks verwonderde gezicht. Ze merkte dat de alcohol een ontspannende uitwerking op haar had en nam nog een slok.

'Ha, daar hebben we Lindsay,' riep Chaney verheugd uit. 'Goh, wat zie je er mooi uit!'

Het meisje kreeg een kleur en ging met de kleine Alex op schoot tussen hen in op de bank zitten.

Chaney gaf de baby plechtig een hand. 'En wie heb je daar bij je? Als ik niet beter had geweten, had ik gedacht dat het je kleine broertje was. Jullie lijken sprekend op elkaar.'

Mariah streek glimlachend door haar dochters haren. 'Ze kunnen zo uit een verhaal van Lewis Carroll zijn gestapt, vind je niet?'

'Dit is Alex,' zei Lindsay. 'Het zoontje van Carol en de kleinzoon van oom Frank,' voegde ze eraan toe.

'Mariah,' zei Frank. 'Als jij straks klaar bent met eten, kan ik je dan even spreken?'

Ze wierp een blik op Chaney en Lindsay, dronk haar glas leeg en knikte. 'Ik heb wel genoeg gegeten, denk ik. Het was heerlijk, Frank, maar ik vrees dat ik vanavond niet zo'n geweldige eetlust heb.'

Ze trokken zich terug in de slaapkamer. Terwijl Frank de deur zorgvuldig achter zich sloot, nam Mariah plaats in een stoel.

'Het bevalt me helemaal niet.' Hij begon door te kamer te ijsberen.

'Wat niet?'

'Die Chaney die hier zomaar verschijnt.'

'Nou ja, Frank!' riep ze verontwaardigd uit. 'Die man heeft mijn leven gered. Het is een wonder dat hij nog leeft.'

'O ja? Voor hetzelfde geld is de hele boel in scène gezet. Misschien speelt hij wel onder één hoedje met die insluiper.'

'Doe niet zo raar. Ik zag dat mes toch recht op me af komen. Geen mens zou daar willens en wetens tussen springen.'

'Toch vertrouw ik hem voor geen cent,' hield hij vol. 'En het zou beter zijn als jij dat ook niet deed. Vergeet niet dat hij in Wenen nogal dik was met dat mens van Müller.'

'Hij heeft me verteld hoe dat precies zat.'

Frank zette grote ogen op. 'Heb je hem daar dan op aangesproken?'

'Ja. Hij weet nu dus ook dat ik voor de CIA werk. Toen ik hem vertelde dat ik van Katarina Müller wist, kostte het hem weinig moeite om zijn conclusies te trekken.' Ze zuchtte. 'Chaney is niet op zijn achterhoofd gevallen natuurlijk, en het gaat hier bepaald niet om een staatsgeheim. Het zit er niet in dat ik ooit nog eens voor een opdracht naar het buitenland zal worden gestuurd, en onze afdeling had al geen enkele reden om zich in nevelen te hullen. Meer openheid was toch het devies, weet je nog?'

Hij was niet overtuigd. 'Toch bevalt het me niet,' mompelde hij hoofdschuddend. 'Er klopt gewoon iets niet.'

'Ik heb je nog niet het hele verhaal verteld.'

'Wat?'

Ze slikte, vermande zich en vertelde hem van de envelop met de foto's en de pluk haar van David, vastbesloten om geen traan meer om hem te laten.

Hij liet zich verbijsterd op bed zakken. 'Godallemachtig,' mompelde hij, verwezen naar de vloer starend. 'Waar zijn ze in vredesnaam mee bezig?'

Haar hoofd schoot omhoog. 'Ze? Ze? Wie zijn "ze", Frank?'

Hij keek haar aan, maar negeerde haar vraag. 'Je moet een tijd-je onderduiken. Ga met vakantie. Over drie weken is het toch kerstvakantie. En neem Lindsay mee. Neem haar mee naar Californië, laat haar zien waar je vandaan komt.'

'Ben je gek? Wat moet ik daar? Ik heb daar allang geen familie meer, dus wat valt er haar te laten zien? Dat vervallen huurhuis soms waar we noodgedwongen jarenlang hebben gewoond nadat mijn vader met de noorderzon was vertrokken? Ik wist indertijd niet hoe gauw ik er moest wegkomen.' Ze schudde haar hoofd. 'Nee, hoor. Ik heb daar hoegenaamd niets te zoeken. Afgezien daarvan ben ik niet van plan om me uit mijn eigen huis te laten verdrijven. Ik zal ze krijgen! Dus doe me een lol en geef me een hint.'

'Nee,' zei hij gedecideerd. 'Ik zal er hoogstpersoonlijk voor zorgen dat hier een einde aan komt, maar ik wil eerst jou uit de buurt hebben.'

'Zitten Neville en zijn mannen hier soms achter?'

Hij gaf geen antwoord. Hij was opgestaan en begon te ijsberen. 'Lindsay en jij kunnen voorlopig hier blijven. Ik zal zorgen dat jullie vierentwintig uur per dag bewaakt worden en –'

Ze sprong op en greep zijn arm. 'Nee, Frank. Ik ga me niet verschuilen, hoor je me?'

'Mariah.' Hij pakte haar op zijn beurt bij haar schouders en schudde haar door elkaar. 'Nu moet je eens goed naar me luisteren.' Hij bracht zijn gezicht tot vlak bij het hare en keek haar doordringend aan. 'Ik wil jou uit de gevarenzone hebben. Laat zitten, alsjeblieft – als je het niet voor jezelf doet, doe het dan voor Lindsay.'

'Waar gaat dit over, Frank?'

Hij wendde zijn blik af. 'Het heeft te maken met een van Nevilles geheime operaties. Hij is bij mij gekomen om advies; het is nooit de bedoeling geweest dat jij erbij betrokken zou raken. Er is iets vreselijk uit de hand gelopen. Het is iemand in zijn bol geslagen, en die moet tot de orde worden geroepen. Alleen Neville kan daar een einde aan maken – en ik zal ervoor zorgen dat hij dat ook doet.'

Ze bestudeerde zijn gezicht. Ze had hem nog nooit zo bezorgd gezien. 'Het Chaucer-dossier. Heb ik gelijk of niet, Frank?'

Hij aarzelde een ogenblik en knikte toen.

'Maakte het verklikken van Tatyana Baranova soms deel uit van de operatie? Hebben we haar soms opgeofferd?'

'Nee, dat denk ik niet. Maar zeker ben ik er niet van,' gaf hij toe. 'Ik heb geen idee wat er precies gebeurd is. Ik weet alleen dat de ellende begonnen is op de dag dat zij van het toneel verdween.'

⌒⌣⌒

Drie dagen na haar ontmoeting met een geheim agent in Museum Hofburg werd Tatyana Baranova naar de geheime ontmoetingsplaats gebracht – een oud huis in een van de buitenwijken van Wenen met een inpandige garage, van waaruit bezoekers ongezien het huis in en uit konden gaan. Toen ze de statige studeerkamer binnen werd geleid en zag wie de contactpersoon was die haar daar opwachtte, verried haar gezicht een mengeling van ongeloof en opluchting.

'Hallo, Tanya,' zei Mariah glimlachend.

'Mariah!' riep Tanya uit. 'Ben jij het? Werk jij voor de CIA?'

'Ik? Nee. Maar ze meenden dat je het prettiger zou vinden om met een vertrouwd persoon te praten.' Ze gaf de man die Tanya binnen had gebracht een teken, waarop hij verdween, de deur zorgvuldig achter zich sluitend.

'Zijn we hier dan alleen?'

Mariah knikte. Dat nam niet weg dat ze werden geobserveerd en afgeluisterd door twee agenten in de kamer ernaast. 'Kom, geef me je jas maar,' zei ze. Ze hing Tanya's jas over een stoel en troonde haar mee naar de open haard, waar een behaaglijk vuur brandde. 'Wil je iets van koffie of thee? Het maakt mij niet uit, ik heb allebei.'

'Thee graag, dank je,' antwoordde Tanya. Ze ging zitten en warmde haar handen aan het vuur.

Het arme kind was doodzenuwachtig, zag Mariah, toen Tanya met onvaste hand het kopje thee van haar aannam.

'Heeft het je veel moeite gekost om ongezien weg te komen?' informeerde ze.

'Dat viel wel mee,' antwoordde Tanya. 'De man in het museum gaf me de opdracht om te zeggen dat ik tussen de middag even een paar boodschappen moest doen, dus... Het is vandaag vrij rustig op kantoor. Het zal bovendien niemand opvallen als ik wat later terug ben, want iedereen schijnt daar de tijd te nemen voor zijn lunch.'

'Nou, we zullen ervoor zorgen dat je op tijd terug bent,' verzekerde Mariah haar. 'Er is zelfs gezorgd voor een plastic zak met wat boodschappen – koekjes, een pot jam, en nog wat dingen.' De laatste opmerking was vooral bedoeld voor de mannen in de kamer ernaast. Ze beschikten over een hele voorraad plastic tassen met boodschappen – speciaal voor dit soort gelegenheden.

De vrouw leek zich een beetje te ontspannen.

'Tanya,' begon Mariah voorzichtig. 'Toen we elkaar op de ijsbaan spraken, zei je dat je ons iets belangrijks te vertellen had. Je scheen je zorgen te maken over bepaalde plannen die jouw regering zou hebben.'

'Misschien niet direct de regering,' zei Tanya haastig.

'O. Wie dan?'

Tanya haalde haar schouders op. 'Dat zou ik niet met zekerheid kunnen zeggen. Ik geloof niet dat jullie in het Westen een goed beeld hebben van de situatie waarin mijn land momenteel verkeert.'

'Leg eens uit dan.'

'Er vindt daar een hevige strijd om de macht plaats. Gorbatsjov heeft het oude regime weliswaar ten val gebracht, maar dat wil niet zeggen dat hij de boel ook onder controle heeft. Er zijn bepaalde krachten, met name in het leger, die hem niet moeten en die niets liever zouden doen dan de oude structuur in ere herstellen. Het erge is dat ze beschikken over de middelen daartoe. Gorbatsjovs dagen in het Kremlin zijn geteld.'

'Heb je soms iets ontdekt wat in die richting wijst?' vroeg Mariah voorzichtig.

Tanya staarde in haar kopje. 'In het zuiden van het land bevindt zich een geheim onderzoeksinstituut,' antwoordde ze na een lange stilte.

'De plaats waar jij vandaan komt, bedoel je zeker?'

'Inderdaad. Ik heb je al verteld dat mijn vader zich bezighield met de ontwikkeling van nieuwe wapens – in het bijzonder met kleine, hanteerbare kernwapens. Zoiets als... hoe heet zo'n ding? Een soort kanon dat ze op hun schouder dragen?'

'Een bazooka, bedoel je?'

'Juist, zoiets als een bazooka, maar dan iets kleiner,' zei Tanya met een verlegen glimlachje. 'Bazooka, wat een grappig woord eigenlijk.'

Mariah glimlachte eveneens. 'Vertel eens verder over dat nieuwe wapen, Tanya.'

Tanya's glimlach maakte weer plaats voor een zorgelijke uitdrukking. 'Dit is wat ik ervan weet: het is een erg gevaarlijk wapen. De ontploffingskracht ervan is weliswaar niet zo groot, maar de hoeveelheid straling die het uitzendt is enorm. Het is een kleine versie van de neutronenbom die men een paar jaar geleden in het Westen aan het ontwikkelen was.'

'Daar zijn we intussen mee opgehouden.'

'Ik weet het. Het punt is dat onze regering nooit openlijk heeft toegegeven dat ze bezig waren met de ontwikkeling van iets dergelijks. En omdat deze wapens zo klein zijn, zijn ze moeilijk op te sporen – zeker niet met behulp van satellieten. Ze zijn zo klein dat je ze gewoon in een koffer kunt vervoeren.'

Mariah staarde de jongere vrouw met stomheid geslagen aan. Een wapen van zulke geringe afmetingen zou zonder problemen overal binnen gesmokkeld kunnen worden, ook in een vliegtuig bijvoorbeeld. Een ontploffing boven een stad zou dan een radioactieve regen doen neerdalen op de bevolking, en dan waren de gevolgen niet te overzien.

'Zoals ik al zei: officieel bestaan die wapens dus niet,' ging Tanya verder. 'Dat betekent dus dat ze niet genoemd worden in de bilaterale gesprekken over ontwapening.'

Mariah bestudeerde Tanya's gezicht. 'Maar dat is niet het hele verhaal, hè?'

Tanya schudde langzaam haar hoofd, maar scheen niet de moed te hebben om verder te gaan.

Mariah legde een hand op haar arm. 'Vertel het maar,' zei ze zacht. 'Je bent al zo'n eind gekomen, Tanya. Geloof me, je hebt er goed aan gedaan. Vertel me de rest ook maar.'

Tanya zette haar kopje op tafel en staarde een tijdlang zwijgend naar haar handen. Toen keek ze op. 'Niemand schijnt te weten wie de wapens heeft besteld, maar binnenkort vertrekt er een grote lading.'

'Waarheen, weet je dat toevallig?'

'Naar Astrakhan.'

'Aan de Kaspische Zee,' mompelde Mariah.

De jongere vrouw knikte.

En van daaruit per boot naar Iran, dacht Mariah, waar ze rechtstreeks op de internationale illegale wapenmarkt terechtkomen en voor een aardig sommetje van eigenaar verwisselen.

'Ze riskeerde haar leven door ons in te lichten over het bestaan van die wapens, Frank,' zei ze. 'Hoe is het mogelijk dat de KGB daar achter is gekomen? Hadden we haar niet in bescherming kunnen nemen?'

Hij staarde uit het raam. 'Ze zal anders heus wel hebben geweten welke risico's eraan verbonden waren.'

'Ach, kom nou toch, Frank! Ze was een gewone, aardige, jonge vrouw, geen spion.'

Hij draaide zich om en keek haar aan. 'Ik wil niet kil en zakelijk overkomen, Mariah, maar het zou me niet verbazen als Tatyana Baranova al niet meer in leven is. Hoe vreselijk ook, je zult je bij de feiten moeten neerleggen. En als je niet oppast, zou jij wel eens het volgende slachtoffer kunnen zijn.'

Ze keek hem woedend aan. 'Ga hem onmiddellijk halen.'

'Wie?'

'George Neville.'

'Hoorde ik daar mijn naam noemen?'

Ze draaide zich als door een wesp gestoken om en zag Neville in de deuropening staan. Hij stapte doodgemoedereerd de kamer binnen en sloot de deur.

'Ik weet niet of jullie het weten, maar jullie lopen een gezellig feestje mis,' zei Neville. 'Wat is het probleem?'

'U komt als geroepen, Mr. Neville,' zei Mariah, zich slechts

met de grootste moeite beheersend. 'Misschien kunt u me uitleggen waarom mij al die tijd is voorgehouden dat de aanslag die
in Wenen op mijn man en mijn dochter werd gepleegd, gewoon
een ongeluk was.' Haar ogen spuwden vuur. 'En waarom iemand
mij hier het leven zuur maakt door mijn familie opnieuw te bedreigen en mij compromitterende foto's te sturen van mijn overspelige echtgenoot met een voormalige Oost-Duitse vrouwelijke
spion? En waarom iemand vanmiddag heeft geprobeerd me van
het leven te beroven?'

'Wat voor foto's? Waar heb je het over? Frank had me wel verteld dat je in huis bent overvallen.' Niet-begrijpend keek Neville
Frank aan. 'Ik weet niets van foto's. Je denkt toch niet –'

Mariah trok de kraag van haar coltrui omlaag, waardoor het
verband om haar keel zichtbaar werd. 'Vanmiddag heeft iemand
een vijftien centimeter lang mes tegen mijn keel gehouden, Mr.
Neville, terwijl hij me intussen probeerde te verkrachten. Het
was ook duidelijk de bedoeling dat ik geen gelegenheid meer zou
hebben om het na te vertellen. Neem me niet kwalijk dat ik even
geen zin heb om het protocol in acht te nemen, maar ik heb aan
dit avontuur een bijzonder slecht humeur overgehouden en ik
wens te weten waar u en uw vriendjes in vredesnaam –'

'Mariah!'

Neville stak zijn hand op. 'Laat maar, Frank. Het geeft niet. Ik
begrijp je reactie volkomen, Mariah,' zei hij. 'Het is ook afschuwelijk wat je hebt moeten doorstaan. Ik kan me heel goed voorstellen dat je razend bent, maar je moet me geloven als ik je vertel dat we daar niets, maar dan ook helemaal niets mee te maken
hebben. Op mijn erewoord.'

'Ik heb geen enkele reden om u te geloven.'

'O nee? Omdat die wijsneus van een Chaney overal aanwijzingen van een of andere samenzwering meent te zien? Kom nou
toch, Mariah! Je weet toch net zo goed als ik hoe de media denken
over het werk dat wij doen.'

'Het werk dat wij doen? Wij?' hoonde ze. Ze schudde haar
hoofd. 'Nee, Mr. Neville. Die vlieger gaat mooi niet op. Ik weet
niet waar u zich mee bezighoudt, maar ik ben maar een eenvoudige analist die haar best doet om uit te zoeken waar het in deze

chaotische wereld om draait. Door mijn werk is nog nooit een briljante geest tot plant gereduceerd of een kind voor het leven gehandicapt geraakt. Mijn werk behelst niet het ontvoeren en wellicht liquideren van jonge vrouwen als Tatyana Baranova, die naar eer en geweten dachten te handelen.'

'Wat zeg je?' riep Neville vol ongeloof uit. 'Ik weet niet of je het weet, Mariah, maar door naar Wenen te gaan viel je opeens onder Operations. Jij hebt Baranova zélf gerekruteerd! Je hebt haar zelf min of meer uitgenodigd haar nek uit te steken; wat dacht je anders dat je aan het doen was?'

Ze staarde hem aan, slaakte een diepe zucht en sloot haar ogen om ze vervolgens onmiddellijk weer open te doen.

'En om nog even terug te komen op je man en je dochtertje: ik vind het verschrikkelijk wat er gebeurd is, en dat meen ik ook,' voegde hij eraan toe. 'Ik heb ook kinderen, weet je. In plaats van allerlei beschuldigingen aan mijn adres te uiten, zou je je eens kunnen afvragen welke rol je man hierin heeft gespeeld.'

'David is er ingeluisd!'

'Schei toch uit, Mariah. Een mens beschikt over een vrije wil; hij had toch een keus? Hij had niet op de avances van die vrouw in hoeven gaan!'

'O, lieve hemel!' Ze liet zich op bed zakken. 'Waarom heeft hij dat dan gedaan?' Ze keek de twee mannen om beurten aan. 'En ga nu niet zeggen dat het hem om de seks te doen was. Hij vond haar niet eens aardig toen Chaney op een keer met haar aan kwam zetten. Hij had vooral de pest aan het feit dat ze altijd half over hem heen moest hangen, vertelde hij me een keer. We hadden het bovendien goed samen. Ik heb me ik weet niet hoeveel keer afgevraagd hoe hij zoiets kon doen, en ik kan niet anders dan tot de conclusie komen dat hij door haar gechanteerd werd – al zou ik niet kunnen bedenken waarmee.'

Neville had een stoel bijgetrokken en ging tegenover haar zitten. 'Wist je man dat je Baranova gerekruteerd had?'

'Ik praatte nooit over mijn werk met hem – en zeker niet hierover. Het zou hem alleen maar in een moeilijke positie hebben gebracht.' Ze dacht een ogenblik na. 'Hij kan ons twee keer met elkaar hebben zien praten – de eerste keer op een feestje op het kantoor van het IAEA, toen ik kennismaakte met Baranova; de tweede keer op de ijsbaan tijdens een ijshockeywedstrijd waar David aan meedeed.'

'Hij zou het geraden kunnen hebben.'

'Ja, als iemand hem op de mogelijkheid had gewezen, maar ik denk niet dat hij zelf op het idee zou zijn gekomen. Hij is in ieder geval nooit tegen mij over haar begonnen.'

'En Chaney?'

'Wat is er met Chaney?'

'Wist hij van je contacten met Baranova?' vroeg Neville.

Mariah schudde haar hoofd. 'Nee, ik denk het niet. Hij speelde die dag weliswaar ook mee, maar ze was vertrokken voor het einde van de wedstrijd. Ze hebben elkaar nooit ontmoet.'

'Chaney was anders wel degene die David in contact bracht met Katarina Müller.'

'Ja, maar we veronderstelden dat Elsa – Katarina, dus – zijn zoveelste nieuwe vriendin was. Hij werkte er nogal wat af,' voegde ze er droogjes aan toe.

'Was Chaney verliefd op Müller?' vroeg Neville.

'Hij beweert zelf van niet – integendeel zelfs. Hij had uitgevogeld dat ze een voormalige Oost-Duitse spion was en hoopte op een sappig verhaal.'

'Wat heeft hij voor belang bij deze zaak?' wilde Neville weten.

'Nou, David was een goede vriend van hem. En...' Ze aarzelde.

'En hij heeft een oogje op jou,' vulde Frank ongevraagd aan. 'Al een hele tijd, waar of niet, Mariah?'

Neville keek haar doordringend aan. 'Is dat inderdaad waar?'

Ze haalde haar schouders op.

'Het is wel belangrijk om te weten, Mariah,' meende Neville. 'Als hij inderdaad een oogje op je heeft, is het niet ondenkbaar dat hij David erin heeft geluisd om de weg vrij te maken voor zichzelf.'

'Nou, ik heb hem anders geen reden gegeven om te denken dat hij ook maar enige kans bij me zou maken, ook niet wanneer David niet in de buurt was. Integendeel, zou ik zelfs zeggen. Hij dacht dan ook dat ik hem niet kon uitstaan. Na het ongeluk was hij ook echt aangeslagen, en toen hij ontdekte dat het helemaal geen ongeluk was, besloot hij de zaak tot op de bodem uit te zoeken. Helaas wordt zijn volharding bepaald niet beloond. Hij is ontslagen.'

Neville ging rechtop zitten. 'O ja?'

'Ja, vanochtend. Hij heeft het idee dat hem om die reden de wacht is aangezegd. Maar ik wil het niet over Chaney hebben, ik wil weten wie mij die foto's heeft gestuurd. En wat het te betekenen heeft.'

'Heb je ze bij je?'

Ze wierp hem een blik vol walging toe. 'Natuurlijk niet. Het zijn nou niet bepaald het soort familiekiekjes waar ik graag mee op zak loop. Ik heb ze thuisgelaten.'

'Wat of wie stond erop?' vroeg Neville.

'David met Elsa – Katarina Müller.'

Neville knikte. Verdere uitleg was niet nodig, hij wist voldoende. 'Ik zou ze graag willen hebben, dan kan ik ze laten analyseren. Misschien leveren ze nog wat op.'

'Wilt u zeggen dat u helemaal niets van die foto's af weet?'

'Natuurlijk weet ik niets van die foto's af! Verdorie, denkt nou toch eens na! Tatyana Baranova verdwijnt van de ene dag op de andere. Katarina Müller heeft de opdracht gekregen jouw man te verleiden. Frank heeft me verteld dat David geprobeerd heeft om je over te halen Wenen voortijdig te verlaten. Toen dat niet lukte, werd er een aanslag op je gepleegd...'

Ze was bang dat ze van haar stokje zou gaan.

'Ja, op jou,' herhaalde Neville. 'Ik ben er altijd van uitgegaan dat ze het op jou hadden gemunt, niet op David. Nu begint Chaney de zaak weer op te rakelen en wordt er opnieuw een poging gedaan om jou om zeep te helpen. Rara, wie zou daar nu achter zitten?'

Ze keek van Neville naar Frank en terug. 'De KGB of de opvolger ervan.'

'Bingo!' Neville zakte achterover in zijn stoel. 'Nou, was dat nu zo moeilijk?'

'Het is niet nodig om zo neerbuigend te doen,' snauwde ze kwaad.

'Nou, hou dan op met je te gedragen als een tweedejaarsstudent die denkt dat de hele wereld één grote samenzwering is!' snauwde Neville terug. 'Waarom zouden we iemand uit onze eigen gelederen zoiets aandoen?'

Ze keek naar Frank, die strak naar Nevilles gezicht keek. Toen wendde ze zich weer tot Neville. 'Mijn dochter kreeg gisteren een envelop met foto's toegestopt. Die kerel die me vanmiddag wilde vermoorden hield me al twee dagen lang in de gaten, vertelde hij zelf. Nou vraag ik me toch af waarom ze me met die foto's het zwijgen wilden opleggen als ze toch al besloten hadden dat ik geliquideerd moest worden?'

Neville keek bedenkelijk. 'Dat is waar, dat slaat nergens op natuurlijk. Tenzij die stalker van je werkelijk alleen maar een stalker was die helemaal niets te maken had met die geschiedenis in Wenen.'

'Wel heel erg toevallig allemaal, vindt u niet?' meende ze.

'Een vrij zwakke hypothese, dat geef ik direct toe, maar daar zullen we het voorlopig mee moeten doen tot we meer bewijzen hebben,' zei hij. 'Hoe dan ook, we zullen ervoor zorgen dat dit je geen tweede keer overkomt, Mariah. Ik laat jou en Lindsay bewaken tot dit tot op de bodem is uitgezocht.'

Ze schudde haar hoofd. 'Ik heb Frank al laten weten dat ik er niet over pieker om onder te duiken.'

'Van mij hoef je niet,' zei hij. 'We zullen het heel discreet aanpakken, dan zullen ze vroeg of laat in de val lopen.'

'Denkt u dan dat ze het nog een keer zullen proberen?'

'Ik hoop het niet voor jou, maar als ze wel zo stom zijn, hebben we ze meteen te pakken.'

Ze liep naar het raam. Buiten sneeuwde het licht. 'Misschien doe ik er verstandig aan om Lindsay een tijdje naar Davids ouders in New Hampshire te sturen,' mompelde ze.

'Geen slecht idee, lijkt me,' zei Neville. 'Misschien doe je er ook verstandig aan om een beetje uit de buurt van die journalist te blijven. Gezien de gebeurtenissen die hebben plaatsgevonden sinds hij weer contact met je heeft opgenomen, zou zijn aanwezigheid wel eens levensgevaarlijk voor je kunnen zijn.'

Ze draaide zich naar hem om en bestudeerde zijn gezicht, dat geen enkele emotie verried. 'Zou zijn aanwezigheid levensgevaarlijk voor míj kunnen zijn, Mr. Neville? Of bedoelt u soms voor de CIA?'

Hij was echter opgestaan en maakte aanstalten om de kamer te verlaten. 'We moesten maar gauw weer terug naar het feest voordat we gemist worden. Gaan jullie mee?'

Ze keek naar Franks gezicht en zag dat hij op zijn beurt nog steeds naar dat van Neville keek. Toen knikte hij haar bijna onmerkbaar toe, waarna hij Nevilles voorbeeld volgde.

13

✦

Mariah bleef nog een tijdje rondhangen op het feest, maar haar hoofd stond er niet erg naar. Ze liet Chaney, die druk verwikkeld was in een discussie over de verantwoordelijkheid van de media, aan zijn lot over en ging vast op zoek naar Lindsay om te zeggen dat ze naar huis ging. Ze zag Carol in een hoekje zitten met een slapende Alex in haar armen, maar Lindsay was in geen velden of wegen te bekennen. Uiteindelijk trof ze haar achter de computer in Franks studeerkamer aan, samen met Stephen.

'Ha, hier zitten jullie dus.'

'Kijk eens, mam,' riep Lindsay uit zonder op te kijken van het beeldscherm. 'Dit is Stephens nieuwste spel. Ik mag het alvast uitproberen.'

Stephen rechtte zijn rug toen hij Mariah binnen zag komen. Zijn blik gleed onmiddellijk naar haar rechterhand. Mariah zag zijn bezorgde gezicht en wuifde glimlachend met haar inge-zwachtelde hand om het allemaal wat luchtiger te maken.

Eerder op de avond had ze hem zien praten met Pat, en uit de veelbetekenende blikken die Pat in Mariahs richting wierp was gemakkelijk af te leiden waar ze het over hadden.

Lindsay zette het spel op pauze en keek Stephen vol bewonde-ring aan. 'Het is nog beter dan Wizard's Wand!' Ze had rode ko-nen van de opwinding. 'Als mijn vriendinnen dit horen...'

'Zo te horen zit je volgende klapper eraan te komen, Stevie,' merkte Mariah op.

Lindsay knikte vol enthousiasme.

Mariah glimlachte vertederd. Te oordelen naar de adoratie op het gezicht van haar dochter was Stephen opgeklommen tot de categorie uitverkorenen, die uitsluitend gereserveerd was voor jonge, aantrekkelijke pop- en filmsterren.

De held bloosde tot over zijn oren en wierp een steelse blik op Lindsay, die het spel weer hervatte.

'Ik moet er anders nog een paar bugs uithalen,' mompelde hij, duidelijk in verlegenheid gebracht en niet goed wetend wat hij met Lindsays openlijke verering aan moest.

Na nog een tijdje te hebben toegekeken nam Mariah afscheid van Lindsay. Stephen stond op en liep met haar mee naar de hal.

'Hoe is het met je?' informeerde hij. 'Gaat het een beetje?'

Mariah knikte.

'Zou het in verband kunnen staan met Wenen, denk je?'

Ze wierp een blik om zich heen en haalde toen haar schouders op. 'Geen idee, dat gaan je vader en nog een paar andere mensen nu uitzoeken. Ik heb natuurlijk niets gezegd over dat dossier,' voegde ze er haastig aan toe bij het zien van zijn gespannen gezicht. 'Dat komt niemand te weten, dat beloof ik je. Je weet niet half hoe blij ik ben dat je me dat hebt toegespeeld, Stevie.'

Hij leek niet erg overtuigd.

'Mariah?'

Toen ze zich omdraaiden, zagen ze Chaney op hen afkomen.

'Hallo,' zei hij. 'Ik hoop niet dat ik jullie stoor. Ik heb het daar wel gezien – de discussie dreigt uit te lopen op een lynchpartij. Een van die kerels heeft te diep in het glas gekeken.'

'O, ik was ook net van plan om naar huis te gaan. Trouwens, Paul, dit is Franks zoon, Stephen,' zei ze. 'Stevie, dit is Paul Chaney, een vriend van David uit Wenen.'

Stephen sloeg zijn ogen neer en gaf Chaney een hand, waarna hij hen op veilige afstand naar de voordeur volgde. Bij de kapstok zagen ze Frank met haar jas in zijn handen staan. Hij draaide zich meteen om toen hij hen aan hoorde komen.

'Daar kwam ik net voor,' zei ze, hem onderzoekend aankijkend. 'We gaan naar huis, Frank. Het is erg gezellig, maar ik haak toch af als je het niet erg vindt – ik ben doodmoe.'

Frank wierp een blik op Chaney en hielp haar in haar jas. Het kledingstuk voelde op de een of andere manier zwaar aan, zwaarder dan anders. Ze stopte haar handen in haar zakken en verstijfde. De waarschuwende blik in Franks ogen gebood haar haar mond te houden.

In haar linker jaszak bleek een magazijn te zitten; in de rechter een 9 mm semi-automatisch vuurwapen. Frank wist dat ze geen wapen bezat, ofschoon ze wel geleerd had ermee om te gaan. Onder normale omstandigheden zou ze er ook niet over peinzen om er een in huis te halen, maar in dit geval was het misschien toch wel zo verstandig om er een bij de hand te hebben.

'Weet je zeker dat je niet liever hier wilt blijven?' vroeg Frank. Ze schudde haar hoofd.

'Nou, wees dan in vredesnaam voorzichtig.'

Chaney pakte haar bij een elleboog. 'Ik zal wel een beetje op haar letten,' zei hij.

Frank keek hem aan, liet zijn blik toen op de hand om haar elleboog rusten en keek vervolgens haar aan.

'Maak je nu maar geen zorgen, Frank,' zei ze op geruststellende toon. 'Ik red me heus wel. Ik zie je morgen wel. Nu wil ik graag naar mijn bed.'

Chaney gaf Frank en Stephen een hand, waarna ze het huis verlieten. Toen ze onder aan de trap achteromkeek en ze Frank en Stephen in de deuropening zag staan, viel het haar opnieuw op hoe sterk vader en zoon op elkaar leken.

Zwijgend reden ze naar haar huis. Ze was doodmoe en helder tegelijk. Steeds weer dwaalden haar gedachten naar het gesprek met George Neville. Ofschoon ze hem van geen kant vertrouwde – onder die gladde buitenkant zat immers een man die bekendstond als meedogenloos – had ze toch het idee dat hij wat een aantal dingen betreft net als zij voor een raadsel stond. Intussen had hij mooi niets losgelaten van hetgeen hij wel wist, besefte ze opeens.

Katarina Müller zou de opdracht hebben gehad om David te verleiden teneinde hem en Mariah weg te krijgen uit Wenen –

het klonk plausibel, dacht ze. Ze kon er alleen niet bij dat David erin was getrapt. Toen de plannen waren mislukt omdat Mariah niet weg wilde, hadden ze kennelijk besloten hun toevlucht te nemen tot rigoureuze maatregelen en was er een ongeluk geënsceneerd. En nu begon de ellende van voren af aan. Waarom in vredesnaam?

Ze wierp een blik op Chaney, die met gefronst voorhoofd naar de weg staarde. Het feit dat hij de zaak niet met rust wilde laten, had er vast iets mee te maken – het was duidelijk dat iemand eropuit was om niet alleen haar maar ook hem de mond te snoeren. Hij zou zich daar niets van aantrekken, wist ze. Hij was de enige die open kaart met haar had gespeeld, en hij stond aan haar kant.

'Gaat het?' informeerde hij.

Ze knikte.

'Heb je Tucker van die envelop verteld?'

'Ja.' Dat ook Neville er inmiddels van wist besloot ze voorlopig maar even voor zich te houden.

'En? Heeft hij enig idee wat dit allemaal te betekenen heeft?'

'Nee, maar ik ben wel tot de voorlopige conclusie gekomen dat degene die Elsa – Katarina Müller – opdracht gaf om David te pakken, waarschijnlijk dezelfde is als degene die mij uit de weg wil hebben – en jou de mond probeert te snoeren.'

'Heeft Tucker je ook verteld dat Katarina Müller dood is?'

'Wat?'

Hij stopte voor een rood licht en keek haar aan. 'Drie maanden geleden spoelde haar lijk – of wat ervan over was – aan op de oever van de Donau. Ik hoorde het van mijn contactpersoon op de Duitse ambassade. Na het ongeluk ben ik naar haar op zoek gegaan, maar ze bleek van de aardbodem verdwenen. Ze hebben haar moeten identificeren aan de hand van de gegevens van haar tandarts.'

Ze schudde haar hoofd. 'Nee, daar heeft Frank me niets van gezegd... Ze is dus dood. Nou, ik kan niet zeggen dat ik er erg rouwig om ben.'

Toen ze bij haar huis aankwamen, zagen ze tot hun verbazing

weer twee politiewagens voor de deur staan. Een ervan was het busje dat er eerder die middag ook al had gestaan. Opnieuw had zich een groepje nieuwsgierige buurtbewoners verzameld achter het afzetlint dat van de stoep voor haar huis tot halverwege het pad naar het recreatiegebouw was gespannen.

'Goedenavond, Ms. Bolt, Mr. Chaney.' De dienstdoende agent die het lint voor hen omhooghield om hen erdoor te laten, was dezelfde die eerder die middag als eerste bij haar huis was gearriveerd. 'Fijn dat u er bent. Brigadier Albrecht zit al met smart op u te wachten.'

'Hoezo?' vroeg ze. 'Wat is er aan de hand?'

'Er is een lijk gevonden.'

'Een lijk? Van wie?'

De agent haalde zijn schouders op. 'Dat weten we niet. Hij had geen papieren op zak. Hij ligt er al een paar dagen, schijnt het. Komt u maar even mee.' Hij ging hen voor.

Ze volgden het pad tot aan de kruising naar het recreatiegebouw, waar enkele agenten druk bezig waren met het onderzoek. Een van hen was rechercheur Harmon, de vrouw die die middag met een laserapparaat Mariahs slaapkamer op sporen had onderzocht. Twee ziekenbroeders kwamen haastig aangelopen met een brancard.

De agent tikte brigadier Albrecht, die met iemand stond te praten, op de schouder. Albrecht keek achterom, knikte Mariah en Chaney toe en rondde zijn gesprek af. Toen hij even later op hen af kwam, dacht Mariah ineens aan het vuurwapen dat ze bij zich had, en schuldbewust stak ze haar handen in haar zakken.

'Het is vandaag druk hier bij u in de buurt, Ms. Bolt,' zei hij.

'Zegt u dat wel. Ik hoorde dat er nu een lijk is gevonden.'

'Inderdaad. Het is een man op leeftijd,' zei Albrecht. 'Een buurtbewoner die zijn hond uitliet, heeft hem gevonden.'

'Hij had geen papieren bij zich, vertelde de agent daarnet,' zei Chaney.

Albrecht knikte en richtte zich toen weer tot Mariah. 'U vertelde vanmiddag dat u afgelopen donderdagavond, toen u van het zwembad naar huis liep, ook al last had van die stalker, hè?'

'Ja, maar pas nadat... O, nee! Mr. Laughlin!' Ze voelde al het bloed uit haar gezicht wegtrekken. 'Heeft hij die oude man vermoord,' fluisterde ze. 'O nee, o wat vreselijk!'

Chaney sloeg een arm om haar schouders. Ze sloot haar ogen en leunde tegen hem aan.

'Daar ziet het wel naar uit, vrees ik,' mompelde Albrecht. 'Laughlin zei u? Is dat die oude man over wie u het vanmiddag ook al had, degene die van de week een eindje met u opliep?'

'Ja, John Laughlin,' antwoordde ze, afwezig voor zich uit starend.

De brigadier wachtte zwijgend tot ze hem weer aankeek. 'Denkt u dat u in staat bent om een blik op hem te werpen om te zien of hij het inderdaad is?' vroeg hij voorzichtig. 'Het buurtonderzoek heeft uitgewezen dat Laughlin alleen woonde. Zijn buren hadden gemeld dat ze hem al een paar dagen niet meer hadden gezien. We zijn bezig om uit te zoeken of hij ergens familie heeft. Het zit er dik in dat het hem is, maar een positieve identificatie zou ons een eind op weg helpen.'

'U zegt het maar,' mompelde ze dof.

Albrecht nam haar bij de arm en leidde haar naar de brancard. Plotseling werd ze zich bewust van een sterke, onaangename geur die haar erg deed denken aan de geur in het verpleeghuis, maar dan vele malen erger.

'Even sterk zijn nu,' raadde de brigadier haar aan. 'Het is geen aangenaam gezicht.'

'Hoe...' fluisterde ze.

'Doorgesneden keel,' antwoordde hij kort, terwijl hij een van de broeders gebaarde de bovenzijde van het laken op te tillen.

Het gezicht was grauwgroen van kleur. Zijn mond hing open, de ogen waren wijdopen gesperd. Zijn destijds zo keurig gekamde witte haren zaten in de war en waren besmeurd met aarde. Vanaf zijn hals naar omlaag was alles één grote roodbruine vlek.

'Och, arme Mr. Laughlin. Wat erg,' fluisterde ze. Ze keek brigadier Albrecht aan en knikte droevig, waarop hij de broeder een teken gaf het lijk van de oude man weer te bedekken.

Op dat moment was de moordenaar van John Laughlin zich aan het bezatten. Rollie Burton reikte met onvaste hand naar de fles whisky en deed een halfhartige poging om zichzelf nog een glas in te schenken. Toen dat niet lukte, keek hij verdwaasd naar het glas in zijn hand. Hij liet het op de vloer vallen en zette vervolgens de fles aan zijn mond. Hij liet het vocht een paar keer door zijn mond rollen alvorens het door te slikken. Toen zakte hij weer achterover op de bank.

Hij had barstende koppijn. Zijn gezicht was bont en blauw en opgezet; de kringen onder zijn ogen waren bijna zwart. Zijn neus zat vol watten, zodat hij door zijn mond moest ademhalen.

Na zijn weinig eervolle aftocht uit het woningcomplex die middag was hij als een haas naar zijn huis in Arlington gereden. Hij was direct de bijbehorende ondergrondse parkeergarage binnen gegaan. Na zijn neus te hebben volgestopt met watten, had hij zijn gezicht zo goed en kwaad als het ging schoongemaakt. Hij had een windjack over zijn bebloede kleren aangetrokken, een zonnebril en een honkbalpet opgezet en was via de brandtrap naar zijn armoedige flat op de eerste verdieping geslopen. Gelukkig was hij onderweg niemand tegengekomen.

Eenmaal thuis had hij de hele middag op de bank gelegen met ijs op zijn gezicht. Zijn neus was gebroken, maar als hij ermee naar een dokter stapte, zou hij binnen de kortste keren gepakt worden. Bovendien moest hij bij de eerste de beste gelegenheid die zich voordeed terug om zijn klus af te maken.

Hij nam net weer een slok uit de fles, toen de telefoon ging. Hij schrok zo hevig, dat hij zich prompt verslikte. Al hoestend en kuchend strompelde hij naar de keuken om op te nemen. Tegen de tijd dat hij opnam had hij bijna geen stem meer.

'Hallo?'

'Burton?'

Hij verstijfde bij het horen van de bekende kille, metaalachtige stem.

'Ja,' zei hij voorzichtig.

'Je hebt er een puinhoop van gemaakt.'

De man had zijn telefoonnummer. Hij zou hem dus waarschijnlijk ook weten te vinden, schoot het door Burton heen. En met het soort mensen dat zijn telefoonnummer kende en er ook gebruik van maakte viel niet te spotten. 'Hoe bedoel je?'

'Hou je niet van de domme,' siste de stem. 'Ik betaal je om haar om zeep te helpen, niet om aan je gerief te komen, idioot die je bent!'

Burton liet zich tegen de muur vallen. 'Ik heb gedaan wat je in zo'n geval meestal doet: het eruit laten zien als iets anders. Een weloverwogen beslissing,' zei hij, hopend dat de persoon aan de andere kant van de lijn erin zou trappen.

Toen er geen reactie kwam, besloot hij in de aanval te gaan. 'Je hebt even een paar essentiële details vergeten te vermelden, zoals het feit dat ze een kind heeft. Moet ik dat kind soms ook koud maken, om vervolgens de politiemacht van de hele staat Virginia achter me aan te krijgen?' Hij haalde een paar maal moeizaam adem. 'En hoe zit dat met die journalist, daar had je me ook wel even voor mogen waarschuwen. Die kerel loopt haar als een hondje achterna, verdomme! Wil je soms dat ik het doe voor het oog van de televisiecamera's of zo?' Hij schudde zijn hoofd en leek moed te putten uit zijn eigen verontwaardiging. 'Ik ben geen amateur! Als jij wilt dat ik onder dergelijke omstandigheden iets voor elkaar krijg, zul je toch met alle feiten voor de dag moeten komen, en met een bedrag dat heel wat hoger is dan wat je me hebt aangeboden. Anders kun je het wel schudden, makker,' blufte hij.

Hij hield zijn adem in, vol spanning afwachtend wat er zou komen. Het bleef echter lang stil aan de andere kant van de lijn.

'Wat wil je precies?' vroeg de stem uiteindelijk.

'Een paar dagen extra tijd en meer geld.'

'Wat?'

'Je hebt me wel verstaan,' snauwde Burton. 'Dit is lang niet zo'n makkie als jij wilt doen voorkomen. Er zijn grote risico's aan verbonden, en dat kost nu eenmaal geld.'

'Hoeveel?'

Burton voelde dat hij het er wel op kon wagen. 'Het dubbele,' zei hij. 'Waarvan tienduizend voor ik weer op pad ga.' Hij sloot zijn ogen en deed een schietgebedje.

Er klonk een scherp gesis aan de andere kant. 'Goed,' zei de stem.

Burton haalde opgelucht adem.

'Ik zal zorgen dat het geld er is,' zei de stem. 'Dinsdagnacht na twee uur. Tyson's Corner, dezelfde plek als vorige keer.'

'Afgesproken.'

'Zeg, Burton.'

'Wat?'

'Zorg dat je het deze keer niet verknalt.'

'Natuurlijk. Komt in orde,' zei Burton. 'Kat in 't bakkie.' Hij hing op en bracht een hand naar zijn pijnlijk kloppende hoofd. Toen keerde hij terug naar de zitkamer en zette de fles weer aan zijn mond, niet alleen om de pijn te verdrinken, maar ook de angst dat hij langzamerhand te oud begon te worden voor dit soort karweitjes.

'Overigens heb ik ook goed nieuws,' zei brigadier Albrecht, die mee naar binnen was gekomen om nog een paar vragen te stellen over de avond dat Mariah achterna was gezeten.

Mariah en Chaney keek hem vol verwachting aan.

'We denken te weten wie de dader is.'

'Nu al?' riep Chaney verwonderd uit. 'Dat zou mooi zijn. Hoe hebben jullie dat voor elkaar gekregen?'

'Een mens kan ook wel eens geluk hebben,' zei Albrecht glimlachend. 'Het toeval wil dat ik een buurman heb die werkzaam is bij de afdeling Identificatie van de FBI. We hebben de vingerafdrukken van de dader natuurlijk meteen vergeleken met ons computerbestand, maar dat leverde niets op. Ik heb toen mijn buurman op zijn werk gebeld en hij was bereid om onze afdrukken er even tussendoor te doen. Normaal gesproken duurt het weken voor je wat van die kerels hoort,' voegde hij er met een grimas aan toe.

'En?' vroeg ze. 'Heeft hij wat gevonden?'

'Jazeker.' Albrecht haalde een foto uit zijn notitieboekje te voorschijn en legde hem op tafel. 'Is dit hem?'

Het was een foto van een man op een terrasje. Hij had lichte haren en hield een glas in zijn hand. Op een bord aan het raam achter hem stond in het Spaans geschreven wat er in het café te krijgen was – *vino y cerveza, tapas y platos combinados*. Het was het soort korrelige afbeelding waarvan Mariah er talloze had gezien, een uitvergroting van een shot met een grote telelens. Ze huiverde en keek Chaney aan. Toen keken ze beiden brigadier Albrecht aan en knikten.

'Juist. Nou, het ziet ernaar uit dat het om een zekere Roland Norman Burton gaat, van beroep huurmoordenaar,' zei Albrecht.

'Een huurmoordenaar?' Haar mond viel open.

De brigadier knikte en keek haar toen oplettend aan. 'Hebt u soms vijanden, Ms. Bolt?' vroeg hij. 'Bent u de afgelopen maanden misschien betrokken geweest bij bepaalde geheime CIA-aangelegenheden?'

Ze had hem eerder die middag verteld dat ze bij de CIA werkte. Om geen onrust te zaaien zei ze zelf altijd liever dat ze bij Buitenlandse Zaken zat, maar zoals ze tegen Frank had gezegd: het was natuurlijk niet iets wat ze per se geheim hoefde te houden, en tegen de politie wilde ze liever open kaart spelen.

'Nee, brigadier,' antwoordde ze. 'Ik zit bij de afdeling Analysis, dat heb ik u vanmiddag al verteld. Daar houden we ons niet met gevaarlijke dingen bezig. Maar waarom vraagt u dat?'

In plaats van antwoord te geven op haar vraag wendde Albrecht zich tot Chaney. 'Mr. Chaney,' zei hij op zakelijke toon. 'Aangezien u hierbij betrokken bent als vriend van Ms. Bolt, geef ik u toestemming dit gesprek bij te wonen. Ik reken er alleen wel op dat niets van wat hier gezegd wordt, naar buiten komt totdat we de dader te pakken hebben.'

'Mijn belangstelling is in dit geval persoonlijk, niet beroepsmatig, brigadier.'

'Mooi.' Albrecht keek haar weer aan. 'Deze Burton schijnt voor verschillende opdrachtgevers te werken, hoofdzakelijk voor de maffia en voor enkele internationale drugskartels. Zowel de

FBI als de CIA beschikt over een meterslang dossier over hem, maar tot dusver is niemand erin geslaagd om voldoende bewijs bij elkaar te schrapen om hem bij zijn kladden te kunnen grijpen.' Hij kuchte en ging verzitten. 'Bij de FBI reageerden ze hoogst verbaasd toen ze hoorden dat hij in het land was; hij schijnt meestal in het Verre Oosten of in Zuid- en Midden-Amerika te opereren. De man gaat al een tijdje mee – hij is al in de vijftig. Misschien doet hij het tegenwoordig wat kalmer aan en zoekt hij het dichter bij huis.'

'Dan snap ik helemaal niet waarom hij het op mij heeft gemunt,' merkte ze op. 'De CIA heeft wel een sectie Narcotica die nauw samenwerkt met de DEA, maar ik heb nog nooit iets met ze te maken gehad – ik weet niet eens wie erbij zitten.'

'Ik zei ook dat Burton in hoofdzaak voor de drugswereld werkt,' zei de brigadier. 'Erg kieskeurig schijnt hij namelijk niet te zijn. Hij werkt voor iedereen die met geld over de brug komt. Een interessant detail is,' besloot hij, terwijl hij haar veelbetekenend aankeek, 'dat hij gedurende een korte periode tot jullie gelederen heeft behoord.'

Chaney kwam half overeind uit zijn stoel. 'Wat zegt u nu?'

Mariah wist niet wat ze hoorde. 'Zat hij vroeger bij de CIA?'

Albrecht knikte. 'Hij was geheim agent ten tijde van Operatie Phoenix in Vietnam. Maakte deel uit van een kleine groep speciaal opgeleide commando's. Het schijnt dat de CIA hem er na een jaar uitgegooid heeft wegens perverse neigingen en extreme wreedheid. En die jongens zijn het een ander gewend, dus kun je nagaan. Hij werd in Vietnam een aantal keren gepakt voor aanranding en verkrachting van vrouwelijke dorpelingen. Niet bepaald een lieverdje dus.'

Mariah voelde een rilling langs haar ruggengraat gaan. Ze stond op en liep naar de kraan om wat water te drinken. Toen ze haar glas weer op het aanrecht zette, viel haar oog op het knipperende lichtje van het antwoordapparaat.

'Wat gaat er nu verder gebeuren, brigadier?' vroeg Chaney.

'Er is meteen al contact opgenomen met de CIA om te kijken of zij recente informatie over Burton hebben en of ze weten in hoeverre hij hier connecties heeft.' Albrecht klapte zijn boekje dicht. 'Ik raad u aan om intussen op uw hoede te blijven. Zoals ik vanmiddag al zei, houden we een oogje in het zeil, want dit soort jongens moet je niet onderschatten – die zijn tot alles in staat. Een doorsnee stalker blijft over het algemeen een tijdje uit de buurt als hij een keer op het nippertje ontsnapt is, maar als we hier te maken hebben met een huurmoordenaar, dan kunnen we van alles verwachten.'

Hij keek Mariah aan. 'Als hij inderdaad een gebroken neus heeft, hebben we misschien een paar dagen respijt. Misschien geeft ons dat net de tijd die we nodig hebben om hem op te sporen. Laten we daar maar op hopen.'

Het klonk niet erg bemoedigend, vond ze, maar ze hield haar mond.

'Ik ga ervandoor. We houden contact.' Hij knikte haar toe en liep met Chaney mee, die hem uitliet.

Een paar seconden lang bleef ze voor zich uit staren. Toen herinnerde ze zich dat er een berichtje op het antwoordapparaat stond en liep naar de telefoon.

'Goedenavond, Mrs. Tardiff, dit is de Montgomery-verpleeginrichting. Het is nu kwart over elf 's avonds. Kunt u ons zo snel mogelijk terugbellen? Dank u.'

Ze fronste haar voorhoofd en keek naar de klok aan de muur, die iets over twaalven aanwees. Toen zocht ze het nummer van het verpleeghuis op en toetste het haastig in.

Toen Chaney even later de keuken binnen kwam en hij haar gezicht zag, bleef hij als aan de grond genageld staan. 'Mariah! Wat is er aan de hand?' vroeg hij bezorgd. 'Wat heb je?'

Langzaam gleed haar blik naar zijn gezicht. 'Is Albrecht al vertrokken?'

Hij wierp een blik uit het raam. 'Zijn auto staat er nog. Hoezo? Wat is er dan?'

'Haal hem terug, Paul.'

'Wat... Waarom? Wat is er in 's hemelsnaam gebeurd?'

'Ik had net het verpleeghuis aan de lijn,' antwoordde ze toonloos. 'David is dood.'

'Ik wil dat er een autopsie wordt gedaan,' zei Mariah, nadat ze Albrecht op de hoogte had gebracht van wat er was gebeurd.

'Wat zeiden ze daar in het verpleeghuis precies?' wilde Albrecht weten.

'Dat ze hem twee uur geleden tijdens hun avondronde dood hadden aangetroffen. Hij was gestorven in zijn slaap, zeiden ze. Ze hebben er een arts bij gehaald om de overlijdensakte te ondertekenen. Vermoedelijke doodsoorzaak: een bloeding, waarschijnlijk ten gevolge van stress – iets wat vaak voorkomt bij patiënten met een dergelijke hersenbeschadiging.'

'Maar u twijfelt daar kennelijk aan?' vroeg de brigadier.

Ze keek Paul aan en staarde toen naar haar verbonden pols. 'Ik weet zo langzamerhand niet meer wat ik moet denken,' zei ze zacht. 'Misschien zit er meer achter. Misschien ook niet.'

Toen ze opkeek, zag ze dat Albrecht haar gezicht oplettend bestudeerde.

'Na alles wat er vandaag gebeurd is, zou ik me beter voelen als we alle andere mogelijkheden kunnen uitsluiten,' zei ze.

De brigadier aarzelde en knikte toen. 'Goed. Ik probeer wel even of ik de patholoog-anatoom nog kan bereiken.'

'O, zou u het heel erg vinden om daar nog even mee te wachten?' vroeg ze. 'Ik zou mijn man nog graag even willen zien, als het kan. Ik stap nu meteen in de auto en rij naar het verpleeghuis.'

Albrecht kreeg een kleur. 'Nee, maar natuurlijk,' zei hij haastig. 'Ik begrijp het. Ik vraag hem wel of hij morgenochtend vroeg even langs wil gaan, goed?'

Ze knikte dankbaar.

'Ik rij je erheen, Mariah,' bood Paul onmiddellijk aan. 'Hoelang duurt het voor de uitslag van zo'n autopsie binnen is, brigadier?'

'Dat kan vrij snel zijn. In dit geval zou ik rekenen op rond het middaguur of vroeg in de middag, als het even tegenzit.' Albrecht wendde zich weer tot Mariah. 'Mijn condoleances, Ms. Bolt. Het moet een afschuwelijke dag voor u zijn.' Hij legde zijn visitekaartje op tafel. 'Mocht u iets te binnen schieten wat u graag aan me kwijt wilt, dan kunt me altijd bellen, al is het midden in de nacht. De receptie zal u doorverbinden naar mijn huis.'

Ze knikte, niet meer in staat een woord uit te brengen.

14

'Herinner jij je Rollie Burton nog?' vroeg George Neville.

Samen met Dieter Pflanz slenterde hij langs de achtenvijftig-duizend namen op de lange zwartmarmeren muur van het Vietnam Veterans Memorial. Vlak bij een van de flauwe hoeken in de muur stonden ze een ogenblik stil – beiden te gegeneerd om in aanwezigheid van de ander de namen van hun gesneuvelde strijdmakkers aan te raken.

Pflanz propte zijn handen dieper in zijn zakken, wierp een zijdelingse blik op Neville en maakte aanstalten om verder te lopen. Hij tuurde naar de hemel. Het was een kille, grauwe dag en er zat sneeuw in de lucht. Het was dan ook niet erg druk bij het monument; de paar mensen die er waren, liepen er in rap tempo en diep in hun jassen gedoken langs.

'Ja,' antwoordde hij, toen Neville zich weer bij hem voegde. 'Die gevaarlijke gek. Hoezo?'

'Onze veiligheidsdienst is gebeld door de politie. Ze hebben het vermoeden dat Burton degene was die Mariah Bolt gisteren aanviel. Ze vroegen zich af of wij recente informatie over hem hadden; waar hij zich tegenwoordig ophoudt en zo.'

'En?'

'En? Weten wij daar iets vanaf, Dieter?'

'Waarom vraag je dat aan mij?'

Neville haalde zijn schouders op. 'Ik vroeg me gewoon af of jij me hier misschien meer over kon vertellen.'

'Hoe kom je erbij dat ik iets te maken zou hebben met een aanslag op een van onze eigen mensen?'

'Ach, schei nou toch uit, Dieter,' snauwde Neville. 'Hou je alsjeblieft niet van de domme! Ik weet toch dat die mislukking in Wenen je nooit lekker heeft gezeten. Ik heb je de verzekering gegeven dat ze geen gevaar meer vormt, dus als blijkt dat jij hierbij betrokken bent, dan ben je nog niet jarig. Wat er nu gebeurt, is niet alleen totaal onnodig, maar het heeft nog een averechtse uitwerking ook!'

Pflanz hield abrupt zijn pas in en greep Neville bij zijn revers. 'Pas op je woorden, Neville. Ik hou niet van dit soort dreigementen,' gromde hij. 'Als er iemand aan de schandpaal genageld gaat worden, dan ben ik dat niet. Jij hebt me erbij gehaald, weet je nog wel? En we hebben een hoop rottigheid voor je opgeknapt, dus kom nu niet bij me aan met allerlei bureaucratisch gezeik dat alleen maar bedoeld is om jezelf in te dekken!'

'Wind je niet zo op,' zei Neville, een schichtige blik om zich heen werpend. 'Ik weet wat je allemaal gedaan hebt, maar de vrouw in kwestie blijft vervelende vragen stellen. Bovendien beschikt ze over vrienden die zich geroepen voelen om haar te beschermen. Als haar iets overkomt, hebben we de poppen aan het dansen.'

Pflanz liet hem los. 'Hou haar dan in het oog, zou ik zeggen.'

'Doen we ook.'

'Nou dan.'

Neville aarzelde. 'Jij kunt me dus niets over Burton vertellen?' probeerde hij nog eens.

Pflanz keek hem zo vernietigend aan, dat hij snel inbond.

'Al goed, al goed,' mompelde Neville. 'Ik wilde het gewoon even zeker weten.'

☙

'Wil je nog thee, Mariah?' vroeg Paul.

'Nee, dank je.' Ze zat huiverend op de bank met een deken om zich heen. Hoewel het helemaal niet koud was in huis, leek het wel alsof ze maar niet warm wilde worden. Ze had er spijt van dat ze vannacht bij terugkeer uit het verpleeghuis als een gek het huis was gaan schoonmaken, waardoor er nu niets meer te doen was om de tijd te doden.

Nadat ze Pauls aanbod om haar te helpen had afgeslagen, had hij zich teruggetrokken in de zitkamer, wetende dat ze behoefte had om even alleen te zijn. Ze had gepoetst en geboend en gestofzuigd tot alle sporen van het drama waren verdwenen. Het was vier uur 's ochtends toen ze zowel lichamelijk als geestelijk totaal uitgeput haar bed in was gerold.

De slaap der vergetelheid was haar echter niet gegund geweest. Verdrietig en vervuld van schuldgevoelens zag ze telkens weer het levenloze lichaam van David voor zich dat eindelijk tot rust gekomen was, maar zo vreselijk koud aanvoelde. De woorden van de verpleegkundige bleven maar doorklinken in haar hoofd: ...hersenbloeding als gevolg van stress... Stress die zij had veroorzaakt door hem met Elsa's naam om de oren te slaan toen hij troost bij haar had gezocht.

Om acht uur had ze besloten op te staan. Toen ze naar de keuken was gesopen om koffie te gaan zetten, had ze ontdekt dat Paul al op was. Ook hij zag eruit alsof hij nauwelijks een oog dicht had gedaan.

Nadat ze thee had gezet – de koffiekan was immers gebroken – hadden ze samen ontbeten. Er was niet veel gesproken.

Mariah voelde dat hij het initiatief aan haar overliet. Ze wist ook dat ze de komende uren maar beter nuttig kon besteden, want straks zou ze daar voorlopig geen gelegenheid meer voor hebben; dan moest ze Lindsay en Davids familie het droevige nieuws gaan vertellen, de begrafenis regelen, enzovoort.

Ze had nog steeds niet gezien wat er op Stephens diskette stond, en ze wilde Paul nog vragen wat hij allemaal nog meer had ontdekt tijdens zijn onderzoek naar de toedracht van het ongeluk in Wenen, maar op de een of andere manier scheen ze zichzelf nergens toe te kunnen zetten.

Ze wierp een ongeduldige blik op haar horloge. 'Ik wou dat ze eens belden.'

'Rond het middaguur, had Albrecht toch gezegd. En hij zou de uitslag meteen doorbellen zodra hij hem binnen had.'

Ze had besloten de uitslag van de autopsie af te wachten alvorens Davids familie op de hoogte te stellen, en Lindsay nog maar even rustig bij Carol te laten, zoals ze hadden afgesproken.

'Straks moet ik Lindsay gaan halen,' verzuchtte ze. Ze sloot haar ogen. 'O, Paul. Hoe moet ik het haar vertellen?'

Hij kwam bij haar op de bank zitten en legde een hand op haar arm. Ze trok hem niet terug; de gebeurtenissen van de afgelopen vierentwintig uur hadden hen dichter bij elkaar gebracht. Ze had zijn kalmte en zijn steun ook hard nodig.

'Ik weet het. Het zal niet gemakkelijk zijn,' zei hij zacht. 'Maar je moet ook bedenken dat ze in zekere zin al afscheid van hem heeft genomen – van de vader die ze voor het ongeluk had en nooit meer heeft teruggekregen.'

Ze knikte langzaam. 'Dat is waar,' zei ze. 'In feite zijn we hem in januari al kwijtgeraakt. Ik ben alleen zo bang dat ze opnieuw last van schuldgevoelens krijgt.'

Hij keek haar verwonderd aan. 'Schuldgevoelens? Maar waarom zou ze?'

'Ik weet het,' verzuchtte ze. 'Het slaat ook nergens op, maar toch had ze het gevoel dat het allemaal haar schuld was omdat zij die ochtend naar school moest worden gebracht.'

'Ach, arm kind. Wat een zware last.'

'Zeg dat. Ik hoopte dat ik haar dat eindelijk uit haar hoofd had gepraat. Maar ik begrijp maar al te goed wat het is. Ik heb zelf ook jarenlang rondgelopen met schuldgevoelens over het feit dat mijn vader ons in de steek liet.'

'Nou ja, Mariah. Daar kon jij toch niets aan doen! Ik bedoel, hoe oud was je toen dat gebeurde? Een jaar of zeven?'

Ze haalde haar schouders op. 'Jezelf ergens de schuld van geven is iets wat je heel vroeg leert, Paul.'

'Maar hoe kwam je er in vredesnaam bij dat het jouw schuld was dat je vader wegliep?'

Ze trok haar knieën op en sloeg haar armen eromheen. 'Mijn moeder werkte om de kost te verdienen, zodat hij zich helemaal aan het schrijven kon wijden. Ze vond het niet erg, ze had het volste vertrouwen in hem.' Ze schudde meewarig het hoofd. 'Ze ontzag hem; hij werd ontzettend verwend, en ik vrees dat hij niet anders gewend was. Hij was een knappe vent met veel talent en vrouwen waren dol op hem – iets wat ik al op jonge leeftijd in de gaten had.'

Ze glimlachte onwillekeurig. 'Het had ook altijd wel wat, al die belangstelling voor hem. Ik was er diep in mijn hart ook best wel trots op dat ik zo'n populaire vader had.'

'Hoe kwam daar verandering in?'

'Op een avond ging hij naar een feestje op het strand bij ons in de buurt. Mijn moeder was aan het werk, en omdat er geen geld was voor een oppas nam hij me mee, zoals hij wel vaker deed. Ik weet nog dat er een enorm kampvuur was. Er werd gezongen, gedanst en gelachen. Hij tilde me op en draaide me in de rondte. In mijn ogen was hij de geweldigste vader van de wereld.'

Ze trok haar knieën dichter tegen zich aan. 'Op een gegeven moment zei hij dat hij even een eindje over het strand ging lopen. Ik moest bij de mensen rond het vuur blijven, zei hij. Hij zou zo terugkomen. Toen hij alsmaar niet terugkwam, werd ik bang. Opeens kregen al die onbekende gezichten bij het vuur iets engs, dus ik kneep ertussenuit en ging naar hem op zoek.' Ze zweeg een ogenblik.

'Ik herinner me nog het blauwe schijnsel van de maan op de schuimkoppen en het geluid van de golven in de branding. Ik werd hoe langer hoe banger en rende schreeuwend en huilend over het strand. Tot ik praktisch over ze heen viel.'

'Ze?'

'Mijn vader en de vrouw met wie hij daar lag te vrijen. "We waren even aan het uitrusten", verklaarde hij. Hij was kwaad, zij schaamde zich dood. En ik me maar zorgen maken dat ze nog kou zouden vatten, zo zonder kleren aan.'

Hij schudde zijn hoofd. 'En toen?'

'Hij nam me mee terug naar huis en bracht me naar bed. Later die avond schrok ik wakker. Mijn moeder was thuisgekomen van haar werk, en ze hadden knallende ruzie. "Hoe kan ik nu ooit iets behoorlijks produceren met dat kind de hele tijd om me heen?" hoorde ik hem schreeuwen.'

Ze trok de deken op. 'Dat kind,' herhaalde ze bitter. 'Het zal je vader maar wezen. Hoe dan ook, de volgende dag was hij vertrokken. En dat terwijl mijn moeder in verwachting was. We hebben hem nooit meer teruggezien.'

'Wat een hufter, zeg!' Hij keek haar aan. 'En jij dacht dat dat door jou kwam?'

Ze knikte. 'Dat heb ik inderdaad jarenlang gedacht, totdat ik oud en wijs genoeg was om in te zien dat het helemaal niet aan mij lag, maar dat hij gewoon een klootzak was.'

'Is hij toen soms naar Parijs gegaan?'

'Ja. Gesubsidieerd door een of andere rijke juffrouw die hij had verleid. De subsidie werd acuut ingetrokken toen ze hem met een ander betrapte. Hij kwam terecht op een of ander achterafkamertje ergens in Montmartre, waar hij een jaar later aan hepatitis stierf.'

'En zijn hospita stopte zijn spullen in een kist op zolder, waardoor de mensheid jarenlang onkundig bleef van de schat aan wereldliteratuur die daar lag weg te rotten,' zei hij, de krantenberichten ten tijde van de ontdekking van Bolts manuscripten citerend. 'Hij heeft je zusje dus nooit gekend.'

'Nee. Katie werd een halfjaar na zijn vertrek geboren. Vanaf dat moment weet ik me niet veel meer van mijn jeugd te herinneren dan dat we in een vervallen huisje woonden waar altijd zand op de vloer lag en dat ik Katie altijd bij me had of probeerde haar stil te houden als mijn moeder even op de bank ging liggen voor ze weer aan het werk moest.'

'Het zal niet gemakkelijk voor je zijn geweest,' zei hij meelevend.

'Ach, weet je, daar sta je als kind niet zo bij stil. Ik in ieder geval niet. Ik beschouwde het als mijn welverdiende straf voor het feit dat ik mijn vader had weggejaagd. Toen ik wat ouder werd, vluchtte ik in mijn schoolboeken, en ook het zwemmen was een ontsnapping voor me. Ik haalde goede cijfers en won medailles en kreeg uiteindelijk een beurs om te gaan studeren. Het was een bevrijding, kan ik je vertellen, een kans om die afschuwelijke herinneringen eindelijk achter me te laten.'

'Toch ben je ook dankzij je jeugd degene geworden die je nu bent, Mariah.'

'Ja, dat zal wel.'

'Ja. Dat kleine meisje van toen heeft zich intussen toch mooi ontpopt als een kanjer van een vrouw – vind ik.'

Ze wist niet goed wat ze met zijn opmerking aan moest en wendde haar blik af.

'Hoe is het je zusje verder vergaan?'

Ze slaakte een diepe zucht. 'Ze is op haar twaalfde overleden. Het gebeurde toen ik al op Berkeley zat. Ze was aan het spelen met een paar andere kinderen op de pier en is eraf gevallen. Ze brak haar rug en verdronk. Dat heb ik mezelf ook jarenlang verweten. Ik moest toch zonodig gaan studeren? Als ik gewoon thuis was blijven wonen, had ik het kunnen voorkomen.'

Ze zweeg een ogenblik. 'Ik wilde mijn studie opgeven om weer bij mijn moeder te gaan wonen, maar ze gooide me het huis uit. Omdat ze me de dood van Katie kwalijk nam, dacht ik. Een jaar lang spraken we niet met elkaar.'

Ze schudde haar hoofd. 'Toen werd ze ziek – ze kreeg kanker aan haar eierstokken,' hernam ze. 'Tegen het einde ben ik weer bij haar ingetrokken. Ze drukte me toen op het hart om toch vooral mijn studie af te maken, zodat ik mijn eigen geld kon verdienen en van niemand afhankelijk hoefde te zijn. Daarom, zei ze, wilde ze niet dat ik weer thuis kwam wonen. Ze wist dat ik me dan alleen weer in boeken zou begraven.'

'Een wijze, sterke vrouw, die moeder van je,' merkte hij op.

'Dat was ze zeker. Ze verdiende een beter leven dan ze kreeg.' Ze sloot haar ogen en dacht aan al haar dierbaren die haar in de afgelopen jaren waren ontvallen.

Ze moest in slaap gevallen zijn, want ze schrok wakker door het gerinkel van de telefoon. Ze schoot half overeind en keek verward de kamer rond, niet-begrijpend waar ze zich bevond. Pas toen Paul een hand op haar schouder legde, wist ze weer waar ze was.

'Zal ik hem even nemen?' vroeg hij, toen de telefoon voor de tweede maal rinkelde.

Ze keek hem aan en knikte hulpeloos, waarop hij zich omdraaide en naar de keuken verdween. Ze wierp de deken van zich af en liep hem achterna. In de deur van de keuken bleef ze staan luisteren.

Een paar minuten later legde hij de hoorn weer op de haak en draaide hij zich om, een vreemde uitdrukking op zijn gezicht.

'Vertel! Wat zeiden ze?' vroeg ze. 'Er was meer aan de hand, hè?' Ze verbleekte toen Paul langzaam knikte. 'Is hij... Is hij soms vermoord?'

'Nee.' Hij keek haar aan. 'Het was wel degelijk een hersenbloeding. Maar hij bleek ook kanker te hebben – aan zijn schildklier. Anaplastisch carcinoom, zei de patholoog-anatoom die ik na Albrecht aan de lijn kreeg. Ze hadden de uitslag van de biopsie nog niet binnen, maar er was volgens hem geen twijfel mogelijk.'

Hij zweeg een ogenblik alvorens verder te gaan. 'Hij had uitzaaiingen in de luchtpijp. Ze vermoeden dat er een obstructie in zijn luchtpijp zat en dat hij, toen hij ging liggen, geen adem meer kreeg. De benauwdheid die daar het gevolg van was, leidde uiteindelijk tot de bloeding.'

Heel langzaam drongen zijn woorden tot haar door. David had zwaar geademd, herinnerde ze zich opeens weer. Toen voelde ze haar knieën knikken, en het volgende ogenblik lag ze languit op de grond.

Paul was onmiddellijk bij haar.

Ze beefde over haar hele lichaam. 'Ik was zo bang dat het mijn schuld was,' fluisterde ze.

'Hè? Wat?'

'Ik dacht dat ik hem vermoord had. Toen ik hem gisteren zag, heb ik gezegd dat ik het wist van hem en Elsa. Ik was kwaad en verdrietig. Hij begreep heel goed wat ik zei. Hij... O, Paul! Ik dacht dat mijn woede-uitbarsting zoveel stress had veroorzaakt dat –'

'O, Mariah. Toe, luister even naar me.' Hij legde een hand onder haar kin en dwong haar om hem aan te kijken. 'David was echt al heel ziek. De patholoog-anatoom vertelde dat deze vorm van kanker zich razendsnel uitzaait en dat de kans op genezing vrijwel nihil is. David zou nog hoogstens een paar maanden hebben geleefd. Misschien,' voegde hij er ernstig aan toe, 'is het zelfs maar beter zo.'

Ze staarde zwijgend voor zich uit en knikte.

Hij trok haar tegen zich aan, waarop ze in snikken uitbarstte. Samen zaten ze daar nog een tijdlang midden op de keukenvloer zonder een woord te zeggen.

'Ze is nog niet helemaal uit de gevarenzone,' zei McCord, 'maar de artsen verwachten dat we haar over een paar dagen wel terug naar huis mogen nemen. Haar specialist in Californië zal een rooster samenstellen, zodat ze thuis vierentwintig uur per dag de noodzakelijke medische zorg krijgt. Ze zal het rustig aan moeten doen natuurlijk.' Hij schudde meewarig zijn hoofd en grinnikte. 'Het zal nog heel wat voeten in de aarde hebben om haar zover te krijgen. Ik zie straks nog aankomen dat ik haar aan haar bed zal moeten vastbinden.'

Hij was helemaal opgewonden, constateerde Dieter Pflanz. McCord was zo opgelucht dat zijn vrouw de hartaanval had overleefd, dat hij geen seconde stil kon zitten, en hij praatte aan één stuk door. Voor het eerst zag hij eruit als een man van zijn leeftijd.

Het was gelukkig maar een lichte hartaanval geweest, hadden de artsen gezegd, maar wel een die ze diende op te vatten als waarschuwing dat ze het voortaan wat kalmer aan moest gaan doen.het nu zelf ook maar eens wat rustiger aan doen. Ga eens slapen.'

McCord fronste zijn wenkbrauwen. 'Begin jij niet nu ook nog eens, Dieter. Alsof ik dat niet genoeg te horen krijg van Nance. En de jongens zaten ook al te zeuren.'

'O ja? Nou, ik kan ze geen ongelijk geven. Niemand heeft er wat aan als jij straks van vermoeidheid instort. Heb je de afgelopen twee dagen überhaupt wel een oog dichtgedaan?'

'Ach, jawel,' bromde McCord. 'Zo nu en dan even een hazenslaapje.'

Pflanz liet een verachtelijk gesnuif horen. 'Zodra de auto hier is, breng ik jou als de sodemieter naar het hotel. De jongens komen eraan; laat hen nu maar een tijdje aan het bed van hun moeder zitten. Ze hebben de afgelopen vierentwintig uur toch alleen maar met hun duimen zitten draaien. Je moet eens ophouden met te doen alsof jij het alleenrecht op haar hebt.'

'En sinds wanneer behoort betuttelen tot jouw takenpakket, Pflanz?'

'Sinds vanochtend, toen Siddon op het vliegtuig naar Californië stapte en die taak aan me overdroeg.'

'Jij kunt wat mij betreft ook terug, hoor,' zei McCord. 'Het heeft weinig zin om hier te blijven rondhangen als er hier toch niets voor je te doen is.'

'Ik heb hier nog iets te doen.'

'Hoezo?' vroeg McCord enigszins gealarmeerd. 'Zijn er soms problemen met New Mexico?'

Pflanz aarzelde. 'Niet echt. Een klein technisch probleempje, niets ernstigs. Ik zal wel zorgen dat het in orde komt.'

'Ik dacht dat het allemaal in orde was, Dieter,' zei McCord. 'Is het die Chaney soms weer? Ik dacht dat ik die op een zijspoor had gezet.'

'Nee, Chaney is uitgeschakeld,' antwoordde Pflanz. 'Hij loopt nog wel rond te snuffelen, maar hij kan er verder niets meer mee.'

'Wat is het probleem dan precies?' wilde McCord weten.

Op dat moment gingen de klapdeuren open en kwamen de zoons van McCord de wachtkamer binnen.

'Het is in ieder geval niet iets om wakker over te liggen, Gus,' zei Pflanz haastig. 'Laat het maar aan mij over.'

❦

'Dit was niet een gevolg van het ongeluk, Lins,' zei Mariah zacht. Ze was met Lindsay op Carols logeerkamer gaan zitten om haar te vertellen dat David overleden was.

Lindsay huilde zachtjes. Mariah sloeg haar armen om haar dochter heen en hield haar stevig tegen zich aan.

'Papa was vreselijk ziek,' hernam ze. 'We zouden hem vroeg of laat toch kwijt zijn geraakt, zelfs als dat ongeluk niet was gebeurd. Het was een ongeneeslijke vorm van kanker, zei de dokter.'

'Maar ik begrijp het niet.' Het meisje schudde haar hoofd. 'Hoe kwam hij daar dan aan?'

'Dat weet ik niet, lieverd. Ze weten niet waar je kanker van krijgt. Sommige mensen krijgen het, anderen niet.'

'Ik kan gewoon niet geloven dat hij er niet meer is,' zei Lindsay snuffend.

'Ik weet het.' Mariah slaakte een diepe zucht en streelde Lindsays haren. 'Ik ook niet.' Ze zweeg een ogenblik, toen kreeg ze opeens een inval. Ze hield Lindsay een eindje van haar af en vroeg: 'Kun je je nog herinneren wat het laatste was wat je tegen papa zei, Lins?'

Lindsay hief haar betraande gezichtje naar haar op. 'Nee.'

'Denk nu even goed na,' drong Mariah aan. 'Wat was gisteren het laatste wat je zei voordat je hem een kus gaf en de kamer uit liep?'

Er verscheen een diepe rimpel in Lindsays voorhoofd. Toen klaarde haar gezicht op. 'Ik zei dat ik van hem hield.'

Mariah trok haar weer tegen zich aan en drukte haar lippen op de bos rossige haren. 'Juist, lieverd. Dat was het laatste wat je tegen hem hebt gezegd. En zal ik je eens wat zeggen? Dat was ook het laatste wat ik tegen hem zei.'

15

Even dacht hij dat hij er ingeluisd was.

Geheel volgens de instructies van zijn opdrachtgever was Rollie Burton dinsdagnacht na tweeën naar het parkeerterrein van Tyson's Corner Mall gereden. Hij had gewacht tot hij de auto van de bewakingsdienst voorbij had zien komen alvorens naar de vuilcontainer te rijden die op het terrein stond. Hij stapte uit zonder de motor af te zetten, wierp snel een blik om zich heen om te zien of de kust veilig was en keek toen in de container. De vorige keer had het koffertje met geld binnen handbereik gelegen. Deze keer was de container slechts halfvol, en het koffertje was nergens te vinden.

'Krijg nou wat...' Burton vloekte binnensmonds. Hij haalde een penlight te voorschijn en scheen ermee over de inhoud van de container. Toen zag hij het koffertje liggen; het was omlaaggegleden en lag onderop in een van de hoeken.

'Ook dat nog,' mompelde hij. Hij ging op zijn tenen staan en reikte zo ver hij kon naar binnen, maar zijn arm was te kort. Er zat weinig anders op dan erin te klimmen. Zuchtend stak hij zijn penlight weer in zijn zak, waarna hij zich op de rand van de container hees. Toen hij er aan de andere kant afsprong, gleed hij uit. Hij kwam op zijn achterste terecht en glibberde hartgrondig vloekend omlaag. Hijgend kroop hij naar de andere hoek, waar het koffertje lag.

Hij opende het en haalde opnieuw zijn penlight te voorschijn om de inhoud te inspecteren. Gewoontegetrouw pakte hij een stapeltje bankbiljetten en hield het voor zijn neus toen hij zich herinnerde dat hij niets kon ruiken. Hij had zijn neus van tevoren vol watten gepropt voor het geval hij weer zou gaan bloeden, en hij moest toch vooral zorgen geen sporen achter te laten.

Hij troostte zichzelf met de gedachte dat het evenals de vorige keer toch geen nieuwe biljetten waren. Het was ook wel zo veilig, dacht hij, terwijl hij het stapeltje terug liet vallen in de koffer. Liefdevol streek hij over de rest van de stapeltjes, waarna hij het koffertje sloot en de sloten een voor een indrukte.

Het geluid van een derde klik deed hem verstijven van schrik. Hij draaide zich om en zag een silhouet van een hoofd en een borstkas, dat zwart afstak tegen het licht van de lantaarns op de parkeerplaats. Onmiddellijk richtte hij zijn penlight op het gezicht.

'Uit dat ding!' blafte de figuur.

Direct daarop verscheen er een hand met vuurwapen in de lichtstraal – een Smith & Wesson, schoot het door Burton heen, eentje met een geluiddemper zoals ze vroeger in Vietnam gebruikten...

'Jij?' bracht hij verbaasd uit. Hij deed zijn lampje uit.

'Dat is lang geleden, hè, Rollie?' De gestalte schudde zijn hoofd. 'Wel ouder geworden, maar niet wijzer, waar of niet? Nog steeds niet in staat om een klus op te knappen zonder dat de gulp erbij open moet, hè?'

'Nou zeg, een vent mag toch weleens een lolletje hebben,' wierp Burton er met een nerveus lachje tegenin. 'Geef me nog één kans en ik breng het in orde.' Hij tuurde naar het onzichtbare gezicht. 'Wie is ze eigenlijk? En waarom moet je zonodig van haar af?'

Er kwam geen antwoord.

'Al goed, al goed. Gaat me ook helemaal niets aan.' Hij ratelde maar door. 'Jou heb ik trouwens ook nooit van mijn leven gezien natuurlijk. Verdomme, die vervormde stem aan de telefoon – ik had echt geen idee, zeg. Jullie maken tegenwoordig gebruik van al die moderne elektronica zeker? Doeltreffend, hoor. Heel doeltreffend.'

Hij probeerde overeind te komen, maar gleed opnieuw uit. Hij verloor het koffertje en kwam onzacht tegen een van de wanden terecht. 'Ik klim gewoon weer naar buiten en dan maak ik de klus meteen af, goed?'

'Nee, Rollie. Dit is de laatste keer dat je het hebt verknald.'

Burtons ogen sprongen bijna uit hun kassen. 'Nee, Dieter! Nee, alsje –'

Er klonk een zacht gesis uit de geluiddemper, gevolgd door een doffe knal van de kogel, die zich eerst door zijn hersenen boorde en vervolgens in de stalen wand van de container bleef steken. Twee wijd opengesperde ogen – een groen, een blauw – staarden naar de grote hand die het koffertje uit de container viste. Toen twintig minuten later de bewakingsdienst zijn ronde deed, stond naast de vuilcontainer nog steeds een oude, groene Toyota met draaiende motor.

❧

Mariah had besloten dat David moest worden begraven in Dover, New Hampshire, de plaats waar hij vandaan kwam. Bij de dienst die in de St. Charles Catholic Church werd gehouden, kwam de familie in groten getale opdagen: broers en zusters, ooms en tantes, neven en nichten.

De gebeurtenissen van de dag drongen nauwelijks tot haar door. Ze schudde ontelbare mensen de hand en nam beleefd hun blijk van medeleven in ontvangst, maar het leek net of het haar allemaal niet echt bereikte. Ze was dankbaar voor de warmte waarmee de familie haar en Lindsay omringde. Vooral Davids ouders waren ontzettend lief.

Mariah had geen van haar grootouders ooit gekend. Haar vader was enig kind geweest – zijn ouders waren al vroeg gescheiden en beiden jong overleden. Haar moeder was vervreemd geraakt van haar familie, nadat ze er op achttienjarige leeftijd vandoor was gegaan met Ben Bolt, een bohémien zonder enig gevoel voor verantwoordelijkheid. De bankier uit Illinois en zijn vrouw hadden het hun dochter nooit vergeven; zij nam het hen op haar beurt kwalijk dat ze haar in haar sop lieten gaarkoken toen haar man haar in behoeftige omstandigheden met twee kleine kinderen achterliet.

Hopend op een verzoening had Mariah hen gebeld toen haar moeder stervende was. De bedeesde vrouw die de telefoon opnam, had de hoorn meteen doorgegeven aan haar man , een arrogante bruIaap die het nieuws onaangedaan had aangehoord en haar had behandeld als een inferieur wezen. Daarna had ze geen enkele behoefte meer gehad om contact met hen op te nemen.

Toen ze in de ijzige kou op het kerkhof stond met haar armen om Lindsay heen geslagen en omringd door haar schoonfamilie, vroeg ze zich af hoe Davids familie zou reageren als ze van zijn escapade in Wenen zouden weten. In iedere grote familie kwam wel een excentriekeling voor, of iemand die een slippertje maakte, en de Tardiffs zouden daarop geen uitzondering vormen. Het was echter de vraag of ze iets zouden begrijpen van het wespennest waarin David terecht was gekomen.

Terwijl de priester de laatste rituelen uitvoerde, staarde ze naar de kist die boven het graf hing. Hiermee is het verhaal nog niet afgelopen, David, beloofde ze in stilte. Ik weet wie je was, wat je was. Wat je ook in Wenen hebt uitgehaald, ik weet dat je het slachtoffer bent geworden van duistere krachten. Stephen Tucker heeft gelijk – je was een goed mens en dit heb je niet verdiend. En ik zal niet rusten tot ik dit tot op de bodem heb uitgezocht. Vaarwel, mijn lieve David. Rust zacht.

Na de begrafenis gingen de meesten van de aanwezigen naar het huis van Davids ouders. Ook Frank en Pat, die aan het einde van de middag weer terug naar Washington zouden vliegen, kwamen even langs.

'Carol had ook graag willen komen,' vertelde Pat aan Mariah. 'Maar kleine Alex was opeens zo ontzettend verkouden, dat ze liever in de buurt bleef. En Stephen was eerst ook van plan om te komen, maar zag het op het laatste moment toch niet zitten. Maar ach ja, je weet het, hè. Hij voelt zich nu eenmaal nooit erg op zijn gemak tussen allemaal vreemde mensen,' voegde ze er verontschuldigend aan toe.

Mariah knikte begrijpend. 'Het geeft niet. Ik weet dat hij erg gesteld was op David. Arme Stevie. Ik geloof dat David een van de weinigen was bij wie hij zich wel op zijn gemak voelde. Hij zat in zak en as na het ongeluk. En van Carol hebben we niets dan steun ondervonden sinds onze terugkeer uit Wenen – net als van jullie trouwens.' Ze keek op en zag Frank aankomen met Pats jas. 'Ik weet niet wat Lindsay en ik zonder jullie hadden gemoeten.'

'Hoelang denk je nog hier in New Hampshire te blijven, Mariah?' vroeg Frank.

'Tot na de kerstdagen. Tenminste, als dat goed is wat jou betreft. Het lijkt me beter voor Lindsay om de feestdagen te midden van Davids familie door te brengen. Ze zijn vreselijk lief voor haar, en ik denk dat ze erg veel steun aan hen heeft.'

'Het lijkt me een uitstekend idee.'

Waarschijnlijk niet alleen vanwege Lindsay, dacht ze, maar ze kende hem lang genoeg om daar niet over te beginnen.

'O, hallo Paul,' zei Pat, toen Paul zich bij hen voegde. 'Leuk je weer te zien, al zou ik wensen dat de omstandigheden anders waren geweest.'

Frank knikte en gaf Paul een hand. 'Jullie staan op het punt om terug naar Washington te gaan?'

'Inderdaad. Ga jij vandaag ook terug?'

Paul schudde zijn hoofd. 'Nee. Ik ga morgen mijn zoon opzoeken. Hij woont in Connecticut.'

'Leuk,' zei Pat. 'Breng je daar ook de feestdagen door?'

'Zijn moeder kennende vrees ik dat dat niet de bedoeling is.' Hij grinnikte. 'Nee, ik ga met de kerstdagen naar mijn ouders in Phoenix.'

'Nou, dan wens ik je fijne dagen,' zei Pat. 'Mariah, ik bel je binnenkort wel om te horen hoe het jullie hier vergaat, goed?'

Mariah omhelsde haar. 'Graag, Patty. En bedankt voor jullie komst. Jij ook, Frank.'

'En doe jij een beetje rustig aan, wil je?' zei Frank op vaderlijke toon. 'Het werk kan heus wel even zonder je, dus laat het allemaal maar los en neem de tijd om bij te komen.'

Mariah knikte slechts.

Ze had de wekker op half zeven gezet, maar toen ze wakker werd en uit bed stapte kwamen haar al de heerlijkste geuren tegemoet. Ze schoot een broek en een trui aan en ging naar de keuken, waar Davids moeder net een paar verse broden uit de oven haalde.

De oudere vrouw keek verbaasd op. 'Wat doe jij hier zo vroeg? Je moet een beetje uitslapen, jij. Arm kind, je zag er gisteren echt afgepeigerd uit.'

Mariah gaf haar een knuffel. 'Ik? En jij dan? Hoelang ben jij al wel niet op, zeg?' Ze rook aan de warme broden.

'Ach, ik heb nooit kunnen uitslapen, dat weet je toch. Als ik eenmaal wakker ben, dan kan ik net zo goed opstaan. Per slot van rekening is er hier in huis altijd wel wat te doen.'

'Als je niet kunt slapen, ga je ook alleen maar liggen malen, hè?' zei Mariah zacht.

Davids moeder zette de broden op een rek om af te koelen en deed twee nieuwe in de oven. Ze veegde haar handen af aan haar schort en ging voor het raam staan. 'Vroeger, toen de kinderen nog thuis woonden, bakte ik drie keer per week zes broden. Ik kon ze natuurlijk ook gewoon in de winkel kopen, maar ze vonden mijn zelfgebakken brood veel lekkerder – vooral David. Kleine dondersteen dat hij was. Als ik even niet oplette, at hij in zijn eentje een heel brood op.'

Mariah glimlachte. 'Wat dat betreft was hij geen haar veranderd. Ik heb me altijd verwonderd over het feit dat zo'n klein ventje zoveel kon eten zonder ook maar één gram aan te komen.'

'Tja, hij barstte ook van de energie. Altijd ergens naar onderweg, altijd ergens mee bezig.' De ogen van de oudere vrouw glansden verdacht. Ze haalde een zakdoek uit de zak van haar schort en bette haar ogen.

Mariah sloeg een arm om haar schouders.

'Ik heb zes kinderen gebaard,' hernam Mrs. Tardiff, 'en ze zijn me allemaal even dierbaar. Maar voor David heb ik altijd een speciaal plekje in mijn hart gehad. Hij werd te vroeg geboren, weet je. Het scheelde weinig of hij had het niet gehaald – het was zo'n iel mannetje. Ze zeiden dat hij ziekelijk zou blijven, dat hij misschien ook wel geestelijk niet helemaal mee zou kunnen. Maar hij heeft ze het tegendeel bewezen,' zei ze niet zonder trots. 'Hij was een knokker,' ging ze verder. 'Als hij zich iets had voorgenomen, dan rustte hij niet voor hij zijn doel had bereikt. En wee je gebeente als je hem daarvan af probeerde te houden.'

Mariah knikte. Samen staarden ze een tijdlang zwijgend naar de kale bomen in het grauwe ochtendlicht. Toen hoorden ze achter zich de deur opengaan.

'Kijk eens aan; is iedereen al op?' vroeg Davids vader.

Precies David, dacht Mariah. Een vriendelijke uitstraling. Dezelfde zachte, diepbruine ogen. Zijn haren waren alleen niet zwart meer, maar helemaal wit. Zo zou David er op zijn oude dag waarschijnlijk ook hebben uitgezien.

'Lindsay slaapt nog,' antwoordde ze glimlachend. 'Ik verwacht haar ook niet voor tienen beneden. Om twaalf uur wordt ze opgehaald door Suzanne en de kinderen.' Davids zus had voorgesteld om vandaag iets gezelligs met Lindsay en haar neefjes en nichtjes te gaan doen.

'Ga zitten, jongens, dan zal ik eens een lekker ontbijt voor jullie maken,' zei Mrs. Tardiff.

'Nee, bedankt. Niet voor mij,' zei Mariah. 'Ik ga denk ik even een eindje rijden, als jullie het niet erg vinden. Ik ben een beetje rusteloos. Misschien dat een beetje frisse lucht me goed zal doen.'

'Nee, natuurlijk. Ga je gang, Mariah,' zei Davids vader onmiddellijk. 'Heb je soms behoefte aan gezelschap? Dan wil ik wel met je meegaan.'

'Heel lief aangeboden, maar ik wil juist even alleen zijn; mijn gedachten even op een rijtje te zetten. Maak je maar geen zorgen,' voegde ze er haastig aan toe toen ze hun bezorgde gezichten zag. 'Ik moet gewoon wat overtollige energie kwijt. Misschien ga ik wel een stuk langs het strand wandelen.'

'Eet dan eerst even wat,' drong Mrs. Tardiff aan. 'Zoveel tijd kost dat toch niet?'

'Nee, echt niet. Ik heb nog helemaal geen trek. Ik eet straks wel wat als ik terugkom. Ik zal niet al te lang wegblijven, goed?'

Toen Mariah even later in haar huurauto stapte en achteruit de oprit af reed, zag ze schuin aan de overkant van de straat een grijze Ford staan. Terwijl ze optrok, zag ze in haar spiegeltje dat de auto in beweging kwam en haar op geruime afstand volgde – een van Nevilles mannen, wist ze. Ze overwoog wat ze zou doen en besloot in de richting van de tolweg te rijden.

De plaats waar David was opgegroeid, lag aan de Atlantische kust, op het vijfentwintig kilometer smalle stukje New Hampshire dat tussen Maine en Massachusetts ingeklemd zat.

's Zomers placht ze samen met David – en later ook met Lindsay – een week of twee door te brengen in het oude zomerhuis van de Tardiffs in York Beach, net over de grens met Maine. Davids ouders zaten er de hele zomer en hielden open huis. Het was dan ook altijd een komen en gaan van vrienden, kennissen en familie, en het had Mariah gekost een paar jaar om uit te vogelen wie nu precies bij wie hoorde, en welke kinderen bij welke ouders. Niet dat iemand daar nu vreselijk belang aan hechtte, dacht ze glimlachend. Het waren zorgeloze zomers.

Ze naderde de tolweg en minderde vaart. Het was druk op de weg. In haar achteruitkijkspiegeltje zag ze de grijze Ford, die een paar auto's achter haar reed. Toen de weg breder werd en zich splitste in verschillende banen, reed de grijze Ford naar het meest rechtse loket. Wat voorspelbaar, dacht ze. Nu hij wist dat ze de tolweg op zou gaan, kon hij het zich veroorloven om vooruit te rijden en haar een eindje verderop weer op te pikken. Hij kon niet weten dat ze deze streek op haar duimpje kende. Ze reed naar een bemand loket dat bestemd was voor automobilisten die niet gepast konden betalen. Tegen de tijd dat ze bijna aan de beurt was zag ze de chauffeur van de grijze Ford een muntje in de automaat werpen en vervolgens de tolweg op rijden.

Toen ze aan de beurt was, draaide ze glimlachend haar raampje omlaag.

'Goedemorgen,' zei de man achter het loket.

Ze haalde haar portemonnee te voorschijn. 'Dit is toch de weg

naar Rochester, hè? Ik ben hier niet bekend, ziet u,' zei ze schaapachtig.

'O, nee, dan zit u helemaal fout,' zei de man. 'Zo gaat u naar
Maine. U moet die kant op.' Hij wees naar het westen.

'Nee toch! Hemel, en ik ben al aan de late kant,' riep ze uit, een
blik op haar horloge werpend. 'Ik moet om acht uur ergens zijn.
Kunt u me zeggen hoe ik het beste kan rijden?'

De kassier wierp een blik op de lange rij die zich achter haar
aan het vormen was. 'Moet u horen,' zei hij, naar voren leunend.
'Aan de andere kant van de tolpoort is een nooduitgang. U rijdt
hier de weg op en iets verderop kunt er weer af.' Hij wees waar ze
heen moest. 'Wel uitkijken met invoegen, hè?'

'O, ontzettend bedankt, zeg. Echt, u bent een engel.'

'Graag gedaan,' zei hij vriendelijk. 'Niet te hard rijden, hè.'

Grijnzend volgde ze zijn aanwijzingen, en even later reed ze in
westelijke richting. Bij de eerste de beste weg sloeg ze af. Ze
keerde de auto en zette hem aan de kant. Even later raasde de
grijze Ford met grote snelheid voorbij – in westelijke richting.
Mariah keerde terug naar de tolpoort, stopte een muntje in de automaat en reed de tolweg naar Maine op.

Paul stond al te wachten toen ze bij de kleine koffieshop in York
Beach aankwam.

'Hallo,' groette ze, zodra ze de auto uit stapte. 'Je hebt een
nieuw jack gekocht, zie ik. Dat had ik je natuurlijk moeten ver-
goeden.'

Hij schudde zijn hoofd. 'Welnee. Ik was toch aan een nieuw
jack toe. Dat andere was al zo oud, en behoorlijk versleten bovendien.'

'Nou, je ziet er totaal anders in uit,' zei ze gekscherend. Het
splinternieuwe leren jack was identiek aan het oude dat hij bij de
politie had moeten achterlaten. 'Heb je dit tentje trouwens gemakkelijk kunnen vinden?'

'Nee,' antwoordde hij grijnzend, 'maar dat komt ook doordat
ik me eerst van ongewenst gezelschap moest ontdoen.'

'O, jij ook al? Ik ook. Ik heb hem bij de tolweg van me af kunnen schudden.'

'Ik heb de mijne voor een rood licht in Portsmouth laten staan. Enig idee wie het zijn?'

Ze trok een grimas. 'Bewaking, vermoed ik. Helaas heb ik op dit moment even helemaal geen behoefte aan een beschermengel.'

'Koffie?'

Ze knikte en volgde hem naar binnen. 'Hoe is het met je hand?' vroeg ze, nadat ze een rustig tafeltje hadden gevonden en de serveerster hun bestelling had opgenomen.

'Goed. Straks in Phoenix laat ik de hechtingen eruit halen. En jouw pols dan, hoe is het daarmee? Ik zie dat je geen verband meer draagt.'

Ze balde haar hand langzaam tot een vuist en draaide haar pols voorzichtig rond. 'Stukken beter. Hij begint al aardig te slinken,' antwoordde ze. Ze wierp een blik om zich heen en leunde naar voren. 'Vlak nadat jij gisteravond was vertrokken, kreeg ik een telefoontje van Albrecht. Ze hebben Burton gevonden.'

'O nee, echt waar? Te gek, zeg. En, heeft hij bekend wie zijn opdrachtgever was?'

Op dat moment kwam de serveerster met de koffie. Mariah voegde wat melk aan haar koffie toe en nam peinzend een slok. Toen keek ze Paul aan. 'Hij was niet in staat om erg veel uit te brengen,' zei ze. 'Hij was namelijk morsdood.'

'Wát zeg je!'

'Van dichtbij door het hoofd geschoten,' verklaarde ze. 'Ze vonden hem in een vuilcontainer achter Tyson's Corner Mall.'

Hij floot zacht. 'Dat doet sterk denken aan een liquidatie.'

'Precies wat Albrecht ook dacht. Burton bevond zich in de container toen hij werd doodgeschoten – de kogel zat aan de binnenkant van een van de wanden.' Ze nipte weer van haar koffie. 'De politie vermoedt dat hij erheen gelokt is; waarschijnlijk kwam hij geld ophalen dat daar voor hem neergelegd zou zijn of zoiets. Dat zou verklaren waarom hij zich in die container bevond. Zijn auto stond ernaast, met draaiende motor.'

'Het ziet er niet best uit, Mariah.'

'Nee, hè? Dat vond brigadier Albrecht ook.' Ze zuchtte. 'Hij had nog een paar vragen, zei hij, over de precieze inhoud van mijn werk, en ook over die haarlok van David die ze bij me thuis in de vuilnisbak aantroffen. Het was de patholoog-anatoom op-gevallen dat er een flinke hap uit Davids haren was. Hij had ge-loof ik geen erg hoge dunk van mijn kapperstalent.'

'Waarom vertel je hem de waarheid niet gewoon, Mariah?' op-perde hij. 'Burton kan niet meer worden aangeklaagd, hij is dood. Het kan nu toch weinig kwaad meer? Voor Lindsay, bedoel ik.'

Ze schudde haar hoofd. 'De politie is niet in staat om deze zaak tot op de bodem uit te zoeken, Paul,' zei ze, terwijl ze de Newsweek en de Washington Post die hij haar de vorige dag had gegeven, uit haar tas haalde. 'Ik heb ze gelezen en ik denk inder-daad dat je gelijk hebt. Er zou een verband kunnen bestaan met Wenen. Dat artikel over die geschiedenis in New Mexico in de Post van vorige week was me helemaal ontgaan.'

'Nou, ze hebben het ook bepaald niet als voorpaginanieuws gebracht,' zei hij. 'Twee alinea's op bladzijde tweeëndertig zijn eraan gewijd. Het echte nieuws is dat er überhaupt iets over naar buiten is gekomen, want die federale jongens hebben hun uiter-ste best gedaan om de boel stil te houden.'

'Is er daarna eigenlijk nog iets over verschenen? Ik heb al in geen dagen meer een krant ingekeken.'

'Nee. Merkwaardig, vind je ook niet? Drie Russische en twee Amerikaanse atoomgeleerden komen om bij een ongeluk in de woestijn van New Mexico, en geen hond die er vragen over stelt. Hoe is het mogelijk?'

'Die Kingman kende ik wel.'

'De adjunct-directeur van het lab in Los Alamos?'

Ze knikte. 'Hij was Davids baas. In de tijd dat ik bij David in Los Alamos zat, zagen we de Kingmans nogal eens. Zijn vrouw is arts. Ik hoorde dat ze op een gegeven moment gescheiden zijn. Als ik het wel heb zit ze nog steeds in Los Alamos.'

'Weet je toevallig ook iets van die Russen?'

'Sokolov was ontegenzeglijk de briljantste. De andere twee wa-ren mindere goden. Borodin was betrokken bij het testprogramma in Semipalatinsk, en over Guskov weet ik niets te vertellen, behalve dat hij net als Borodin van huis uit ingenieur was.'

'Die andere Amerikaan, Bowker, was ook ingenieur,' mompelde hij. 'Wat zei jij ook weer toen ik zei dat ik vermoedde dat iemand had geprobeerd om David te rekruteren? Dat jij, als je een clandestien nucleair wapenarsenaal wilde opbouwen, vooral technici en ingenieurs zou nemen, en geen kernfysici?'

Ze knikte peinzend. 'Er is nog iets wat deze kerels gemeen hadden, bedenk ik me opeens. Het waren alleenstaande mannen – ze waren vrijgezel, gescheiden of weduwnaar.'

'Aha. Geen naaste familie die lastige vragen zou kunnen gaan stellen.'

'Precies.'

'Heb je dat artikel over McCord in Newsweek toevallig ook gelezen?' vroeg hij.

'Ja. Hoezo dat?' Ze keek hem nieuwsgierig aan. 'Wat maakt McCord verdacht in jouw ogen?'

'Twee dingen.' Hij bladerde het tijdschrift door tot hij de foto vond van McCord en zijn gezelschap, die genomen was tijdens een rondleiding in een of andere fabriek in Rusland. 'Kijk eens goed naar deze foto. Zie je die grote kerel op de achtergrond? Heb je hem wel eens eerder gezien?'

Ze tuurde naar de man met de haviksneus, die boven McCord uittorende. 'Nee. Hij komt me niet bekend voor,' zei ze.'

'Ik heb hem indertijd in Wenen gezien.'

'Waar dan?'

'Schuin tegenover het appartementencomplex waar Katarina Müller woonde. Hij heeft haar daar op die bewuste avond dat ik ze ook heb gezien met David binnen zien gaan.'

Ze voelde al het bloed uit haar gezicht wegtrekken. 'Weet je ook wie hij is?'

'Zijn naam is Dieter Pflanz. Hij is hoofd veiligheidsdienst van McCord Industries, en bovendien, Mariah,' voegde hij eraan toe, 'heeft hij vroeger voor de CIA gewerkt.'

'Kijk eens aan,' mompelde ze voor zich heen, terwijl ze naar de foto staarde. 'Je had twee redenen om McCord te verdenken van betrokkenheid. Wat is de tweede reden?'

'McCord is mede-eigenaar van CBN; hij bezit veertig procent van de aandelen en is daarmee de grootste aandeelhouder. Wanneer hem iets niet bevalt schroomt hij dan ook niet om zijn macht te gebruiken. Degene die me mededeelde dat ik ontslagen was, vertrouwde me toe dat het bestuur daartoe had besloten.'

'Ik begrijp nog steeds niet dat je er zomaar uitgegooid bent,' zei ze. 'Ik bedoel, hoeveel persprijzen heb je al wel niet binnengehaald?'

Hij haalde zijn schouders op. 'Wat denk je, McCord zal wel gedreigd hebben om allerlei vuiligheid over zijn medebestuursleden naar buiten te brengen als ze hem niet zijn zin gaven. Daarbij komt dat ze me een leuke oprotpremie hebben meegegeven.'

'Zwijggeld, dus,' mompelde ze. 'Maar kennelijk laat jij je niet omkopen. Waarom eigenlijk niet, als ik vragen mag?'

Hij grinnikte. 'Ik ben een domme jongen, vrees ik.'

Ze glimlachte en keek om zich heen. Het begon al aardig druk te worden. 'Heb je je laptop meegebracht?' vroeg ze.

'Ligt achter in de auto.'

'Weet je zeker dat je hem een tijdje kunt missen?'

'Ik heb momenteel toch niets te doen. Maar waar heb je hem eigenlijk voor nodig?'

Ze gaf geen antwoord op zijn vraag. 'Het wordt me hier een beetje te druk. Wat zou je zeggen van een wandelingetje langs het strand?'

Even later daalden ze de houten trap naar het strand af. Er stond een straffe, ijskoude wind. Ze trok haar sjaal wat hoger op en stak haar handen diep in haar jaszakken.

'Dit is heel wat anders dan het strand uit je jeugd zeker?' vroeg Paul, turend naar de grote golven die op de rotsen sloegen.

'Inderdaad. Het ruikt hier zelfs anders, het lijkt wel of de lucht ook wat zilter is,' zei ze. 'Ik kwam hier vroeger vaak met David, maar ik vond het zwemmen hier altijd maar een matig genoegen. Zelfs midden in de zomer is het water om te bevriezen – vind ik. Mensen van hier denken daar anders over. Desondanks heb ik veel mooiere herinneringen aan dit strand dan aan dat van Californië.'

Ze was blijven staan en staarde met opeengeperste lippen naar de branding. Met een zijdelingse blik op Paul begon ze weer te lopen. 'Ik denk dat je het wat McCord betreft weleens bij het rechte eind zou kunnen hebben,' zei ze. 'Ik heb zelf namelijk ook het idee dat hij bij allerlei vreemde zaakjes betrokken is.'

'O ja? Wat ben je dan over hem te weten gekomen?'

'Stom toevallig stuitte ik vorige week op iets interessants. Ik was bezig met een tussentijds onderzoeksrapport over wapenleveranties aan terroristische organisaties naar aanleiding van die bomaanslagen in Londen, Parijs en New York. Onze satellieten hadden iets in Libië opgepikt wat verdacht veel leek op de verscheping van illegale wapens. We konden helaas niets bewijzen, omdat de wapens – als het daar inderdaad om ging – bij aankomst ineens spoorloos verdwenen bleken. Wel waren er aanwijzingen dat er een rederij bij betrokken zou zijn die vorig jaar is opgekocht door een van McCords dochtermaatschappijen.'

'Hm, interessant. Hoe werd er gereageerd op dat rapport van je?'

'Dat kon ik opschonen.' Ze slaakte een diepe zucht. 'De informatie over een mogelijke betrokkenheid van McCord is nooit verder gekomen dan mijn afdeling. Misschien hadden ze wel gelijk ook, de bewijzen waren flinterdun. Toch blijf ik het gevoel houden dat er iets niet in de haak is.'

'Allemachtig, Mariah. Dit is een verdomd serieuze zaak. Het is bekend dat McCord naar het presidentschap lonkt – vorige week nog maakte hij zijn opwachting op het Witte Huis. Er gaan ook geruchten dat de president zijn vice-president zal laten vallen en zijn steun aan McCord zal geven, mocht hij besluiten om met de verkiezingen mee te doen.'

'Ik weet het, ja.'

'Maar waarom zou McCord zich in de illegale wapenhandel storten?' vroeg hij zich af. 'Hij bezit meer geld dan hij gedurende zijn leven zal kunnen uitgeven; hij staat bekend als een mecenas en hij heeft politieke ambities. Dat slaat dan toch nergens op?' Hij staarde peinzend in de verte. 'Aan de andere kant moet je je afvragen wat Dieter Pflanz daar in Wenen deed en waarom hij Katarina Müller en David in de gaten hield. En hoe is dat in verband te brengen met de aanslag op David en Lindsay?'

Ze fronste haar voorhoofd en gaf een trap tegen een stuk wrakhout. 'Er is door deze en gene ook al eens gesuggereerd dat die aanslag in Wenen eigenlijk voor mij bedoeld was.'

Paul hield abrupt zijn pas in. 'En wat denk je zelf, Mariah?'

'Het is niet onmogelijk,' antwoordde ze, met een schoen een streep in het zand trekkend.

'Hoezo? Leg eens uit. Wat deed je daar in Wenen dan?'

'Gek genoeg niet veel bijzonders,' zei ze. 'Ik ben werkzaam bij de afdeling Analysis. Normaal gesproken worden analisten nooit uitgezonden, maar ik heb toen hemel en aarde bewogen voor een buitenlandse opdracht, omdat ik met David mee naar Wenen wilde. Niet dat ik daar deel uitmaakte van de daar gestationeerde club geheim agenten. Integendeel, ze vonden het maar niets dat ze ineens met mij werden opgescheept. Ze gaven me dan ook voornamelijk bureauwerk te doen, en heel soms een klein klusje dat verder van geen enkele betekenis was.'

'Dat is vast niet het hele verhaal.'

Ze schudde haar hoofd. 'Klopt. Op een feestje van Davids werk maakte ik kennis met een Russische natuurkundige. Ze bleek informatie te hebben over een geheim kernwapenproject.'

'En ze stortte bij jou haar hart uit?'

'Daar kwam het wel op neer, ja. Een treurig verhaal. Ze bleek te zijn opgegroeid in een plaatsje waar kernonderzoek werd gedaan en is naar alle waarschijnlijkheid ook blootgesteld geweest aan radioactieve straling van het kernafval, dat daar gewoon maar her en der werd gedumpt. Toen ze kenbaar maakte dat ze belangrijke informatie voor ons had, stelden ze mij aan als contactpersoon. Ik had op dat gebied meer ervaring dan zij, en ze vertrouwde me.'

'Waar is ze nu? Zit ze nog steeds in Wenen?'

'We hebben ongeveer anderhalf jaar contact met haar gehad, toen was ze opeens verdwenen. Op een gegeven moment kwam ze niet op onze afspraak, en ook op haar werk verscheen ze niet. Het IAEA heeft toen meteen navraag gedaan natuurlijk. Volgens de Russische ambassade is ze overgelopen naar het Westen, maar wij noch onze bondgenoten wisten ergens van. We zijn er vrijwel zeker van dat ze teruggehaald is door de KGB. De Sovjet-Unie mag dan wel uiteen zijn gevallen, de KGB is in wezen natuurlijk gewoon de KGB gebleven.'

'Allemachtig!' riep hij verbijsterd uit. Hij pakte haar bij de arm en hield haar staande. 'Dan wordt er een aanslag gepleegd waarbij de auto waarin jij had zullen zitten, in een hoop schroot verandert, en jij trekt niet meteen de conclusie dat het een wel eens verband zou kunnen houden met het ander. Hoe kan dat nou? Daar snap ik nu helemaal niets van!'

'Maar dat heb ik wel gedaan.' Met een driftig gebaar rukte ze zich los. 'Het was het eerste waar ik aan dacht! Maar ik had op dat moment wel even wat anders aan mijn hoofd, weet je wel? Dus ik riep de hulp in van iemand aan wie ik de controle op het onderzoek toevertrouwde.'

'Frank Tucker.'

'Inderdaad. Frank Tucker zit al dertig jaar bij de CIA. Hij is begonnen bij Operations, maar stapte over naar Analysis toen zijn vrouw leukemie bleek te hebben en ze niet meer van de ene plaats naar de andere konden reizen. Hij is al zestien jaar mijn mentor en een van mijn beste vrienden. Hij is iemand aan wie ik mijn leven zou toevertrouwen, Paul.'

'Mooi dat hij je heeft voorgelogen, Mariah.'

'Ik denk niet dat je het zo kunt stellen. In eerste instantie geloofde hij zelf ook dat het een ongeluk was. Toen hij naderhand toch bedenkingen kreeg, heeft hij zijn mond gehouden om me niet in gevaar te brengen. Dat is in ieder geval wat hij tegen me heeft gezegd, en ik geloof hem.' Ze keek hem aan. 'Weet je nog die keer dat je me stond op te wachten bij het verpleeghuis? De dag daarop besloot ik het Chaucer-dossier nog eens na te gaan lezen.'

Hij trok zijn wenkbrauwen op. 'Chaucer?'

'De codenaam voor mijn Russische informant. Ik heb dat dossier opgezet.'

'Aha. En?'

'Ik kreeg geen toegang. En Frank ook niet, denk ik, en als hij dat wel kreeg, dan slechts ten dele.'

Hij keek haar met gefronste wenkbrauwen aan. 'Mariah, waarom heb je me gevraagd mijn laptop mee te brengen?'

Ze slaakte een diepe zucht en staarde naar de golven. 'Ik ben erin geslaagd het dossier in bezit te krijgen,' zei ze na een lange stilte. 'Vraag me niet hoe, maar ik heb het in handen gekregen. Ik heb alleen nog niet de gelegenheid gehad om het echt te lezen. Vlak voor ik van huis ging, heb ik er echter een vluchtige blik op geworpen. Ik zag in de gauwigheid wel dat er een paar subdocumenten aan waren toegevoegd waarvan ik me niets kan herinneren. Ik vermoed dat Frank had gemerkt dat hij daar ook geen toegang toe kreeg en dat dat de reden was waarom hij mij in het ongewisse liet, maar daar kan ik alleen maar achter komen door het hele dossier te bekijken.'

'En dan?'

'Tja, daar zeg je zoiets.' Ze keek hem weer aan. 'Ben je echt van plan om naar Phoenix te gaan?'

'Ja. Ik ga eerst mijn zoon opzoeken, en dan vlieg ik morgenmiddag van New York naar Phoenix.'

'Wonen je ouders dan echt in Arizona?'

Hij knikte, waarna zijn mondhoeken langzaam omhooggingen. 'En als ik daar toch ben, ga ik ook zeker even naar New Mexico – aangenomen dat ik erin zal slagen om mijn achtervolgers van me af te schudden natuurlijk.'

Ze knikte. 'Ik moest ook maar eens die kant op.'

'Waarom?'

'Omdat ik het idee heb dat ik daar iets te weten kan komen. Ik ken het gebied en ik ken er een paar mensen die me misschien iets kunnen vertellen.'

'Laat je Lindsay hier dan?'

'Het is maar voor een paar dagen, en ze voelt zich erg thuis bij Davids familie. Ze zal daar ook veiliger zijn dan in mijn gezelschap, denk ik. Per slot van rekening hebben ze het op mij voorzien, niet op haar.'

'Hoe denk je weg te kunnen glippen?'

'Ik heb een idee. Als het allemaal lukt zie ik je overmorgen in Albuquerque. Wat zullen we afspreken, zondagmiddag in het winkelcentrum in het oude gedeelte van de stad?'

'Mij best, maar weet je het heel zeker?'

'Ja. Ik ben het zat om de hele tijd hiermee in mijn jaszak te moeten rondlopen.' Ze haalde het wapen te voorschijn dat Frank op de avond van zijn borrel in haar jaszak had gestopt.

Paul zette grote ogen op.

'Ergens moet je een grens trekken, Paul,' zei ze grimmig. 'Laten we die ellendelingen in hun kladden grijpen zodat ze ons niet meer lastig kunnen vallen.'

Hij knikte. 'Ik doe met je mee.'

16

Twee dagen later was Mariah al vroeg op de luchthaven van Boston om haar vliegticket naar Washington D.C. op te halen. Ondanks het vroege uur was het al vrij druk op Logan Airport; hoewel de kerstvakantie officieel pas over twee weken begon, was de grote uittocht al begonnen.

Zuchtend wierp ze een blik om zich heen. Een eindje verderop zag ze een man met een krant die achteloos tegen de muur geleund stond – het was een van de twee agenten die haar de afgelopen dagen hadden geschaduwd. Als het ging zoals ze verwachtte, zou hij wachten tot ze was ingestapt. Dan zou hij haar bestemming doorbellen, zodat ze bij aankomst in Washington meteen weer door een ander zou worden opgepikt.

Ze had tegen Lindsay en de Tardiffs gezegd dat ze terug naar huis moest om nog het een en ander op haar werk te doen en om een paar dingen voor kerst op te halen die ze thuis had laten liggen. Davids ouders hadden allang gemerkt dat ze rusteloos was en vermoedden dat ze even een paar dagen alleen wilde zijn. Lindsay had er in eerste instantie van opgekeken, maar voelde zich genoeg thuis bij haar grootouders om het niet erg te vinden.

'Ik had een ticket besteld voor de vlucht van zeven uur naar Washington-Dulles,' zei ze toen ze eindelijk aan de beurt was. 'Op naam van Mariah Bolt.' Ze trok haar creditcard te voorschijn en gaf hem aan de man achter de balie.

'Bolt... Even kijken, ja. Bolt, hier heb ik hem,' zei de man. Hij keek op van zijn beeldscherm en glimlachte. 'Hebt u ook bagage bij u, Ms. Bolt?'

Ze hield haar attachékoffertje omhoog. 'Alleen handbagage.'

'Mooi.' Hij gaf haar haar creditcard en ticket. 'Dat wordt dan vluchtnummer 381. Via de controle naar gate 21. Over vijf minuten kunt u aan boord. Ik wens u verder een goede reis.'

'Dank u.'

Mariah stak de vertrekhal over en begaf zich in de richting van de gates. Vlak voor de controlepost liep ze de toiletten binnen. Eenmaal op het toilet zette ze haar koffertje neer en pakte ze Franks pistool en een rol plakband uit haar jaszak. Ze haalde de plastic zak uit het vuilnisbakje, bevestigde het vuurwapen met een stuk plakband op de bodem en hing de zak weer terug op zijn plaats. Vervolgens stopte ze de rol plakband in haar koffertje, trok door en verliet het toilet.

Nadat ze langs de controle was gelopen, bleef ze even bij een kiosk staan. Uit haar ooghoeken zag ze dat haar achtervolger zijn identiteitsbewijs aan een van de mannen van de bewakingsdienst toonde. Hij liep niet door de elektronische poort, wat erop duidde dat hij gewapend was. Ze stond nog steeds bij de kiosk toen hij voorbijliep en niet ver van de gates zijn krant ging zitten lezen.

Tegen de tijd dat ze bij gate 21 aankwam, werd er omgeroepen dat de passagiers met bestemming Washington-Dulles aan boord konden gaan. Ze bleef dralen tot iedereen in de rij stond en sloot toen achteraan. Nadat de grondsteward een reepje van haar instapkaart had afgescheurd liep ze langzaam achter de andere passagiers aan naar de ingang van het vliegtuig. Zodra ze uit het zicht was van de vertrekruimte, zag ze haar kans schoon. Ze wachtte tot het moment waarop de stewardess bij de ingang werd afgeleid door de aankomende stroom passagiers en schoot een dienstingang in. Daarna haastte ze zich de trap af naar de landingsbaan. Eenmaal beneden liep ze onder het vliegtuig door naar de bagageterminal, waar ze, nonchalant tegen de muur leunend, naar het vliegtuig ging staan kijken.

'Hé daar! Wat moet dat?'

Toen ze opkeek zag ze een man in een uniform van de luchthaven op zich afkomen. Ze negeerde hem tot hij pal voor haar stond.

'Zeg, dame. Wat doet u hier als ik vragen mag? U hebt hier niets te zoeken.'

'Neemt u me niet kwalijk, maar u blokkeert mijn uitzicht,' zei ze koeltjes.

'Nee maar, pardon zeg!' zei de man sarcastisch. 'Als u niet snel met een goede verklaring over de brug komt, stuur ik de luchtavenpolitie op je dak.'

Zonder haar blik van het gereedstaande vliegtuig af te wenden hield ze hem een geplastificeerd kaartje onder de neus. 'CIA,' zei ze. 'We hebben hier een vip aan boord zitten. Een overloper om precies te zijn, maar ik zou het op prijs stellen als u die informatie voor u wilt houden. We moeten ervoor zorgen dat hij straks veilig en wel in Washington aankomt.'

De man pakte het identiteitsbewijs en vergeleek haar gezicht met de pasfoto die erop stond.

Ze stak haar duim omhoog. 'Wilt u de vingerafdruk soms ook nog even vergelijken?'

De man gaf het kaartje terug, waarop ze het weer in haar zak stak.

'Nee, dat hoeft niet.' Hij keek naar het vliegtuig en vervolgens weer naar haar gezicht. 'CIA, hè? Toch vreemd dat ik daar niets over heb gehoord.'

Ze wierp een blik op zijn naamplaatje en keek toen weer naar het vliegtuig. 'Het spijt me, Mr. Figueroa. Uw alertheid is lovenswaardig, ik kan niet anders zeggen.' Ze boog zich naar hem toe zonder haar blik van het vliegtuig af te wenden. 'De man die nu naar Washington wordt getransporteerd, heeft al twee aanslagen op zijn leven overleefd, moet u weten. U begrijpt dus waarom we zo weinig mogelijk ruchtbaarheid aan deze operatie hebben gegeven,' vertrouwde ze hem op gedempte toon toe.

'Het is niet waar,' fluisterde de man vol ontzag. Hij keek nu ook naar het vliegtuig. Toen wierp hij haar een zijdelingse blik toe. 'Neem me niet kwalijk dat ik het zeg, hoor, maar ik zie zo'n klein vrouwtje als u toch niet echt een grote vent tegenhouden.'

Ze glimlachte geheimzinnig. 'Het gevaar komt vaak uit een hoek waar je het het minst verwacht, Mr. Figueroa,' zei ze fijntjes. 'Ik ben goed getraind, dat kan ik u verzekeren. Bovendien ben ik natuurlijk niet de enige die zijn veiligheid moet waarborgen. Het wemelt hier van onze mensen, zowel op de luchthaven als in dat vliegtuig. Pas als die kist goed en wel in de lucht zit, kunnen we weer ademhalen.'

'Tjonge,' mompelde Figueroa.

Op dat moment begonnen de motoren te loeien, en even later taxiede de Boeing 737 over de baan.

Mariah slaakte een diepe zucht. 'Hè, hè. Dat hebben we dan ook weer gehad. Nu is hij andermans probleem.' Ze draaide zich glimlachend om naar Figueroa. 'Er zijn van die dagen waarop ik mezelf afvraag of ik niet beter trapezewerker in een circus had kunnen worden als ik zonodig behoefte heb aan spanning in het leven,' verzuchtte ze.

De man glimlachte terug. 'Nou, het lijkt me anders een machtig interessante baan, hoor. CIA...' Hij schudde zijn hoofd. 'Ik kan er maar niet over uit – ik zou het nooit achter u gezocht hebben.'

'Kunt u me de dienstlift even wijzen, Mr. Figueroa? Ik moet langzamerhand weer terug naar kantoor.'

'Zeker, zeker. Komt u maar mee.' Hij ging het gebouw binnen. Iemand floot.

'Hé Fig!' hoorde Mariah iemand roepen. 'Is dat soms je nieuwe vriendin?'

'Niets van aantrekken,' zei Figueroa op geruststellende toon. 'Die jongens hebben geen idee waar je tegenwoordig allemaal niet op moet letten.' Hij drukte op een knopje waardoor de liftdeuren opengingen. Toen stapte hij de lift binnen, stak een sleutel in het slot op het knoppenpaneel en draaide hem om. 'Zo. Als u dadelijk uitstapt, staat u direct in de hal,' zei hij, de sleutel weer in zijn zak stekend. 'Leuk u te hebben ontmoet.'

'Insgelijks,' zei ze. 'Enne, denk eraan: mondje dicht over onze overloper, hè?' voegde ze er op samenzweerderige toon aan toe.

Figueroa trok een ernstig gezicht en knikte plechtig.

Ze glimlachte. 'Uw medewerking zal zeker genoteerd worden, Mr. Figueroa.'

Zodra de liftdeuren dicht waren, liet ze zich opgelucht tegen de wand aan vallen. Boven in de hal zag ze op de beeldschermen dat haar vliegtuig naar Washington vertrokken was. Zich verschuilend tussen een groep basketbalspelers begaf ze zich weer naar de controle. Ze kwam er net aan op het moment dat haar achtervolger terugkeerde van de gates. Hij wierp zijn krant nonchalant in een vuilnisbak en liep in de richting van de uitgang, waarop ze rechtsomkeert maakte naar de balie van Air West om een ander vliegticket te gaan kopen.

'Goedemorgen,' zei de man achter de balie. 'Waarmee kan ik u van dienst zijn?'

'Ik moet naar Albuquerque en ik had begrepen dat er vanochtend een vlucht zou gaan.'

De man tikte de informatie in en keek op het beeldscherm. 'Dat klopt. Er gaat een vlucht om half acht – via Dallas-Fort Worth, geen directe vlucht dus. Aankomst in Albuquerque kwart voor elf plaatselijke tijd.'

Ruim op tijd, dacht ze, mits het vliegtuig op tijd vertrok en de aansluiting ook. 'Laat ik dat dan maar doen.'

'Enkele reis of retour?'

'Enkele reis graag. Ik weet nog niet precies wanneer ik terugga.'

'Naam?'

'Diane Tardiff.'

'Kunt u uw achternaam even spellen, alstublieft?'

Ze betaalde met de American Express Card die ze sinds Davids ongeluk in haar portemonnee had zitten. Hij stond op naam van D.J. Tardiff; in de loop van de tijd was ze een kei geworden in het vervalsen van zijn handtekening – het was wel zo gemakkelijk bij het voldoen van allerlei rekeningen, en zolang er maar genoeg op de bank stond kraaide er geen haan naar.

'Alstublieft,' zei de man even later. 'Uw vluchtnummer is 292; gate 47. Tegen de tijd dat u daar bent, zult u waarschijnlijk meteen aan boord kunnen. Goede reis.'

Ze bedankte hem en liep voor de tweede keer die ochtend naar de toiletten. Tot haar ongenoegen hing er een geel bordje op de deur met daarop de woorden: SCHOONMAAKWERKZAAMHEDEN, GEEN TOEGANG. Ze aarzelde, dacht een ogenblik na en pakte toen een papieren zakdoek uit haar zak. Toen bracht ze een hand naar haar hals. Ze schoof een vinger onder het verband en krabde de wond open, waarna ze de zakdoek ertegenaan hield. Met de bebloede zakdoek tegen haar neus gedrukt stormde ze de toiletten binnen.

'Sorry,' mompelde ze tegen de verbaasd opkijkende schoonmaakster. 'Mag ik even, ik heb opeens een bloedneus.'

De oudere vrouw knikte. 'Toe maar, dame. Het is wel goed, hoor.'

Ze bleef met een bezorgd gezicht staan toekijken hoe Mariah een papieren handdoekje natmaakte en tegen haar neus aan drukte.

'Gaat het weer een beetje?'

Mariah knikte, waarop de vrouw haar schoonmaakkarretje voor het volgende hokje zette – uitgerekend het hokje waar Mariah het wapen had verstopt. Mariah hield haar adem in en sloeg via de spiegel de handelingen van de schoonmaakster nauwlettend gade.

Nadat ze de wc-bril had afgenomen, opende ze het vuilnisemmertje en haalde ze de halfvolle zak eruit, die ze vervolgens in de grote vuilniszak aan haar kar liet vallen. Toen deed ze een nieuwe plastic zak in de emmer. Ze vouwde de zak netjes over de rand en boog zich voorover om de bodem van de zak omlaag te drukken.

Op dat moment liet Mariah haar koffertje op de grond vallen. De schoonmaakster draaide zich geschrokken om en kwam haastig toegesneld toen ze zag dat Mariah over de wastafel gebogen stond.

'Dame, dame! Gaat het wel goed?'

Mariah richtte zich weer op en glimlachte verlegen. 'Ja, hoor. Ik... Ik werd even duizelig, niets aan de hand.'

'Weet u het zeker? Moet ik niet even een dokter gaan waarschuwen?'

'Nee, echt niet. Het gaat wel weer. Ik moet gewoon even gaan zitten,' zei Mariah. Ze draaide zich om en ging op de rand van de wc zitten die de vrouw zojuist had schoongemaakt. 'Maakt u zich maar geen zorgen, echt,' zei ze schaapachtig. 'Ik kan gewoon niet goed tegen bloed. Kijk, het bloeden is gestopt. Laat me nog even bijkomen.'

De schoonmaakster bleef nog even aarzelend staan kijken en

reikte Mariah toen haar koffertje aan.

'Dank u wel. Laat me u niet van uw werk afhouden. Het spijt me dat ik u last heb bezorgd.'

'Niet erg,' bromde de vrouw, waarna ze haar karretje verplaatste en in het hokje ernaast verdween.

Zodra de vrouw uit het zicht was, sloot Mariah de deur. Toen er allerlei schoonmaakgeluiden uit het hokje ernaast kwamen, haalde ze vliegensvlug de plastic zak uit het emmertje. Daarna peuterde ze het plakband los en haalde ze het wapen eruit. Ze deed de plastic zak weer terug, wierp het gebruikte plakband erin en stopte het wapen in haar jaszak. Even later verliet ze met een dankbare glimlach naar de schoonmaakster de toiletten en vervolgde ze haar weg.

Bij de controle aarzelde ze even. Toen haalde ze diep adem en stapte ze voor de tweede keer die ochtend op de controle af.

'Goedemorgen,' zei de man.

Ze hield hem haar identiteitsbewijs voor. Hij wierp er net een blik op, toen hij werd afgeleid door een enorm gekrijs iets verderop. Een wanhopige moeder met een baby op de arm deed vergeefse pogingen om haar twee andere kleine kinderen voor zich uit door het poortje te laten lopen. Een ervan vertikte het echter. Hij klemde zich vast aan een van haar benen en schreeuwde zijn longen uit zijn kleine, boze lijfje, terwijl zich achter hen een lange rij ongeduldige passagiers begon te vormen.

De veiligheidsbeambte wendde zich weer tot Mariah, wierp nogmaals een blik op haar papieren en gebaarde dat ze door mocht lopen, waarna hij de moeder te hulp schoot. Opgelucht liep Mariah langs het elektronische poortje, in gedachten de hemel dankend voor de beruchte weerbarstige periode in het leven van tweejarige peuters.

☙

'Er heeft zich een gegadigde gemeld,' zei Dieter Pflanz.

Hij stond samen met George Neville toe te kijken hoe Nancy McCord, angstvallig gadegeslagen door haar echtgenoot, op een brancard de privé-jet in werd gereden.

'O ja? Wie dan?'

'Een tot nu toe onbekende fundamentalistische groep met een politieke agenda,' antwoordde Pflanz. 'Ze zijn op zoek naar een manier om de aandacht van de wereld op zichzelf te vestigen. Khadafi's mensen waren kennelijk zo onder de indruk van onze Operatie Madeira, dat ze ons hebben aanbevolen.'

'Dat is mooi. Zijn jouw mensen al op de hoogte?' vroeg Neville.

'Alles is tot in de puntjes geregeld. Morgen zullen de onderhandelingen beginnen en kan de cliënt de goederen komen bekijken.'

'Niet te geloven,' zei Neville hoofdschuddend. 'Dat het nu toch werkelijk gaat lopen.'

'Ja. Tenminste, als niemand zich op het laatste nippertje bedenkt en als jij jouw mensen onder controle weet te houden. Hoe is het eigenlijk afgelopen met dat mens van Bolt en die journalist?'

'Zij blijft tot na de feestdagen bij haar schoonouders in New Jersey, en die Chaney is naar zijn ouwelui in Phoenix. Het spreekt voor zich dat we ze laten schaduwen.' Dat ze er twee dagen geleden allebei in waren geslaagd hun bewakers van zich te schudden hield Neville wijselijk voor zich. Per slot van rekening was er niets gebeurd, en sindsdien werden ze weer vierentwintig uur per dag geschaduwd. 'Heb je al gehoord wat er met Rollie Burton is gebeurd?' vroeg hij.

Pflanz knikte. 'Ja. Treurig, hè? Het was zo'n goede kerel.'

Neville keek hem een ogenblik scherp aan en wendde toen zijn blik af. 'Tja.' Hij gebaarde naar de ziekenwagen waarmee Nancy McCord naar het vliegveld was vervoerd. 'Wat moeten we hiermee? Zal het nog gevolgen hebben voor de operatie, denk je?'

Pflanz schudde zijn hoofd. 'McCord volgt het allemaal nauwgezet, maar de dagelijkse verantwoordelijkheden heeft hij aan mij overgedragen. Hij is van plan om ermee door te gaan, dus maak je daar maar niet ongerust over.'

'O, gelukkig. Dat gedoe met zijn vrouw moet er anders flink inhakken,' merkte Neville op.

'Zeker,' gaf Pflanz toe. 'Maar onderschat hem niet; hij is een taaie rakker.'

'Wat denk je, is hij nog steeds van plan om een gooi naar het presidentschap te doen?'

'Valt niets over te zeggen,' mompelde Pflanz peinzend. 'Als je het me een paar dagen geleden had gevraagd had ik ja gezegd, maar nu zou ik er geen geld op durven inzetten. Als zijn vrouw het niet aankan, dan zal hij ervan afzien, denk ik.'

Neville knikte. 'Je vraagt je af waarom iemand überhaupt iets te maken wil hebben met die idioten daar op Capitol Hill. Ik zou zeggen dat hij in zijn huidige positie veel meer kan bewerkstelligen dan wanneer hij eenmaal op het Witte Huis zit.'

'Helemaal mee eens,' bromde Pflanz.

***

Met een geamuseerde glimlach bekeek Mariah de ouderwetse hoed die samen met een citroengeel polyester windjack op de passagiersstoel lag toen ze bij Paul in de auto stapte. Niet bepaald het soort kleding waarin Paul Chaney graag gezien zou willen worden, dacht ze.

'Heb je soms een nieuwe kledingadviseur?' vroeg ze, de hoed op zijn hoofd zettend. 'Wat zouden je fans hier niet van vinden, zeg.'

Hij wierp een blik in zijn spiegeltje, trok een gek gezicht en zette de hoed weer af. Er kwam een wolk wit poeder uit, dat hij haastig uit zijn haren schudde. 'Allemaal spullen van mijn vader,' verklaarde hij. 'Met talkpoeder in mijn haren en een oude bril van hem op mijn neus ben ik gisteravond uit Phoenix vertrokken. Mijn oppas had niets in de gaten.'

'Is dit soms ook de auto van je ouders?'

Hij knikte. 'Mijn huurauto heb ik daar laten staan. Ik heb met mijn vader afgesproken dat hij zich vandaag niet zou laten zien. Toen ik vanochtend mijn moeder aan de telefoon had, hoorde ik dat het huis nog steeds in de gaten wordt gehouden. Ze hebben dus niets door.'

'Niet zo verstandig om te bellen. Straks blijkt dat de telefoon wordt afgetapt.'

'Welnee,' zei hij luchtig. 'Ik heb een code met ze afgesproken. Ik heb met een verdraaide stem gebeld en gedaan of ik van een tapijtreinigingsbedrijf was. Als die kerels er nog stonden zou ze zeggen dat ze het tapijt kortgeleden had laten doen. Was ze op mijn aanbod om langs te komen ingegaan, dan zou ik hebben geweten dat mijn verdwijning was ontdekt.'

Ze sloeg haar ogen ten hemel. 'Vinden ze dat dan niet raar, dat geheimzinnige gedoe?'

'Integendeel. Ze vinden het reuze spannend allemaal. Eindelijk gebeurt er weer eens iets leuks in hun anders zo saaie bestaan.' Hij grinnikte. 'Mijn moeder zat vroeger altijd in allerlei actiegroepen die zich tegen de gemeente richtten en vindt niets heerlijker dan de overheid dwarsbomen. Mijn ouweheer heeft zijn halve leven bij de krant gewerkt en weet in wat voor vreemde bochten je je soms moet wringen voor een sappig verhaal.'

'Is het jou daar soms om te doen? Een sappig verhaal?' vroeg ze argwanend.

'Je weet best dat dat niet zo is,' antwoordde hij ernstig.

Ze keek hem aan en knikte.

'Vertel, welke kant gaan we op?' vroeg hij bij het verlaten van de parkeerplaats.

'Rechtsaf,' antwoordde Mariah, turend op de kaart die hij haar had gegeven. 'We nemen eerst de Interstate 25 naar Santa Fe, en vandaaruit Route 68 naar Los Alamos. Ik wil trouwens ook wel even de plaats zien waar die vijf wetenschappers zijn omgekomen.'

'Gisteren ben ik in de archieven van de Phoenix Star gedoken,' vertelde Paul. 'Mijn vader heeft daar een oude vriend zitten, zodoende. Helaas hadden ze niet veel meer informatie over het ongeluk dan wat er in het artikel in de Washington Post stond.'

'Maar je bent wel iets nieuws te weten gekomen?'

'Jawel. Het ongeluk gebeurde net ten zuiden van Taos. Ze schijnen vlak daarvoor uitgebreid in een café hebben zitten borrelen.'

'Hè? Zijn ze dat hele eind naar Taos gegaan alleen om iets te drinken?'

'Kennelijk.' Chaney haalde zijn schouders op. 'Eerder die avond was er een diner geweest ter ere van de Russische gasten. Na het eten hadden Kingman, Bowker en de drie Russen behoefte om ergens nog even wat te gaan drinken.'

'Maar waarom in vredesnaam helemaal in Taos?' riep ze uit. 'Dat ligt bijna negentig kilometer van Los Alamos!'

'Misschien zijn er in Los Alamos geen leuke kroegen. Kan dat?'

'Dat zou kunnen. Het staat nu niet bepaald bekend om zijn bruisende nachtleven,' gaf ze toe, 'maar dan hadden ze beter naar Santa Fe kunnen gaan, dat is half zo ver.'

'Dat is inderdaad wel een beetje vreemd.' Hij geeuwde.

'Zal ik het stuur overnemen? Jij hebt al de hele nacht door gereden.'

'Nee, dat hoeft nog niet. Ik heb vanochtend bij aankomst een paar uur geslapen. Ik rij door tot Santa Fe, dan wisselen we, goed?' Hij wierp haar een zijdelingse blik toe. 'Heb je al kans gezien om het Chaucer-dossier te bekijken?'

'Ja, eindelijk.' Ze fronste haar voorhoofd. 'Ik ben toch nog op een aantal hiaten gestuit. Zo wordt er gerefereerd aan bepaalde telefoongesprekken tussen Operations en het sectiehoofd Wenen, maar de inhoud ervan is nergens opgetekend.'

'Operations? Mr. George Neville?'

Ze staarde hem verwonderd aan.

'Ik heb hem zien getuigen voor de onderzoekscommissie van de Senaat, en op het feestje van je baas kwam ik hem weer tegen,' verklaarde hij, duidelijk erg ingenomen met zichzelf.

'Nou, zeg. Waarom heb je niet gezegd dat je wist wie hij was?'

'Jij had toch gezegd dat ik me van de domme moest houden? Nou, dat heb ik ook gedaan. Maar ik zal je eens wat anders vertellen, Mariah. Die oude vriend van mijn vader bij de Phoenix Star zat in Saigon ten tijde van het begin van de oorlog in Vietnam, en hij wist me te vertellen dat Neville en Pflanz, die gorilla van McCord, daar indertijd gestationeerd waren. Hij was wel eens met ze wezen stappen. Pikant detail: in diezelfde tijd werd Burton uit de gelederen gestoten. Het blijkt dus één grote familie te zijn.'

'Ik wist dat die huichelaar van een Neville niet te vertrouwen was,' brieste ze. 'De stukjes beginnen nu eindelijk op hun plaats te vallen.'

'O ja? Hoe dan?'

'Nou, luister maar. Baranova's informatie over dat geheime onderzoeksinstituut moest eerst gecontroleerd worden. Haar verhaal werd bevestigd – dat wist ik in Wenen al, anders had ik nooit toestemming gekregen om door te gaan met haar.' Ze schraapte haar keel alvorens verder te gaan. 'Wat ik niet wist, was dat Operations een geheim agent – codenaam Pilgrim – had gestuurd om wat follow-upwerk te doen; wat precies is niet duidelijk. Ik vond wel een fax van Neville aan het sectiehoofd met de mededeling dat Pilgrim in Wenen was aangekomen en het verzoek om hem volledige medewerking te verlenen, maar zich verder niet met hem te bemoeien.'

'Pflanz,' zei Paul. 'Pflanz is Pilgrim, wedden? Dat verklaart waarom ik hem in Wenen zag rondsluipen.'

'Lijkt me zeer plausibel, ja.' Ze beet op haar onderlip.

'Wat is er?' vroeg hij toen hij haar aarzeling merkte.

'Ook zij wisten het dus van David en Katarina Müller,' zei ze op sarcastische toon. 'Iedereen wist ervan. Het sectiehoofd, Neville, Pilgrim, Frank Tucker.' Ze keek hem strak aan. 'Jij. Wat klassiek. De hele wereld wist het behalve ik – degene die er met zijn neus bovenop zat.'

'Mariah –'

'Het doet er niet toe, Paul. Het was ook niet aan jou om het me te vertellen; zij hadden me ervan op de hoogte moeten brengen, stelletje rotzakken!' Ze staarde kwaad uit het raampje.

'Merkwaardig eigenlijk dat niemand dat gedaan heeft,' mompelde hij. 'En dat ze jou wel gewoon hebben laten doorgaan met Baranova. Gezien het feit dat jij ineens een risicofactor was, zou je dan toch verwachten dat ze er iemand anders op zouden hebben gezet.'

'Die gedachte is ook bij mij opgekomen, maar volgens het dossier werd zowel ons appartement als onze auto afgeluisterd – en Davids kamer op kantoor,' zei ze. 'Ze schijnen hem erover op het matje te hebben geroepen. Hij werd gechanteerd door Müller, zei hij.'

'Zo, gechanteerd. Waarmee?'

Ze haalde haar schouders op. 'Dat vermeldt het dossier niet – een van de vele hiaten. Het enige wat ik kon bedenken, was dat ze hebben gedreigd om Lindsay en/of mij iets aan te doen. Ik kan me niet voorstellen dat David er anders in mee was gegaan.'

'Hoe is dat verder afgelopen?'

'Ze hebben hem gezegd er dan maar mee door te gaan en uit te zoeken wat ze precies wilde. O, ik kwam trouwens nog iets interessants tegen. Een paar maanden daarvoor moest David naar Moskou voor het IAEA, en raad eens wie hij daar ontmoette?'

'Nou?'

'Yuri Sokolov, de kernfysicus die hier een paar weken geleden omkwam bij het auto-ongeluk.'

'Bingo!'

Ze knikte. 'David heeft het me nooit verteld omdat hij wist dat ik me verplicht zou voelen om er melding van te maken, maar Sokolov schijnt zijn spijt te hebben betuigd over het feit dat hij had meegewerkt aan het kernwapenprogramma.' Ze trok een grimas. 'Dertig jaar na dato krijgt hij opeens last van zijn geweten, hoe vind je zoiets? Enfin, David kaartte dat aan bij een paar van zijn collega's, en je raadt het nooit – een van hen blijkt een informant van een van onze agenten.'

'Aha! Dus toen Katarina Müller David lastig ging vallen, vermoedden jouw collega's natuurlijk dat ze door de KGB gestuurd was om van hem te weten te komen of Sokolov wel loyaal was.'

'Precies.'

'Maar als Sokolov verdacht werd van affiniteit met het Westen, is het dan niet vreemd dat ze hem zomaar naar de States laten gaan?'

Ze knikte. 'Heel vreemd, maar het is nog vreemder als je weet dat die Borodin en Guskov, die ook bij dat ongeluk omkwamen, op aandringen van Sokolov zijn meegegaan.'

'Ik begrijp er hoe langer hoe minder van.'

'Nou, dan heb ik nog wat voor je. Ik heb persoonlijk niet het idee dat Katarina Müller achter David aan zat om iets over Sokolov te weten te komen.'

'O nee? Hoezo?'

'Ze schijnt namelijk nooit een balletje te hebben opgegooid,' antwoordde ze. 'Ik vond een fax van het sectiehoofd Wenen naar Operations waarin hij zijn frustratie uitte over het feit dat David de indruk had dat het haar helemaal niet te doen was om welke informatie dan ook.'

'Jij denkt dus dat ze gewoon helemaal hoteldebotel van hem was?'

'Wie zal het zeggen? Verdomme, Paul! David wilde van haar af, maar hij moest er van hen mee doorgaan. Ze lieten hem in zijn sop gaarkoken, en ik ook, toen hij kenbaar maakte weg te willen uit Wenen en ik niet wilde. Als hij me had verteld wat er aan de hand was, dan zouden we de volgende dag meteen zijn afgereisd. Ze hadden ons immers nooit kunnen dwingen om te blijven.'

'Maar wat had hij dan tegen je moeten zeggen? Op dat moment zat hij er al tot over zijn oren in. En David kennende,' voegde Paul eraan toe, 'zou hij alles hebben gedaan om te voorkomen dat jij erachter kwam. Hij was als de dood dat hij anders jou en Lindsay kwijt zou raken.'

'Hij had meer vertrouwen in me moeten hebben,' mompelde ze somber. 'We waren er heus wel uitgekomen. Nu is hij alles kwijt.'

Dieter Pflanz kwam net zijn kantoor in Newport Center binnen, toen het geheime telefoontoestel in de kast achter zijn bureau rinkelde.

'Ze zijn ontsnapt,' zei Neville, nadat Pflanz had opgenomen en de vervormer in werking had gesteld.

'Wie?'

'Mariah Bolt en Paul Chaney.'

Pflanz vloekte hartgrondig. 'Waar? Wanneer?'

'Chaney in Phoenix, gisteravond, denken we. Bolt is vanochtend in Boston op het vliegtuig naar Washington gestapt, maar daar is ze nooit aangekomen.'

'Hoe kan dat nou? Je wilt toch niet suggereren dat ze er onderweg met een parachute uit is gesprongen?'

'Nou, nee. Het is me ook een raadsel. We hebben ook geen idee waar ze zou kunnen zijn. Het creditcardonderzoek heeft nog niets opgeleverd. Als ook Chaney niet was verdwenen, zou ik hebben gedacht dat ze misschien ontvoerd was.'

'En hoe zit dat met Chaney?'

'Ook spoorloos,' verzuchtte Neville. 'Verliet gisteren per auto het huis van zijn ouders – alleen, dat weten we wel.'

'En jouw mannetjes hebben hem niet weg zien gaan?' vroeg Pflanz vol ongeloof. 'Wie heb je daarheen gestuurd, George? Een paar blinde mollen soms? Alles in het kader van gelijke kansen voor iedereen of zo?'

'Moet je horen, het was donker en Chaney had zich vermomd als zijn vader,' snauwde Neville geïrriteerd. 'Mijn mannen wisten van niets tot de oude man vanochtend de deur uit kwam en ze vriendelijk toezwaaide.'

'Tjonge, wat zal die kerel in zijn vuistje hebben gelachen. Verdomme, George! Je maakt er wel een zooitje van, zeg.'

'Dit soort opmerkingen hoef ik van jou niet te pikken, Dieter. Ik bel je alleen maar om je te zeggen dat jij je mannen kunt waarschuwen om naar ze uit te kijken. Op de luchthaven van Phoenix wordt uitgekeken naar de wagen van Chaneys ouweheer, en tegelijk zoeken ze uit of hij niet op het vliegtuig is gestapt. Maar voor hetzelfde geld is hij er met de auto –'

'Ja, met de auto kan hij natuurlijk overal heen zijn gegaan – bijvoorbeeld naar New Mexico,' viel Pflanz hem ongeduldig in de rede. 'Kan het zijn dat die Bolt daarheen een vliegtuig heeft genomen?'

'Dat wordt al uitgezocht. Misschien is het handig als jij daar maar vast naartoe gaat.'

'Ik ben al weg. Je weet hoe je me in de bedrijfsjet kunt bereiken. Laat het me weten als je iets hebt.'

Bij een benzinepomp iets voorbij Santa Fe stopte Paul om te tanken. Mariah stapte uit en strekte haar stijf geworden ledematen. Ze was vanaf vanochtend vroeg onderweg, en de reis was nog lang niet ten einde. Ze keek op haar horloge. Zo rond drie uur zouden ze in Taos kunnen zijn, berekende ze, waarna ze haar horloge afdeed om het aan te passen aan de plaatselijke tijd.

Terwijl Paul aan het tanken was, ging ze het wegrestaurantje binnen om koffie en broodjes te kopen. Wachtend voor de kassa wierp ze een blik op de voorpagina van USA Today. Er stond een interview in met Khadafi waarin hij Washington ervan beschuldigde de rest van de wereld de wet te willen voorschrijven nu de macht van Moskou tanende was. Hij riep alle vrijheidslievende volkeren ter wereld op om '...het Amerikaanse imperialisme uit te roeien, waarbij geen middel dient te worden geschuwd, zelfs terroristische acties niet'.

Ze besloot een exemplaar mee te nemen. 'Khadafi is weer bezig,' zei ze, toen ze even later achter het stuur kroop. Ze wierp Paul de krant toe, startte de auto en reed plankgas in de richting van Taos.

Nippend aan zijn koffie las Paul vluchtig het interview door. 'Als hij zegt "geen middel", dan meent hij het,' mompelde hij hoofdschuddend. 'En dan staat er ergens een krakkemikkige kast met twintigduizend kernkoppen die bewaakt wordt door mensen die niet genoeg te eten hebben. Dat vraagt om moeilijkheden.'

Ze knikte instemmend. 'Zo'n wapenarsenaal – het is toch te gek om los te lopen. Het ergste van alles is dat we er zelf mee begonnen zijn. De hemel weet welke prijs we er uiteindelijk voor zullen moeten betalen.'

Chaney vouwde de krant dicht en nam een hap van zijn broodje. 'Ik heb me er altijd over verbaasd dat David ooit betrokken is geweest bij de ontwikkeling van kernwapens. Hoe komt zo'n integere kerel als hij daar in vredesnaam terecht?'

'Die jongens rollen er gewoon in. Ze zijn zo gefascineerd door de mogelijkheden van het atoom, dat ze voor ze het weten volkomen verstrikt raken in het onderzoek naar destructieve wapens. In het lab wordt er ook niet over bommen of wapens gesproken. Ze hebben het over "speeltjes".'

'Maar ze moeten toch wel enig idee hebben van de ellende die de "speeltjes" die ze construeren, kunnen veroorzaken?'

'Hebben ze ook wel, soms,' antwoordde ze. 'Maar tegen die tijd zijn ze al zo geïndoctrineerd en verdienen ze zulke astronomische salarissen, dat ze altijd wel een manier vinden om hun werkzaamheden te rechtvaardigen. De democratie moet toch verdedigd worden; we moeten anderen toch een stap voor blijven; je kent het wel, dat soort argumenten.'

'Waarom is David ermee opgehouden?'

'Ik hou mezelf het liefst voor dat hij dat om mij heeft gedaan, maar dat is niet zo. Toen hij naar Los Alamos ging, ben ik meegegaan, maar ik hield het er niet uit. Hij is er toen nog twee jaar gebleven.'

'Wat heeft hem dan van gedachten doen veranderen?'

'Er gebeurde een ongeluk in het lab waarbij een van zijn collega's aan een grote dosis radioactieve straling werd blootgesteld – een jongen van drieëntwintig. Hij overleed twee weken later na een afschuwelijke lijdensweg. David was er kapot van, en kort daarop heeft hij ook ontslag genomen.'

'Ik heb inderdaad wel eens gehoord dat dat een afschuwelijke dood is,' mompelde hij peinzend. 'Je teert als het ware van binnenuit weg.'

Ze knikte. 'Radioactieve straling tast het vermogen om nieuwe cellen aan te maken aan. De meeste van onze lichaamscellen sterven doorlopend af, en als er dan geen nieuwe worden gevormd heb je een probleem.'

Ze zweeg een ogenblik. 'In eerste instantie was er niets aan die jongen te zien, vertelde David, maar ze kwamen er al gauw achter dat hij ten dode opgeschreven was. Een paar uur later was hij al doodziek. In de daaropvolgende dagen kreeg hij overal zweren, hij kreeg inwendige bloedingen en zwol helemaal op. Ze konden niets voor hem doen, behalve hem volpompen met morfine tegen de pijn. De dood zal voor hem een verlossing zijn geweest.'

'Allemachtig, wat een verschrikkelijke manier om dood te gaan.'

'Daarna was David niet meer in staat om weer aan het werk te gaan. Hij nam ontslag, kwam terug bij mij en ging lesgeven aan de universiteit.' Er gleed een glimlach over haar gezicht. 'Ik zal de dag waarop hij ineens weer voor mijn neus stond nooit vergeten,' zei ze. 'Ik was zo ontzettend blij.' Haar glimlach verdween. 'Daarom begrijp ik niet waarom het allemaal zo heeft moeten aflopen.'

☙

Dieter Pflanz was net op de plaats van de copiloot gaan zitten toen een piepje over de intercom aangaf dat er telefoon voor hem was. Hij drukte een knop in en zette een koptelefoon op. 'Ja, hallo?'

'Met mij.'

'Opgepast,' waarschuwde Pflanz.

'Ik weet het,' zei Neville. 'Ik bel om te zeggen dat we een van die twee vermiste ladingen teruggevonden hebben – de kleinste.

Opgeborgen in het verkeerde dossier. De betreffende lading blijkt vanochtend op transport naar Albuquerque te zijn gegaan.'

'Dat is mooi. Ik zal het doorgeven.'

'Ik kan die lading ook ophalen, ik moet er toch heen. Ik spreek je vanavond wel. Mocht jij die andere intussen lokaliseren, dan hoef je geen actie te ondernemen. Wacht maar gewoon tot ik er ben.'

Pflanz fronste zijn voorhoofd.

'Heb je me gehoord?' vroeg Neville.

'Ik heb je gehoord,' gromde Pflanz.

17

'Weet je zeker dat het hier is?' fluisterde ze toen ze met Paul de Trinity Bar betrad. Komend uit het felle zonlicht, duurde het even voordat ze aan de duisternis binnen gewend was.

Er stond een biljarttafel, waaraan twee mannen met cowboyhoeden stonden te spelen. Een stuk of vier anderen zaten of stonden toe te kijken. Uit de luidsprekers klonk het zoete stemgeluid van Garth Brooks. De barkeeper stond glazen te poetsen, intussen kletsend met een vrouw met lange geblondeerde haren die aan de bar hing.

'Hier moet het zijn,' zei Paul. 'Tenzij er nog een andere Trinity Bar in Taos is.'

Er hing een geur van sigarettenrook en verschaald bier en er stonden houten stoelen en formicatafels. Trendy was anders, dacht Mariah. Niet bepaald het soort tent waar je buitenlandse gasten mee naartoe nam en waarvoor je ook nog eens ruim een uur in de auto moest zitten om er te komen.

Met alle ogen op zich gericht liepen ze naar de bar.

'Wat kan ik voor u betekenen?' vroeg de man achter de bar zonder op te houden met poetsen.

Paul hees zich op een barkruk en knikte. 'Geef mij maar een biertje. En jij?' Hij keek Mariah aan.

'Ik doe mee.' Ze volgde zijn voorbeeld.

'Tweemaal,' zei Paul.

Mariah bekeek de kroeg via de grote spiegel achter de bar. De blonde vrouw aan het andere einde keek ook in de spiegel. Ze fatsoeneerde haar haren en veegde wat lippenstift uit haar mondhoek, terwijl ze ondertussen steelse blikken op de nieuw aangekomenen wierp. Achter hen werd het partijtje biljart gewoon voortgezet, maar toch kon ze zich niet aan de indruk onttrekken dat alle oren gespitst waren.

Paul legde geld op de bar. 'Niet erg veel sneeuw hier.'

'Op het moment valt het mee,' zei de barman. Hij zette twee blikjes bier en twee glazen voor hen neer en ging vervolgens verder met glazen poetsen. 'Een paar weken geleden lag er iets meer. Maar wat niet is kan nog komen.'

'Het zou wel jammer zijn voor degenen die straks komen om te skiën,' meende Paul.

'Nou, ze hebben tegenwoordig zulke moderne apparatuur. Als er niet genoeg sneeuw op de hellingen ligt, dan maken ze het gewoon. Zoveel toeristen krijgen we hier trouwens niet te zien.'

Paul nam een slok bier. 'O nee? Ook niet van de hoogvlakte?'

'Uit Los Alamos, bedoel je?'

Paul knikte. 'Komen die hier wel eens?'

De barkeeper schudde zijn hoofd. 'Welnee. Hier komen alleen mensen uit de buurt. De toeristen blijven in het centrum hangen, waar het wat chiquer is allemaal.' Hij haalde zijn schouders op. 'En die lui van het lab zie je hier al helemaal niet. Die leven in hun eigen wereldje.'

'Maar volgens mij zijn er een paar weken geleden wel een paar van die jongens geweest, klopt dat?' vroeg Paul.

'Zijn jullie soms van de politie of zo?'

'Ik ben journalist.' Paul haalde een visitekaartje te voorschijn. 'Paul Chaney van CBN News. En dit is Mariah Bolt.'

Ex-journalist zul je bedoelen, dacht Mariah. Maar misschien was het beter om dat nu maar even niet te zeggen.

'Ik dacht al dat ik je ergens van herkende,' riep de geblondeerde vrouw uit.

Paul glimlachte naar haar en wendde zich toen weer tot de barman. 'We doen onderzoek naar dat ongeluk van laatst waarbij vijf wetenschappers om het leven kwamen. Ik vroeg me af of jullie ons iets konden vertellen over de avond dat ze hier waren.'

De barkeeper haalde zijn schouders op. 'Ik heb geen woord met die lui gewisseld. Dat kun je beter aan Cheryl vragen – zij heeft ze bediend.'

Paul draaide zich om en stak de vrouw zijn hand toe. 'Hallo. Heb je even tijd voor ons, Cheryl? Ik mag zeker wel Cheryl zeggen, hè?'

De vrouw kwam naar hem toe en gaf hem blozend een hand. Ze knikte naar Mariah en richtte haar aandacht vervolgens weer op Paul. 'Cheryl Miller is de naam,' zei ze. 'De politie wilde ook al van alles van me weten. Ik heb ze verteld ze dat ik me die kerels heel goed herinnerde. Een grappig stelletje. Ze vielen nogal op, weet je. Ze zagen er ook zo heel anders uit dan we hier gewend zijn.'

'Hoe wist je dat ze uit Los Alamos waren gekomen?' vroeg Paul.

'Nou, ze hadden van die koffertjes bij zich. Ik ben nog bijna over een gestruikeld. Het scheelde niet veel of ik had een heel dienblad vol bestellingen laten vallen. Bovendien stond de naam van het lab op die dingen.'

'Waren er soms ook Russen bij, dat je weet?'

'Inderdaad,' zei Cheryl, met haar ogen rollend. 'Drie volgens mij. Ze droegen alle drie een splinternieuwe spijkerbroek en een cowboyhoed die ook zo uit de winkel vandaan kwam. Nou, dat kom je hier niet zo vaak tegen, hè, dat kun je zo wel zien.'

'Nee, dat zal wel niet.'

De vrouw keek rond. 'De camera's staan zeker nog buiten? Of komt dit niet op televisie?'

'We zijn bezig met het verzamelen van achtergrondinformatie,' legde Paul uit. 'Ik weet nog niet of er een verhaal in zit. Maar mocht dat het geval zijn, mag ik dan later terugkomen om je een interview af te nemen?'

Cheryl straalde. 'Zeker weten!'

'Geweldig,' zei hij.

Cheryl schoof dichterbij, en de barman toonde nu opeens ook interesse.

Mariah verbeet een grijns. Dit is Paul Chaney op zijn best, dacht ze. Dit is zijn vak, hier is hij goed in. Het grappige was dat zowel mannen als vrouwen erin trapten, dat had ze in Wenen vaak genoeg meegemaakt. Waar zij zich nooit helemaal thuis had gevoeld in het ambassadeurscircuit, scheen Paul in zijn element te zijn. Hij babbelde met iedereen over van alles en nog wat en bezat de gave om zijn gesprekspartners het gevoel te geven dat ze belangrijk waren. Dat was waarschijnlijk ook de reden dat hij zo'n geslaagd journalist was – hij wist deuren te openen die voor anderen gesloten bleven. Het was ook duidelijk dat hij graag met mensen omging en dat hij hun het gevoel gaf dat hij hun vertrouwen niet zou beschamen. Met een schok realiseerde ze zich opeens dat ook zij daarin was gaan geloven.

'Vertel eens, Cheryl,' ging Paul verder. 'Heb je ook met ze gesproken?'

'Nou, niet echt. Gewoon, een babbeltje hier en een geintje daar, je weet wel.'

'Wat waren het voor lui? Waren ze een beetje aardig?'

'Ja, hoor. Vooral die oudere kerel – een Amerikaan. Een goeierd. Ik kreeg een flinke fooi van hem. Die Russen waren ook niet onaardig, hoor. Ze deden een beetje melig, maar het waren geen kwaaie kerels, weet je.'

Ze schudde meewarig het hoofd. 'Het ene moment sta je met ze te geiten en dan gebeurt er dat. Niet te geloven. Vreselijk. Eddie Ortega zei dat er niets te redden viel.'

'Eddie Ortega? Wie is dat?'

Ze wees over haar schouder in de richting van het groepje rond de biljarttafel. 'Een van de spuitgasten die die avond werden opgeroepen,' antwoordde ze. 'Hé, Eddie! Kom even.'

Een boom van een kerel met een lange, zwarte vlecht keek om. Hij keek zijn makkers aan, haalde zijn schouders op en kwam langzaam op de bar toegelopen. Hij had gitzwarte ogen, hoge jukbeenderen en een stem als een klok. 'Ja? Wat is er?'

'Mr. Ortega, mijn naam is Paul Chaney. Ik ben journalist bij CBN News, en dit is Mariah Bolt. We doen onderzoek naar het auto-ongeluk van een paar weken geleden waarbij vijf geleerden om het leven kwamen. Van Cheryl hoorde ik dat u een van de brandweermannen bent die die avond dienst hadden.'

'Klopt.'

'Het schijnt een vreselijk ongeluk te zijn geweest,' zei Paul.

Ortega knikte. 'Kun je wel stellen, ja. De weg werd een dag afgesloten. Ze moesten een heel stuk opnieuw asfalteren.'

'Zijn de stoffelijke resten toen hier naar Taos overgebracht?'

'Welke stoffelijke resten?'

'Nou, die van de vrachtwagenchauffeur en van de vijf wetenschappers.'

'Waren er niet,' baste Ortega.

'Wat vertelt u me nou?'

'Waren er niet. Er was helemaal niets van over.'

'Helemaal niets?' herhaalde Paul verbaasd. 'Mr. Ortega, mag ik vragen hoelang u al brandweerman bent?'

'Volgend jaar maart zeventien jaar.'

'Hm, ongeveer net zo lang als ik journalist ben,' mompelde Paul. 'Op veel plaatsen geweest, veel gezien – veel ellende vooral. Afrika, het Midden-Oosten... Ik heb oorlogen gedaan, vliegtuigongelukken, bomaanslagen. Eén keer een vulkaanuitbarsting. Maar ik heb persoonlijk nog nooit een brand meegemaakt waarbij er niets werd teruggevonden van de slachtoffers.'

Ortega schuifelde ongemakkelijk met zijn voeten en tuurde naar de grond.

'En u, Mr. Ortega? Maakt u wel vaker een brand mee waar naderhand niets terug wordt gevonden, of is er altijd wel iets?'

Het werd opeens doodstil in de kroeg.

'Tanden,' bromde Ortega toen. 'Wolfraam.'

'Wat?' vroeg Mariah.

'Wolfraampinnen. Ze zeiden dat die oudere Amerikaan – Kingman heette hij, of zoiets – aan zijn knieën was geopereerd. Er waren pinnen in gezet. Die dingen zijn van wolfraam gemaakt, een bijna onverwoestbaar metaal dat niet kan smelten.'

'En tanden?' drong Paul aan.

Ortega haalde zijn schouders op.

'Mr. Ortega. Er waren zes mannen betrokken bij dat ongeluk. Samen hadden die kerels minstens honderdvijftig tanden en kiezen. Het kan toch niet dat daar helemaal niets van over is? Zelfs bij een vliegtuigongeluk, waarbij het toch vaak behoorlijk tekeer kan gaan, worden nog tanden of stukjes bot teruggevonden. Of wolfraampinnen, zoals u net al zei.'

'We zijn gaan zoeken,' zei Ortega. 'Maar we moesten ermee ophouden.'

'Van wie?'

'Van de federale politie, de FBI, weet ik het. Dat kun je beter aan de lijkschouwer vragen – als hij tenminste nuchter is.' De reus haalde zijn schouders op. 'Zodra de federalen opdraven, is de boodschap duidelijk: oprotten en kop houden.'

'Hoe ging dat dan?'

'Ze zeiden iets over de nationale veiligheid en dat zij het verder wel zouden regelen.' Ortega liet een verachtelijk gesnuif horen. 'Nou, dat heb ik gezien, hoor!'

'Hoezo?' vroeg Mariah. 'Wat deden ze dan?'

'Ze veegden de troep bij elkaar met een bulldozer – alles: verwrongen staal, as, zand, de hele handel – en voerden het vervolgens af.' Hij keek hen beiden aan. 'Ze denken zeker dat we maar een stel achterlijke boeren zijn hier. Nou, het is hier dan wel geen New York, maar we weten wel hoe we ons werk moeten doen. Ik ben heus niet op mijn achterhoofd gevallen. Ik heb de nodige cursussen gevolgd, en ik kan je wel vertellen dat als ik daar had gezegd dat dat de manier is waarop je bewijzen verzamelt voor een onderzoek, ik een kogel door mijn kop had gekregen.'

'Zet de auto hier maar neer,' zei Mariah. Ze wees naar een van de weinige plekken waar de vallei breed genoeg was voor een parkeerplaats. 'Dan lopen we dat stuk wel terug.'

Paul reed de parkeerplaats op die ruimte bood aan de horden toeristen die hier 's zomers kwamen wandelen of wildwatervaren.

Haastig, omdat de zon al bezig was onder te gaan, legden ze de kleine duizend meter af naar de plaats waar het ongeluk had plaatsgevonden. Eddie Ortega had erop gestaan de precieze plek voor hen op de kaart aan te kruisen, maar ook zonder zijn aanwijzing was de plaats des onheils niet te missen. Over een afstand van zo'n honderd meter was het wegdek opnieuw geasfalteerd, en het struikgewas was aan weerszijden zwartgeblakerd en verschroeid.

'Een vlak, open stuk,' mompelde Mariah, haar ogen beschermend tegen de zon, die nu in snel tempo achter de bergen verdween. 'Goed zicht in alle richtingen.'

'Ze zeiden wel dat het die avond sneeuwde,' herinnerde Paul zich. 'En die kerels hadden het nodige op volgens Cheryl.'

'Zou een van de twee chauffeurs soms achter het stuur in slaap zijn gesukkeld en op de verkeerde weghelft zijn geraakt?'

'Of misschien moest een van hen uitwijken voor een dier dat plotseling overstak,' opperde hij.

Ze schudde haar hoofd. 'Er waren geen rem- of slipsporen, zei Ortega. Ze moeten gewoon recht op elkaar in zijn gereden.'

Ze keken er nog even rond, maar veel meer dan een nieuw, zwart stuk asfalt en verbrande struiken viel er niet te zien. Over enkele maanden, wanneer het nieuwe stuk asfalt niet meer te onderscheiden was van de rest van de weg en de struiken weer uitlopers kregen, zou niets er meer op wijzen dat op deze plek vijf van 's werelds grootste kernwapenexperts om het leven waren gekomen.

Zwijgend liepen ze terug naar de auto. Halverwege besloot Mariah een stukje langs de rivieroever te lopen. De rivier was er niet breed, een meter of tien, en hoogstens drie meter diep. In deze tijd van het jaar was de stroom ook niet sterk. Maar in de lente en vroeg in de zomer, wanneer de sneeuw begon te smelten, veranderde de Rio Grande in een woest kolkende stroom die alles meesleurde. Het was dan ook een van de beste plaatsen van het land voor rafting.

David en zij hadden het ook een keer gedaan, toen ze nog maar pas in Los Alamos waren komen wonen. Het was een ervaring geworden om nooit te vergeten.

'Wat doe je daar, Mariah?' riep Paul.

Ze pakte een platte steen en liet hem over het water scheren –

tenminste, dat was de bedoeling. Helaas verdween hij meteen onder water. 'Niets. Gewoon een beetje nadenken.'

'Kom je?' Hij liep naar haar toe. 'Het begint donker te worden.'

Ze knikte, maar liep nog even door. Een eindje verderop vond ze een afgebroken tak. Ze pakte hem op en porde ermee tussen de rotsen. De tak als steun gebruikend, stapte ze op een grote steen in de rivier. Ze bleef staan, tuurde naar de lucht en keek toen omlaag naar het voorbijstromende water. Met een zucht draaide ze zich om om terug te keren naar de auto. Op dat moment zag ze onder water iets wat tussen de stenen van de oever was blijven steken.

Ze bukte zich en viste het uit het water, maar raakte toen met haar mouw verstrikt in de overhangende tak van een jeneverbesstruik. Ze rukte haar arm los, gleed prompt uit en belandde achterover in het ijskoude water.

Terwijl ze zich half omdraaide en zich razendsnel aan een rotspunt vastgreep om niet door de stroom te worden meegesleurd, hoorde ze Paul schreeuwen.

Tegen de tijd dat hij aan kwam lopen zat ze rechtop. Hij bleef op de oever staan, sloeg zijn armen over elkaar en grijnsde.

'Mond houden, jij,' zei ze chagrijnig.

'Zei ik iets dan? Ik zou niet durven. Als jij zin hebt om te zwemmen, moet je dat vooral doen. Mij zul je niet horen.'

Knarsetandend maakte ze aanstalten om overeind te komen. Ze wilde net Pauls uitgestoken hand grijpen, toen ze zich herinnerde wat ze aan het doen was toen ze viel. Ze negeerde hem en zocht met haar ogen het water af, maar het voorwerp was verdwenen. Toen zag ze het opeens liggen. Blij dat het ding niet was meegevoerd door de stroom viste ze het voor de tweede keer uit het water.

'Wat doe je nou, gek die je bent!' foeterde Paul, terwijl hij haar vastberaden bij haar armen pakte en overeind hees.

De ijzige wind deed haar klappertanden van de kou.

'Je lijkt wel niet goed bij je hoofd, zeg. Schiet op, straks loop je nog een longontsteking op ook!'

'Ik heb wat gevonden!' Triomfantelijk stak ze haar vuist omhoog.

Hij had echter geen belangstelling. 'Kom als de bliksem dat water uit, Mariah!' Hij trok haar de kant op en troonde haar mee naar de auto. 'Opschieten. In de auto ligt een deken.'

Ze knikte. Paul greep haar bij een arm en begon naar de auto te rennen. Struikelend en soppend in haar volgelopen laarzen, kwam ze achter hem aan. Eenmaal bij de auto, haalde Paul een deken uit de kofferbak en sloeg hem om haar heen. Hij opende het portier, duwde haar naar binnen en begon haar haastig uit haar laarzen te helpen.

'Hup, voeten naar binnen. Ik zet gauw de verwarming aan.'

Toen hij even later de auto startte, deed ze haar hand open om haar trofee te bekijken.

'Wat heb je gevonden?' vroeg hij.

'Een gesp.' Ze hield een stuk van een nylon riem met een deel van een plastic sluiting omhoog.

'Wat?' riep hij uit. 'En daarvoor ben je dat ijskoude water in gedoken?'

Bibberend van de kou stak ze de gesp in haar broekzak. 'Nogal stom,' gaf ze toe. 'Maar ik was niet van plan om erin te vallen. Tjonge, wat heb ik het koud, zeg!'

'Nog even. De verwarming begint al op gang te komen. We gaan zo snel mogelijk een hotel zoeken waar je kunt opdrogen.'

'Hilltop House in Los Alamos,' zei ze klappertandend. 'Dat is een goed hotel.'

Paul, die op het punt stond om de weg op te rijden, aarzelde. 'Kunnen we niet beter teruggaan naar Taos? Dat is een stuk dichterbij.'

Ze schudde haar hoofd. 'Nee, ik overleef het wel. Rij maar naar het zuiden. De afslag naar Los Alamos is net voorbij Española.'

Hij haalde zijn schouders op. 'Zoals je wilt.' Hij drukte het gaspedaal in en schoot de weg op. Tegen de tijd dat ze de afslag naar Los Alamos bereikten, had Mariah het idee dat ze veranderd was in één grote ijsklomp.

'Wacht jij maar even in de auto,' zei Paul met een veelbetekenende blik op haar bibberende, ineengedoken gestalte. 'Ik denk namelijk niet dat het management erg blij zal zijn als ze jou druipend en wel hun lobby binnen zien komen.'

Ze knikte. Hij liet de motor aan en stapte uit. Een paar minuten later was hij terug.

'Geregeld. We zetten de auto om de hoek en kunnen door een zijdeur naar binnen.'

Net op het moment dat ze het hotel via de zij-ingang betraden, kwam er een gezin de trap af dat bevreemde blikken in Mariahs richting wierp.

'Kijk nou, mammie!' riep een van de kinderen. 'Die vrouw is helemaal nat!'

'Sst!'

Grinnikend liep Paul naar boven. Mariah schudde meewarig het hoofd en volgde hem.

Even later opende hij een deur. 'Voilà,' zei hij. Hij stapte opzij om haar voor te laten gaan.

'Dank je.' Ze betrad de kamer en deed het licht aan. 'En in welke kamer zit jij?'

Hij sloot de deur achter zich. 'In deze.'

'Pardon? Ik geloof niet dat ik dat zo'n geweldig idee vind. Neem maar een eigen kamer.'

'Ik mocht al van geluk spreken dat ik deze kon krijgen,' zei hij, terwijl hij hun weinige bagage op bed liet vallen. 'Er schijnt een of ander congres te zijn, dus alles was volgeboekt. Toevallig hadden ze net een afzegging gekregen. We kunnen natuurlijk ook op zoek gaan naar een ander hotel, maar tegen de tijd dat we eindelijk iets hebben gevonden, zul jij wel niet meer te ontdooien zijn, vrees ik.'

Hij keek haar aan. 'Kom, maak er geen drama van. Jij kruipt lekker in dat bed daar en ik ga hier liggen. Daar zitten lichtjaren tussen. Ik beloof je dat ik braaf zal zijn.'

Ze fronste haar voorhoofd, maar stemde uiteindelijk in. Veel keus had ze niet. Dit was het enige grote hotel in de stad, en de kans dat ze in een van de kleinere terecht konden was nagenoeg nihil, wist ze.

'Ik zou die natte kleren maar eens uittrekken,' zei hij. 'Ik bedoel,' zo corrigeerde hij zichzelf, 'sluit jezelf in de badkamer op, laat het bad vollopen en gooi die natte kleren naar buiten, dan krijg je ze straks droog terug. De receptionist zei dat ze beneden een was- en droogmachine hadden staan. Ik mik ze in die droger en ga iets te eten voor ons halen. Probeer jij intussen maar weer op temperatuur te komen.'

Mariah wierp een blik op het natte spoor dat ze op het vloerkleed had achtergelaten. 'Hm,' zei ze. 'Ik heb de gewoonte om weinig mee te nemen op reis. Iets te weinig deze keer, vrees ik. Ik heb niets anders bij me dan de kleren die ik aanheb.'

Ze haalde haar zakken leeg, legde Franks pistool in de bovenste la van het bureautje en de rest van de inhoud op het bureaublad. Daarna gaf ze haar druipnatte jas aan Paul en verdween ze de badkamer in. Terwijl ze haar kleren uittrok en ze naar buiten wierp, hoorde ze een doffe bons vlak bij de badkamerdeur.

'Mijn weekendtas ligt bij de deur, Mariah,' riep Paul. 'Er zit een extra trui in. Trek die maar aan als je wilt. Ik ben zo terug.'

'Oké, bedankt. Tot zo.'

Even later stapte ze in het bad en liet zich tot aan haar oren in het water zakken. De warmte voelde weldadig aan. Na verloop van tijd hield ze op met bibberen en kon ze zich eindelijk ontspannen.

Het was vreemd om terug te zijn in Los Alamos, dacht ze. Ze herinnerde zich ook weer hoe eenzaam en van de wereld afgesneden ze zich had gevoeld toen ze hier net met David was komen wonen. Vroeger moest het helemaal erg geweest zijn – toen was het hele stadje verboden toegang voor iedereen die er niets te maken had. Tegen de tijd dat David en zij er kwamen was alleen het lab en het terrein eromheen verboden terrein voor mensen die er niets te maken hadden.

En nu, nu liepen zelfs de Russen in groten getale vrijelijk in en uit het lab. Met het einde van de koude oorlog waren voormalige vijanden ineens waardevolle collega's, zoals de vijf atoomgeleerden die op die ongeluksavond naar Taos waren gereden, dacht ze al mijmerend. Negentig kilometer rijden voor een borrel in een morsige kroeg en dan opeens van de aardbodem verdwijnen.

Opeens zat ze rechtop in bad, waardoor het water over de

rand klotste. 'Allemachtig nog aan toe!' Ze stapte snel uit het bad, sloeg een badhanddoek om zich heen en rende naar het bureau, waarop ze de inhoud van haar zakken had neergelegd.

Ze pikte de plastic gesp ertussenuit die ze uit de rivier had gevist en bekeek hem nog eens goed. Het was het soort gesp dat onder meer aan reddingsvesten zat. Het stuk nylon weefsel was gerafeld, alsof het ergens van afgerukt was. Maar nylon was bijna niet kapot te krijgen. De eigenaar van het kledingstuk waaraan de gesp had gezeten, moest zich dus waarschijnlijk met grote snelheid hebben voortbewogen. 'Allemachtig nog aan toe,' mompelde ze weer.

Brian Latimer bekeek de foto's die de onbekende man hem toonde zonder veel aandacht. De receptionist van het Hilltop House Hotel had er flink de pest in. Hij had al een hele werkdag achter de rug en wilde zo snel mogelijk naar huis vanwege het opstel Engels voor de volgende dag dat hij nog moest schrijven. Toen was Mrs. Peterson gekomen met de mededeling dat zijn collega zich ziek had gemeld. Of hij het erg vond om nog even twee uur extra te werken, daarna zou ze het van hem overnemen – hij was tenslotte de meest betrouwbare werkstudent die ze ooit in het Hilltop House Hotel hadden gehad; hij had tenminste verantwoordelijksgevoel.

Ja, ja, dacht Brian chagrijnig. Zoveel verantwoordelijkheidsgevoel dat ik straks nog zak voor Engels als ik dat opstel niet op tijd inlever. En nu weer deze vent met zijn foto's. Hij zuchtte en wierp een blik op de klok.

De man droeg een grijs pak met een das. Uit het identiteitsbewijs dat hij Brian toonde bleek dat hij iets bij de overheid deed. Niet dat Brian ervan opkeek; hij had zijn hele leven al in Los Alamos gewoond. Zijn vader was hoofd bewaking van het lab. Zijn baan was zijn leven, veiligheid en bewaking waren zijn leven. Brian had echter schoon genoeg van Los Alamos en alles wat met bewaking te maken had. Zodra hij zijn einddiploma op zak had was hij hier weg. Maar dan moest hij eerst nog wel even zien te slagen.

'En?' vroeg de man. 'Heb je ze hier gezien?'

Brian schudde zijn hoofd. 'Die vrouw niet.' Hij keek nog eens naar de andere foto. 'Maar die man wel. Hij is nog niet zo lang geleden aangekomen. Ik heb hem daarnet trouwens weer de deur uit zien lopen – een minuut of tien geleden of zo.'

'Was hij alleen?'

Brian knikte en gaf de man de foto's terug. 'Wie is hij dan?'

'Niemand in het bijzonder. Welke kamernummer had hij ook weer, zei je?'

'Dat heb ik helemaal niet genoemd. Maar, eh... even kijken...' Brian moest even in het register kijken. 'Hij heeft kamer 303. Wilt u misschien een boodschap achterlaten?'

'Nee, hoor.' De man maakte aanstalten om weg te gaan. 'Je hoeft hem ook niet te zeggen dat ik naar hem heb gevraagd. Mag ik op je discretie rekenen?'

'Uiteraard.' Discretie, veiligheid, bewaking, verantwoordelijkheid, dacht hij, de man somber nakijkend. Ik weet niet beter, *mister*. Hij wierp weer een blik op de klok. Verdorie, Mrs. P., waar blijf je nou? Ik moet dat opstel vandaag afkrijgen!

❦

'Eenmaal droge was en eenmaal een kingsize pizza,' riep Paul, terwijl hij de kamer in liep.

Mariah verscheen in de deuropening van de badkamer.

Hij zette zijn boodschappen op tafel en draaide zich naar haar om. 'Tjonge...' Hij knipperde met zijn ogen, '...wat een aparte outfit.'

Haar blik gleed omlaag. Pauls trui reikte tot halverwege haar dijbenen. Daaronder droeg ze behalve schoon ondergoed de enige katoenen coltrui en de dikke sokken die ze had meegenomen. Ze kreeg prompt een kleur als vuur en plukte gegeneerd aan de onderkant van haar trui.

'Hij staat jou een stuk beter dan mij,' zei hij glimlachend.

'Schei uit, zeg! Geef me maar gauw mijn broek.'

'Hier.' Hij reikte haar het keurig gestreken en opgevouwen kledingstuk aan.

Ze verdween de badkamer in om het aan te trekken. 'Netjes gestreken, hoor. Dank je wel.'

'Wassen en strijken, de enige huishoudelijke taken waar ik goed in ben,' zei hij. 'Dat komt ervan als je je halve leven in hotelkamers doorbrengt.'

'Zeg Paul?'

'Ja?'

Ze kwam de badkamer uit met een notitieboek in haar hand. 'Dit lag boven in je tas. Mijn blik viel erop toen ik je trui eruit wilde pakken.'

Hij bleef een ogenblik naar het notitieboek staan staren, liep toen op haar toe en nam het uit haar hand om het vervolgens terug te stoppen in zijn tas.

'Ik heb er niet in gekeken. Eerlijk niet... Nou ja, ik heb wel gezien dat erop stond "Brieven aan Jack, deel XII",' bekende ze ruiterlijk. 'Maar verder niet, dat zweer ik je.'

Hij keek haar aan, ritste zijn tas dicht en wierp hem in een hoek. Zwijgend begon hij vervolgens de doos met de pizza open te maken.

'Het spijt me, Paul. Het was niet mijn bedoeling om in je spullen te neuzen.'

Hij plofte neer in een stoel en staarde voor zich uit. 'Het is een soort dagboek,' zei hij zacht. 'Ik ben ermee begonnen toen ik hem kwijtraakte – hij was nog maar een baby.' Hij trok de rekening van de pizzadoos en begon het stukje papier op te vouwen in steeds kleinere stukjes. 'Phyllis was hertrouwd. Ik besefte dat niet ik, maar iemand anders al die dingen met hem zou gaan doen die een vader met zijn zoon doet: fietsen, honkballen, vissen – alles. Niet ik, maar iemand anders zou hem troosten wanneer hij gevallen was, wanneer hij zijn eerste tand verloor, wanneer hij voor het eerst liefdesverdriet had.'

Mariah was op de rand van het bed gaan zitten en keek naar de diepe lijnen om zijn mond.

'Ik realiseerde me dat hij me nooit zou leren kennen,' ging hij verder. 'In ieder geval niet zoals hij de man die hij dagelijks zag, zou kennen.'

'Dus begon je brieven aan hem te schrijven.'

Hij knikte. 'Wanneer ik op reis was, stuurde ik altijd kaartjes en andere dingen. Maar deze verzameling dagboeken is wat anders – ze bestaat uit brieven aan de man die hij eens zal zijn. Brieven van een man die zijn zoon vertelt over de dingen die hij gezien en geleerd heeft, dingen die hij graag wil doorgeven. Of het veel voorstelt weet ik niet, dat is aan hem om te beoordelen. Ik zal ze hem op een dag wel eens geven, en dan mag hij ermee doen wat hij wil. Ik wil hem hiermee alleen duidelijk maken dat ik, ook al kon ik niet werkelijk bij hem zijn, in gedachten altijd wel bij hem was.'

Hij keek haar aan. 'Maar ja, of hij daar zoveel aan heeft...'

Ze legde een hand op de zijne. 'Ik denk het wel, Paul. Ik weet bijna wel zeker dat hij daar iets aan heeft. Wat zou ik blij geweest zijn als mijn vader zoiets had gedaan. Dan had ik tenminste geweten dat hij diep in zijn hart wel degelijk om me gaf.'

Hij leunde naar voren en nam haar hand tussen de zijne. 'Mariah...'

'Ja?'

Hij aarzelde even en schudde toen zijn hoofd. 'Niets. Laat maar.'

'Nee, toe nou. Wat wilde je zeggen?'

'Nee,' zei hij. 'Straks krijg je weer de pest aan me. Dat wil ik niet.'

Ze trok haar hand terug en keek hem aan. 'Ik heb nooit de pest aan je gehad, Paul.'

'Je voelde je in ieder geval nooit op je gemak bij me.'

'Dat klopt.' Ze zweeg een ogenblik. 'Maar dat was niet het enige. Er zat meer achter.'

'Wat bedoel je?'

'Op de een of andere manier deed je me heel erg aan hem denken.'

Hij keek haar niet-begrijpend aan. 'Hem?'

'Aan mijn vader.'

'Maar ik ben Benjamin Bolt niet, Mariah.'

'Dat weet ik. Je lijkt ook in de verste verte niet op hem. Je bent een totaal ander mens, maar dat wist ik toen nog niet. Vergeef het me, wil je.'

Hij knikte langzaam. 'Laat het verleden toch los, Mariah. Gedane zaken nemen nu eenmaal geen keer,' zei hij na een lange stilte. 'Je zult je vader toch eens moeten vergeven.'

'Ik mijn vader vergeven? Na alles wat hij mij en mijn moeder en mijn zus heeft aangedaan?'

'Ik wil zijn gedrag niet goedpraten, integendeel. Het is afschuwelijk wat hij jullie heeft aangedaan, dat zal niemand kunnen ontkennen.'

Hij keek haar ernstig aan. 'Als ik het me goed herinner was hij een jaar of achtentwintig toen hij stierf. Dat is een leeftijd waarop de meesten van ons dingen doen waar we de rest van ons leven spijt van hebben. Het is niet ondenkbaar dat hij, als hij langer had geleefd, op een gegeven moment tot het inzicht zou zijn gekomen dat hij een grote stommiteit had begaan. Ik kan me niet voorstellen dat hij geen berouw zou hebben gekregen van het feit dat hij jou in de steek had gelaten.'

'Van mij mag hij daar in de hel zoveel berouw hebben als hij maar wil,' zei ze knarsetandend.

'Dat heeft hij waarschijnlijk ook. Maar jij lijdt er ook onder, Mariah. Dat heb je je hele leven al gedaan, en je zult het de rest van je leven ook blijven doen als je blijft weigeren in te zien dat zijn onverantwoordelijke gedrag eerder te maken had met onvolwassenheid dan met een slechte inborst. Pas als je hem dat kunt vergeven en hem los kunt laten, verdwijnt die pijn vanbinnen.'

Ze schudde haar hoofd. 'Misschien heb je gelijk,' verzuchtte ze. 'Ik weet alleen niet of ik daar al aan toe ben.'

Een tijdlang bleef het stil. 'Kom, de pizza wordt koud,' zei Paul toen. 'Laten we maar gauw wat gaan eten.'

Ze slaakte een diepe zucht en ging tegenover hem aan tafel zitten. 'Goed idee,' zei ze. 'Ik verga van de honger.'

Hij reikte haar een stuk pizza aan.

'Ik heb in jouw afwezigheid een telefoontje gepleegd,' zei ze na een paar happen te hebben genomen.

'O. Naar wie?'

'Naar Rachel Kingman,' antwoordde ze. 'De ex-vrouw van Larry Kingman, de adjunct-directeur van het lab, weet je wel.'

Hij knikte. 'Wanneer heb je haar eigenlijk voor het laatst gezien?'

'Nou, dat zal toch inmiddels zo'n jaar of vijftien, zestien geleden zijn.'

'Was ze niet verbaasd dat ze je opeens aan de telefoon had?'

'Nou en of,' zei ze. 'Ik vertelde haar dat David was overleden en dat ik van Larry's ongeluk had gehoord. Ik heb gevraagd of ik haar op korte termijn kon spreken. Vanavond kon ze helaas niet – ze kreeg vrienden te eten – maar morgenochtend voor het spreekuur had ze wel even tijd om ons te ontvangen.'

'O ja, ze was arts had je gezegd.'

Ze knikte. 'Zeg, Paul. Ik heb zitten denken. Die gesp die ik uit de rivier heb gevist, hè, die zou best wel eens afkomstig kunnen zijn van een zwemvest.'

'Ja? O. Nou en?'

'Nou en?' herhaalde ze. 'Wie dragen er veelal zwemvesten? Mensen die aan watersport doen, rafters bijvoorbeeld. En rafting wordt in dit gebied nogal eens gedaan.'

'Ja, dat weet ik. Ik begrijp alleen nog steeds niet waar je naartoe wilt.'

'Waarom zouden die vijf uit Los Alamos helemaal naar Taos zijn gereden voor een borrel, denk je?'

Hij fronste zijn voorhoofd. 'Om te worden opgemerkt, lijkt me. Wie zo uitgedost is als die Russen moet opvallen. Bovendien hadden ze allemaal hun koffertje bij zich, opdat niemand eraan zou twijfelen wie en wat ze waren en waar ze vandaan kwamen.'

'Juist. Vervolgens vindt er een auto-ongeluk plaats waarbij hun auto in brand vliegt. Er blijft niets van over, behalve een van de nummerplaten. Er vallen ook geen stoffelijke resten meer te identificeren, want die zijn er niet, maar dat is niet zo'n probleem want er zijn genoeg mensen die wisten wie er in die auto zaten.'

'Goed, maar wat heeft dit alles nu met die gesp te maken?'

'Waar vond ik dat ding? Op een van de meest geschikte plaatsen om een vlot te water te laten: niet ver van de snelweg en op een plek waar de rivier toegankelijk is. Met een goede gids kun je van daaruit gemakkelijk de rivier afzakken.' Ze zweeg een ogenblik en keek hem veelbetekenend aan.

'En zal ik je nog eens wat vertellen, Paul?' hernam ze. 'Larry Kingman was een ervaren rafter. Toen David en ik net in Los Alamos waren komen wonen, heeft hij ons een keer meegenomen.'

Paul floot zacht. 'Je weet watr dit zou kunnen betekenen, hè?'

'Ja. Het was doorgestoken kaart. Die kerels zijn helemaal niet omgekomen, maar ze hebben wel enorm hun best gedaan om de wereld dat te doen geloven.' Ze bestudeerde zijn gezicht. 'Maar dat vermoeden had jij al lang, of niet soms?'

'Ik was er niet zeker van,' zei hij. 'Ik had alleen van het begin af aan het gevoel dat er iets niet klopte, en naarmate ik dieper spitte werd dat gevoel alleen maar sterker.'

Ze knikte. 'Alle hulpdiensten kwamen uit Taos, ten noorden van de plaats van het ongeluk, dus de kans dat iemand ze de rivier zou zien afzakken was uitermate klein. En ook al zou iemand naderhand zijn gaan kijken, dan zouden hun sporen allang zijn uitgewist, want het sneeuwde die avond.'

'Ze hebben het zo geënsceneerd dat het een ongeluk zou lijken,' peinsde hij hardop, 'maar waarschijnlijk is die tankwagen pas ontploft nadat iedereen in veiligheid was. Dat werpt meteen een heel ander licht op Ortega's opmerking over die tankwagen.'

'Wat zei hij dan?'

'Vlak voor we weggingen – misschien was jij op dat moment net even naar de wc – vroeg ik Ortega nog of hij wist aan welke oliemaatschappij die tankwagen toebehoorde. Hij had geen idee, zei hij. Als er al een naam op die tankwagen stond, dan is er niets van teruggevonden. Hij kon ook niet zeggen wie in Taos die avond laat nog een bestelling verwachtte. Aangezien de plaatselijke overheid zich niet met de zaak mocht bemoeien, heeft ook niemand navraag gedaan.'

Ze pakte peinzend nog een stuk pizza. 'Als het werkelijk de federale jongens waren die toen kwamen opdraven, dan moet Operations er meer van weten,' mompelde ze al kauwend.

'En als het geen federalen waren, dan hebben we zo mogelijk

een nog groter probleem,' meende Paul. 'Dat zal dan in ieder geval iemand zijn die genoeg poen heeft om vijf van 's werelds grootste experts op het gebied van atoomwapens binnen te kunnen halen.'

⟶⟵

Toen George Neville op de luchthaven van Albuquerque aankwam stond Dieter Pflanz hem al op te wachten. De twee mannen liepen meteen door naar buiten en stapten achter in een klaarstaande auto, die onmiddellijk wegreed.

'We hebben Chaney opgespoord,' zei Pflanz. 'Hij zit in een hotel in Los Alamos, voorzover we weten in zijn eentje. We weten nog niet waar de vrouw zit, maar het zit er dik in dat ze daar een afspraak hebben.'

'Ze is onder de naam Diane Tardiff van Boston naar Albuquerque gevlogen. Ze heeft betaald met een Am-Excard op naam van haar man. We hebben meteen de autoverhuurbedrijven hier gecheckt, maar behalve op haar vliegtickets kwam de naam Bolt of Tardiff nergens op voor. Weet je heel zeker dat ze elkaar niet hier hebben ontmoet?'

Pflanz haalde zijn schouders op. 'Nee. Het hotel wordt in ieder geval scherp in de gaten gehouden. Misschien moeten we de elektronica maar eens inschakelen.'

Neville knikte en leunde naar voren. 'Geef me de telefoon even, wil je.'

De chauffeur reikte het mobieltje aan, waarop Neville haastig een nummer intoetste.

'Wat is zijn kamernummer?' vroeg hij aan Pflanz.

'Hij zit op 303.'

'Code alfa-zeven-twee-zeven,' zei Neville tegen de persoon aan de andere kant van de lijn. 'Locatie 94, hoogste prioriteit – volledige registratie, unit drie-nul-drie.'

Nadat de opdracht was bevestigd, gaf Neville de telefoon weer terug aan de chauffeur. Chaneys kamer en telefoon zouden worden afgeluisterd.

Locatie 94 was de codenaam voor het Hilltop House Hotel, dat van oudsher de pleisterplaats was voor iedereen die iets te maken had met het Los Alamos National Laboratory. Uit veiligheidsoverwegingen was het hele hotel dan ook voorzien van afluisterapparatuur die met een handomdraai in werking gesteld kon worden. Ook nu nog werd menige gast die er logeerde, nauwlettend gadegeslagen en afgeluisterd.

Theoretisch had de CIA slechts beperkte bevoegdheden wanneer het ging om afluisteren op Amerikaans grondgebied, en dan nog alleen als het een buitenlander betrof. Amerikaanse staatsburgers vielen onder de FBI. Neville maakte zich echter geen zorgen over zijn besluit; voordat iemand in de gaten had dat Operations opdracht had gegeven een Amerikaans staatsburger af te luisteren, zouden ze allang klaar zijn.

'We zullen hem voorlopig even aftappen,' zei hij. 'Met een beetje geluk ontdekt hij niets en hoepelt hij meteen weer op. Maar nu even over iets anders, Dieter. Ik vind het hoog tijd worden dat jij open kaart met me gaat spelen. Ik wil eindelijk wel eens horen wat er allemaal precies gaande is. Ik meen het serieus. Ik heb je tot dusver de vrije hand gegeven, maar ik vind dat het nu wel welletjes is geweest.'

'En als ik je nu eens vertel dat ik geen idee heb waar je het over hebt?'

'Dan gaan we met z'n allen ten onder, beste vriend, dat begrijp je toch zeker wel? Wat er hier ook fout is gelopen, jij bent er niet in geslaagd om het lek te dichten – ondanks al die bezigheden buitenshuis van je. O ja,' ging Neville verder, toen Pflanz hem een argwanende blik toewierp. 'Denk vooral niet dat ik niet weet waar jij je mee bezighoudt. Je hoeft echt geen genie te zijn om daar achter te komen. Ik heb tot nu toe de andere kant op gekeken, maar het begint uit de hand te lopen. Ik geef je de keus: we gaan van nu af aan samenwerken, of het feestje is afgelopen.'

Pflanz staarde somber voor zich uit. Twee jaar werk dreigde nu opeens voor niets te zijn geweest, en dat allemaal omdat een of andere nieuwsgierige persmuskiet zonodig zijn neus erin moest steken. Dit was het soort situatie dat om extreme maatregelen vroeg, dacht hij. Het was alleen de vraag of Neville daarmee akkoord zou gaan.

Aan de andere kant had George Neville er net zoveel bij te verliezen als hij wanneer de boel in elkaar stortte. Misschien viel de adjunct-directeur Operations nog over te halen.

18

~~~

Mariah lag met open ogen in het donker te luisteren naar Pauls regelmatige ademhaling. Hij was doodmoe – geen wonder, dacht ze, hij had een hele nacht en een halve dag in de auto gezeten en maar een paar uur slaap gehad. Zelf was ze ook doodop.

Na het eten hadden ze besloten om maar meteen onder de wol te kruipen. Paul was zo galant geweest om haar als eerste gebruik te laten maken van de badkamer. Tegen de tijd dat hij het licht uitdeed, stond ze op het punt in slaap te vallen. Terwijl hij zich stond uit te kleden had ze onwillekeurig haar ogen opgeslagen. Wat een verschil tussen zijn gespierde, gladde torso en de compacte, behaarde borstkas van David, was het laatste wat ze dacht voor ze in slaap viel.

Ze wierp een blik op de verlichte digitale wekker op het nachtkastje tussen de twee bedden in – het liep tegen middernacht. Ze had bijna vier uur geslapen.

Paul draaide zich op zijn zij, waardoor ze opeens recht tegen zijn slapende gezicht aan keek. Ze moest denken aan de verrassende kwetsbaarheid op zijn gezicht toen hij had verteld over het dagboek dat hij bijhield voor zijn zoon en voelde opeens een bijna onbedwingbare neiging opkomen om de weerbarstige haarlok uit zijn gezicht te strijken.

Ze liet haar blik over zijn de gespierde, licht behaarde arm gaan, die boven op de dekens lag. Hij nam een buitensporige hoeveelheid ruimte in beslag, constateerde ze, terwijl ze haar blik over de rest van zijn gestalte liet gaan. Ze moest zich inhouden om hem niet aan te raken.

Ze slaakte een zucht en ging op haar rug liggen in een poging de gedachte aan hem en de verlangens die hij in haar opriep uit te bannen – verlangens die hij van meet af aan in haar had opgeroepen, besefte ze opeens met een schok.

Het was waar wat ze hem had verteld. Hij deed haar denken aan haar losbandige vader, ook zo'n knappe, charmante vent. Maar dat was dus niet de enige reden waarom ze zich in Wenen zo slecht op haar gemak had gevoeld wanneer hij in de buurt was.

Naarmate de tijd verstreek en Paul onverminderd aandacht aan haar was blijven schenken, was ze gaan vrezen dat ze er op een kwade dag misschien nog wel eens op in zou kunnen gaan; dat ze, net als haar vader, ook tot ontrouw in staat zou zijn, hoe goed haar huwelijk met David ook was. Ze moest er niet aan denken. Je beloofde iemand trouw voor het leven, punt uit. Anderen, hoe leuk, lief of interessant ook, waren vanaf dat moment verboden terrein.

Het feit dat ze nooit voor Paul Chaneys charmes was bezweken, was maar een schrale troost, en het was uiteindelijk gemakkelijker geweest om hem af te doen als een ordinaire rokkenjager dan om toe te geven dat hij haar allesbehalve koud liet.

Nu kwamen al haar verboden gevoelens voor hem in alle hevigheid boven, heviger dan ooit tevoren doordat het al zo lang geleden was dat ze lichamelijk contact met iemand had gehad. Te lang, dacht ze. Te lang zonder een warm en vertrouwd lichaam naast zich in bed om tegenaan te kruipen en te doen alsof de rest van de wereld niet bestond.

Onbewust kwam de herinnering bovendrijven aan de laatste keer dat ze door iemand was aangeraakt – door Burton, dat beest. Opnieuw voelde ze weer zijn grijpgrage handen en zijn vieze, weke lippen, zag ze weer die blik vol haat in zijn vreemde, ongelijke ogen. Ze huiverde. Zou ze ooit in staat zijn om zich door een man te laten aanraken zonder die vreselijke ervaring opnieuw te moeten beleven?

Zou ze ooit met een ander kunnen vrijen zonder te moeten denken aan die foto's van David waarop hij smachtend opkijkt naar Katarina Müller, die half boven op hem zit? Zou ze ooit nog eens vertrouwen kunnen hebben in een man zonder bang te zijn door hem bedrogen te worden?

Het had haar grote moeite gekost om David te vertrouwen – het was iets wat ze had moeten leren. Dat lag niet aan David, maar aan haar. Vertrouwen was iets wat alleen maar beschaamd kon worden, had ze aan den lijve ondervonden. Mensen lieten je in de steek of gingen dood; nee, vertrouwen leidde alleen maar tot verdriet en ellende. Wie enigszins ongeschonden het leven door wilde komen diende emotioneel afstand te houden, was haar devies.

En toen was David op haar pad gekomen. David met zijn absurde gevoel voor humor en zijn jeugdige enthousiasme. Hij palmde haar in met dezelfde verve als die waarmee hij zich op zijn werk, zijn ijshockey en zijn familie stortte, en het was uiteindelijk zijn vasthoudendheid geweest die haar vesting had doen afbrokkelen.

Het duurde lang voordat ze aan zichzelf durfde toe te geven dat ze niet alleen vanwege de groeiende morele bezwaren tegen Davids werk uit Los Alamos was weggegaan. De ware reden van haar plotselinge vertrek was het besef dat ze in toenemende mate afhankelijk van hem aan het worden was. Geschrokken van haar eigen kwetsbaarheid, was ze op de vlucht geslagen.

De periode waarin ze van elkaar gescheiden leefden, had ze echter – tot het ongeluk gebeurde – ervaren als de zwaarste van haar leven. Tegen de tijd dat hij bij haar terugkwam had ze begrepen dat ze hem nodig had en hij haar, en sindsdien was er gedurende hun hele huwelijk geen dag voorbijgegaan of ze had haar eigen dankbaarheid in zijn ogen bevestigd gezien.

Ze huiverde en ging weer op haar zij liggen. Toen ze naar Pauls gezicht keek, zag ze dat hij naar haar lag te kijken.

'Alles goed met je, Mariah?'

'Hm. Ik lig in de clinch met boze geesten.'

'De demonen van de nacht,' beaamde hij. 'Wie wint er?'

'Zij natuurlijk. Ze winnen toch altijd?'

'Nou, dat hoeft niet per se. Vroeg of laat worden ze door het licht verjaagd, mits je het toelaat en geduld hebt.'

Ze huiverde weer.

'Heb je het koud?' vroeg hij.

'Ik lig hier te bevriezen,' gaf ze toe. 'Toch niet helemaal goed opgewarmd na mijn duik in de rivier, vrees ik.'

Hij stond op, pakte zijn beddensprei van het voeteneinde en legde die over haar heen. 'Zo, is dat beter?'

'Mm, dank je.'

Hij knielde naast haar bed. 'Ik zou aanbieden om je even op te warmen, ware het niet dat ik bang ben voor de gevolgen.'

'Gevolgen? Wat voor gevolgen?'

'Nou, ik heb gezien wat je met die Burton hebt gedaan, en dat loog er niet om,' voegde hij er glimlachend aan toe.

Ze glimlachte, waarop hij een hand naar haar gezicht bracht. Hij streelde haar haren, liet zijn vingers langs haar wang en haar lippen gaan. Ze sloot haar ogen, maar sloeg ze weer op toen ze zijn adem in haar gezicht voelde. Zijn gezicht hing vlak boven het hare. Zonder iets te zeggen legde ze heel even een hand tegen zijn borst. Toen haalde ze met tegenzin zijn hand bij haar gezicht weg. Ze zou best willen dat hij doorging, maar het zou niet goed zijn, wist ze.

'Nee,' fluisterde ze. 'Ik kan het niet.'

Hij knikte. 'Ik begrijp het. Het geeft niet.' Hij gaf haar een kneepje in haar hand en kwam overeind.

'Paul.'

'Ja?'

'Je bent een fijne vent. Waarom heb ik dat in Wenen niet meteen ingezien?'

'Al sla je me dood.'

'Misschien kwam het wel door dat rokkenjagerimago van je.'

Hij wuifde haar argument weg. 'Je moet het imago van iemand die regelmatig voor de camera's verschijnt, ook nooit serieus nemen.'

'Nou, ik kan me anders nauwelijks voorstellen dat je het leven van een heilige leidt,' hield ze vol.

'Heb ik ook nooit beweerd.'

'Gelukkig niet. Het zou ook wel erg hol hebben geklonken.'

'Ieder van ons heeft zo zijn manieren om zichzelf te beschermen,' zei hij. 'Wie een keer zijn billen heeft gebrand... Enfin, je weet wel wat ik bedoel, en een bewegend doel valt moeilijk te raken, moet je maar denken.'

'Het is wel een manier om de demonen buiten de deur te houden natuurlijk.'

'Ach, het gaat op den duur vervelen, moet ik je bekennen. Ik heb niet zo'n zin meer om naast een volslagen vreemde wakker te worden.'

Ze hees zich op een elleboog. 'Zeg, Paul. Mag ik je een rare vraag stellen?'

'Een rare vraag?'

'Over Katarina Müller.'

'Mariah, doe jezelf dit toch niet –'

'Toe, Paul. Ik moet weten wat er nu zo speciaal aan haar was. Ze moet iets hebben gehad wat hem in haar aantrok.'

Hij schudde zijn hoofd.

'Je wilt het me niet vertellen?'

'Geen kwestie van niet willen, Mariah. Ik kan het je niet vertellen, en wel om de doodeenvoudige reden dat ik het net zomin begrijp als jij. Het enige...' Hij aarzelde.

'Wat, Paul?'

'Eén keer ben ik de confrontatie met haar aangegaan en heb ik haar recht op de man af gevraagd wat ze nu eigenlijk aan het doen was.'

'En? Wat zei ze daarop?'

Hij aarzelde weer.

'Vooruit met de geit, Paul. Zoveel erger dan het is kan het toch niet worden.'

'Ik vroeg haar hoe ze het in haar bolle hersens haalde om een goed huwelijk te verzieken. Toen zei ze: "Je denkt dat je ze zo goed kent, hè, dat gezellige gezinnetje. Maar ze voeren gewoon een toneelstuk op; het is allemaal één grote dikke, vette leugen. Nee, je moest eens weten hoe het in werkelijkheid zit tussen die twee".'

'Nou, zeg!' Mariah ging rechtop in bed zitten. 'Waar haalt dat mens het vandaan!' Ze kneep het laken bijna fijn. 'Ik geloof geen seconde dat David ooit iets dergelijks tegen haar heeft gezegd!' riep ze verontwaardigd uit.

'Dat weet ik ook wel, Mariah. Daarom vond ik het ook niet nodig om het je te vertellen. Toe, wind je niet op. Dat mens had van liegen en bedriegen haar beroep gemaakt.'

Ze trok haar knieën op en wiegde zachtjes heen en weer. 'Ze was zeker geweldig in bed?'

Hij keek haar bevreemd aan, maar toen hij de uitdrukking op haar gezicht zag, verzachtte zijn blik. Hij knielde weer naast haar bed en veegde haar tranen weg. 'Ik zou het niet weten,' antwoordde hij. 'Ik heb nooit met haar gevreeën.'

'Schei uit, dat meen je niet.'

'Nee, serieus. Ik vond haar niet eens aantrekkelijk. Ze intrigeerde me, dat wel, maar niet in die mate.'

Mariah haalde diep adem en reikte naar een papieren zakdoekje om haar neus te snuiten. 'Nou,' mompelde ze na een paar keer flink gesnoten te hebben. 'Dat is iets wat David in ieder geval niet van zichzelf kon zeggen. Wat dat betreft heb je meer fatsoen in je bast dan hij.'

'Nee, Mariah. Dat is nu juist de conclusie die je niet moet trekken. Het is niet mijn bedoeling om de moraalridder uit te gaan hangen; ik heb daar trouwens ook geen enkele reden toe met mijn staat van dienst. Ik heb de vrouwen die om me gaven, stuk voor stuk in de steek gelaten om vervolgens hopeloos verliefd te worden op de vrouw van een van mijn beste vrienden. Als ik op grond daarvan niet word uitgeroepen tot hufter van de eeuw, dan zou ik niet weten wat je dan wel op je geweten moet hebben om voor die dubieuze titel in aanmerking te komen.'

Hij keek haar ernstig aan. 'Ik zou er nog wel even aan toe willen voegen dat ik nooit van plan ben geweest om je van David af te pakken. Ik zou je nooit hebben aangeraakt als ik niet toevallig... Nou ja, je weet wel.'

'Dat weet ik.'

'Dat weet je?'

Ze knikte. 'Nu wel, ja.'

Hij nam haar hand tussen de zijne. 'Weet dan ook dat ik nog steeds helemaal stapelgek op je ben, Mariah. Nee, luister even naar me. Ik verlang naar je, maar ik zal me niet nog eens aan je opdringen. Ik zal er zijn wanneer je me nodig hebt, in welke hoedanigheid dan ook – dat is aan jou. Jij hoeft het me alleen maar te laten weten.'

Ze keek hem aan. Ze wilde hem laten weten hoe dankbaar ze was dat hij er was; dat ze spijt had van alle vooroordelen jegens hem. Ze zou willen dat hij zijn armen om haar heen sloeg en haar stevig vasthield. Ze verlangde ernaar om hem te kussen, en misschien nog wel veel meer.

Ze kon het niet. Niet nu. Misschien nooit.

'Ik weet niet goed wat ik moet zeggen, Paul.'

'Je hoeft ook niets te zeggen. Behalve misschien: "slaap lekker, Paul".'

Ze moest erom glimlachen. 'Slaap lekker, Paul.'

'Slaap lekker, Mariah.' Hij gaf haar nogmaals een kneepje in haar hand en keerde terug naar zijn eigen bed – lichtjaren van haar verwijderd, zoals hij had beloofd.

Ze ging weer op haar zij liggen en trok de dekens dichter om zich heen. Ze sloot haar ogen, luisterde naar zijn ademhaling en vocht met haar demonen tot ze uiteindelijk in slaap viel.

George Neville en Dieter Pflanz bevonden zich iets meer dan een kilometer van hen vandaan op de bovenste verdieping van een kantoorgebouw in de binnenstad van Los Alamos. Het opschrift op de deur gaf aan dat de verdieping was verhuurd aan McCord Industries. Op de meeste kantoren op deze etage was het op werkdagen tussen negen en vijf een drukte van belang, maar op deze zondagavond waren er maar een paar mensen aanwezig.

De twee geheim agenten die er dag en nacht zaten, werkten in een afgesloten kamer aan het einde van de lange gang met een aparte toegang tot de trap. In de ruimte stond een enorme hoeveelheid ingewikkelde communicatieapparatuur opgesteld met een satellietverbinding naar het hoofdkantoor van McCord Industries in Californië en van daaruit naar de vele andere ondernemingen die onder de paraplu van McCord Industries vielen.

Het liep tegen tienen toen ze in het communicatiecentrum aankwamen. De afluisterapparatuur in Chaneys kamer was een uur daarvoor ingeschakeld, maar tot dusver viel er weinig meer te horen dan stilte, verklaarde de dienstdoende technicus desgevraagd. Op Nevilles aandringen voerde hij het volume op tot ze het geluid van een regelmatige ademhaling hoorden en ze tot de conclusie kwamen dat Chaney lag te slapen.

'Er is eerder op de avond vanuit de kamer één telefoontje naar buiten geregistreerd,' wist de technicus te vertellen. 'Wel binnen de regio.'

'Naar wie?'

De technicus wist het niet. 'Dat was voor we de boel inschakelden.'

'Dat kunnen we morgenvroeg wel navragen bij de telefoonmaatschappij,' zei Neville.

'Waarom grijpen we hem nu niet gewoon bij zijn kladden?' opperde Pflanz. 'Dan kunnen we tenminste voorkomen dat hij schade aanricht.'

'En dan? Wat moeten we dan met hem aan, Dieter?' vroeg Neville. 'We weten immers niet of hij werkelijk al iets te weten gekomen is of dat hij maar lukraak aan het graven is.'

'Hij koestert argwaan! Wat doet hij hier anders in Los Alamos?'

'Je kunt iemand overal van verdenken, maar je moet het ook nog maar zien te bewijzen,' zei Neville geïrriteerd. 'Je kunt niet zomaar onschuldige burgers van hun bed lichten!'

'Maar hij is toch niet voor niets in Los Alamos? Hij is op zoek naar aanwijzingen. Straks vindt hij nog wat ook, en dan heb je de poppen pas goed aan het dansen.'

'Hij kan zoeken tot hij een ons weegt. Er valt niets te vinden.'

'Dat is wel te hopen, ja. Maar stel nu eens dat dat wel het geval is? En stel dat hij dat doorbrieft aan die vrouw, waar ze ook mag zijn? Wat denk je dan te gaan doen? Hem aanspreken op zijn nationale gevoelens of zo? Die Chaney is een oproerkraaier, George. Hij zal er echt niet voor terugdeinzen om zijn bevindingen via het journaal rond te bazuinen!' Pflanz balde zijn vuisten. 'Er staan grote dingen op het spel. Laten we hem in de kraag grijpen nu het nog kan.'

'Niets daarvan,' zei Neville op dreigende toon. 'We kijken. We luisteren. En we doen niets – hoor je me – niets totdat ik het zeg.'

Ze staarden elkaar aan, roerloos en zonder met hun ogen te knipperen, beiden gewend om bevelen uit te delen, niet om ze op te volgen; oude strijdmakkers wier jarenlange band gevaarlijke tekenen van slijtage begon te vertonen.

'Je maakt een tactische fout, Neville, een waar je vreselijk spijt van zult krijgen,' siste Pflanz. 'Waar we allemaal vreselijk spijt van zullen krijgen.'

'Misschien,' zei Neville, 'maar toevallig heb ík het hier voor het zeggen. We zullen hem nog een tijdje in de gaten houden. Misschien neemt hij nog contact op met Mariah Bolt, dan kunnen we meteen te weten komen wat zij in haar schild voert. Met een beetje geluk keren ze onverrichter zake terug naar huis.'

'Maar als dat eens niet het geval is?'

'Dat zien we dan wel weer. Intussen lijkt het me raadzaam om een uiltje te knappen,' zei Neville. Hij wendde zich tot de technicus. 'Geef me een gil als je wat hoort.'

De man knikte, waarna Neville en Pflanz zich terugtrokken in de kamer ernaast, waar permanent twee slaapbanken stonden.

Rond middernacht werden ze door de technicus gewaarschuwd dat er een gesprek in de kamer werd gevoerd. Ze sprongen uit bed en zetten ieder een koptelefoon op.

Neville herkende de stem van de tweede persoon onmiddellijk. 'Ze is daar, bij hem!' riep hij, triomfantelijk een vuist opstekend. 'Nu hebben we ze allebei!'

Ze bleven luisteren tot het gesprek afgelopen was en luisterden de band nog een keer af nadat hun slachtoffers waren gaan slapen – in aparte bedden.

'Mooi,' bromde Neville. 'Heel mooi.'

'Mooi? Hoezo?'

'Omdat ze nu ergens zijn waar we ze in de gaten kunnen houden, en hier in Los Alamos zullen ze niets vinden. Op het lab weet niemand iets, en ook al zou dat wel het geval zijn, dan nog; het zijn geen mensen die geneigd zijn hun hart uit te storten bij een beroemde televisieverslaggever.'

Pflanz leek niet erg overtuigd.

'Wel interessant trouwens,' dacht Neville hardop. 'Als het inderdaad waar is dat Chaney niets met die Müller heeft gehad, dan zou dat wel eens kunnen bevestigen wat jij al eerder zei, Dieter – dat ze Chaney heeft gebruikt om in contact te komen met David.'

Pflanz knikte. Hij had er nooit aan getwijfeld dat Katarina Müller hem de waarheid had verteld vlak voor ze stierf – iemand die ter dood veroordeeld was sprak meestal de waarheid.

～∙ლ∙～

Paul en Mariah stonden de volgende ochtend voor dag en dauw op en vertrokken na een ontbijt op de kamer naar de kliniek, waar ze klokslag half acht aankwamen.

'Rachel, mag ik je voorstellen,' zei Mariah, na de arts hartelijk te hebben begroet. 'Dit is Paul Chaney.'

Dokter Kingman gaf hem glimlachend een hand. Ze droeg een donkerblauwe broek onder haar witte jas en een paar stevige schoenen. Haar efficiënte uiterlijk werd benadrukt door haar kortgeknipte grijze haren en het ontbreken van make-up, maar haar levendige groene ogen verrieden een warme persoonlijkheid met gevoel voor humor.

Het was voor Mariah als jonge studente indertijd niet gemakkelijk geweest om in zo'n kleine gemeenschap waar de mannen naar het werk gingen en de vrouwen veelal thuis bleven bij de kinderen, iemand te vinden met gemeenschappelijke interesses. Ze had zich in het begin dan ook nogal eenzaam gevoeld en was dolblij geweest toen ze in de vrouw van Davids baas een geestverwant had gevonden.

De Kingmans waren kinderloos – of ze dat nu uit vrije wil waren of niet wist Mariah niet. Ze had ontdekt dat Rachel Kingman iemand was met een brede interesse, en ze had dan ook erg goede herinneringen aan de vele geanimeerde gesprekken die ze met de oudere vrouw had gehad.

Achteraf had ze spijt dat ze het contact niet had onderhouden. Ze was op stel en sprong weggegaan uit Los Alamos, ze moest een nieuw leven opbouwen, en op de een of andere manier was er toen geen ruimte geweest voor oude vrienden en kennissen.

'Aangenaam, Mr. Chaney,' zei Rachel.

'Prettig om met u kennis te maken, dokter Kingman,' zei Paul. 'En zegt u maar gewoon Paul, alstublieft.'

'Paul, goed. Ik ben Rachel. Alleen mijn patiënten noemen me dokter Kingman. Ik neem niet aan dat jullie voor medisch advies gekomen zijn.' Ze keek hen beurtelings aan.

Paul glimlachte.

'Jij bent journalist, is het niet?' vroeg ze aan hem.

'Dat klopt, maar ik ben momenteel niet in functie. Ik ben werkloos, om eerlijk te zijn.'

'Werkloos?'

'Dat is een lang verhaal.'

'Paul is een goede vriend, zowel van mij als van David,' legde Mariah uit. 'We kennen elkaar nog uit Wenen.'

'Aha.' De arts knikte. 'Hoe is het met je, Mariah? Ik vond het heel erg om te horen dat David overleden is.'

Mariah perste haar lippen op elkaar en knikte. 'Ik heb het gevoel dat ik helemaal door elkaar geschud ben. Eerst dat ongeluk met alle ellende van dien; toen de ontdekking dat hij kanker bleek te hebben toen hij stierf. En daarnaast is er nog het een en ander gebeurd. Nee, Rachel, het is werkelijk een afschuwelijk jaar geweest.'

'Ik heb David altijd graag gemogen. Het verbaast me trouwens niet dat hij kanker had, maar het is wel erg sneu dat hij door dat ongeluk nauwelijks meer van de laatste maanden van zijn leven heeft mogen genieten.'

'Wat zeg je nou, Rachel?' vroeg Paul verwonderd. 'Verbaast het jou niet dat David kanker had?'

Rachel gebaarde hen erbij te gaan zitten. Zelf nam ze plaats op de rand van haar bureau. 'Sorry, het was niet denigrerend bedoeld. Het verbaast me niet omdat ik er hier bijna dagelijks mee geconfronteerd word.'

'Bestaat er soms een verband met de aanwezigheid van het lab?'

De arts haalde haar schouders op. 'Daar zijn ze nog niet uit. Op grond van de resultaten van de paar epidemiologische studies die er tot dusver zijn geweest, valt geen eenduidige conclusie te trekken, en de autoriteiten ontkennen een mogelijk verband natuurlijk in alle toonaarden. Toch schijnen bepaalde vormen van kanker – hersentumoren, leukemie, kanker aan de schildklier –

hier in Los Alamos vaker voor te komen dan je op grond van de landelijke cijfers kunt verwachten.'

'Kanker aan de schildklier,' herhaalde Mariah. 'Dat had David ook.'

Rachel knikte. 'Ze zijn in het lab tegenwoordig beter beschermd tegen radioactieve straling, maar je zou eens een blik moeten werpen in de fotoarchieven van het historisch museum. Het is onvoorstelbaar hoe naïef men vroeger was en hoe achteloos men met nucleair afval omsprong. Kortgeleden nog is er in een van de ravijnen in de buurt een illegale stortplaats ontdekt – ik weet niet of je ervan gehoord hebt. Het is toch te gek voor woorden! Jarenlang hebben daar kinderen gespeeld, kwamen er wandelaars langs, werd er paardgereden. En we hebben het dan wel over afval dat nog duizenden jaren dodelijke gevolgen zal hebben.'

'Ongelofelijk,' mompelde Mariah verbijsterd. 'Precies wat er in Rusland jarenlang is gebeurd.'

'Misschien niet op dergelijke schaal, maar daarom niet minder zorgelijk.'

'Al vijftig jaar goochelen we met radioactiviteit, en nog steeds weten we niet goed wat we met het afval aan moeten,' zei Paul hoofdschuddend.

'Tja, we laten de komende generaties een fraaie erfenis na,' zei de arts grimmig. 'Overigens zal David geen kanker hebben gekregen doordat hij hier in de buurt is gaan paardrijden.'

'Wat bedoel je?' vroeg Mariah.

'Ik denk dat dat ongeluk destijds in het lab er veel meer mee te maken heeft.'

'Die brand, bedoel je? Waarbij een van zijn collega's omkwam?'

Rachel knikte. 'Afschuwelijk was het. Hij zal het je wel verteld hebben zeker? Om zo te moeten sterven – dat wens je je ergste vijand nog niet toe.'

Mariah knikte. 'David heeft er nog jarenlang nachtmerries van gehad. Maar wat heeft die brand met zijn ziekte te maken, Rachel?'

De arts keek haar aan. 'Heeft hij je dat dan niet verteld?'

'Wat? Waar heb je het over?'

'David heeft ook aan een grote dosis straling blootgestaan. Hij was namelijk degene die die jongen vond en het gebouw uit heeft gesleept.'

'Wat?'

'O hemel,' mompelde Rachel. 'Hij zal wel bang geweest zijn voor je reactie, Mariah. Ik heb lange gesprekken met hem gehad tijdens zijn herstelperiode. Hij miste je vreselijk nadat je uit Los Alamos was weggegaan, en hij was bang dat je hem niet meer terug wilde als je wist hoe de prognose luidde, vooral omdat je in de loop van de tijd al je familieleden had verloren.'

Mariah kon geen woord uitbrengen.

'Wat is er toen dan precies gebeurd?' wilde Paul weten.

De arts keek hem aan. 'David werkte in een van de oude gebouwen die nog uit de oorlog dateerden – houten keten bedoeld voor tijdelijk gebruik, maar vanwege ruimtegebrek waren sommige ervan jaren daarna nog steeds in gebruik. Ze stonden vol met nieuwe, moderne apparatuur, terwijl de ouderwetse elektriciteitsvoorziening ook toen allang niet meer voldeed. Mijn exman klaagde altijd steen en been over het verlies van kostbare tijd wanneer er tijdens een experiment weer eens een stop was gesprongen en ze weer helemaal van voren af aan konden beginnen.'

'Is die brand toen soms ontstaan door kortsluiting?' vroeg Paul.

'Ja,' antwoordde ze. 'Dat is wat ik heb gehoord, maar het resultaat van het onderzoek is uiteraard nooit openbaar gemaakt. David en de technicus waren die avond nog laat aan het werk. Waarmee weet ik niet natuurlijk, dat soort dingen is geheim.'

Ze zweeg een ogenblik alvorens verder te gaan. 'David is op een gegeven moment eten gaan halen, en toen hij terugkwam stond het gebouw in lichterlaaie. Hij is naar binnen gerend en trof zijn collega bewusteloos aan. Het schijnt dat die jongen nog had geprobeerd om het radioactieve spul waarmee hij bezig was het gebouw uit te krijgen, maar dat hij door de rook werd bevangen en erbovenop is gevallen.'

Paul knikte. 'Waarmee hij zichzelf een dodelijke dosis straling toediende.'

'Inderdaad. Ik werkte toen nog bij de gezondheidsdienst van het lab en ik had dienst toen ze binnengebracht werden. Ze zijn toen beiden behandeld voor rookvergiftiging, maar we konden aan de dosismeter van de jongen zien dat hij een dodelijke dosis gammastraling had gekregen. Omdat David de zijne had afgedaan toen hij eten ging halen, viel er in eerste instantie niets over hem te zeggen; we konden hem alleen ter observatie opnemen. Na verloop van tijd vertoonde hij inderdaad een lichte vorm van stralingsziekte. Hij herstelde gelukkig, maar –'

'Maar hij moest rekening houden met eventuele gevolgen op de lange termijn,' vulde Mariah aan. 'Verdomme! Wat typerend nu weer!'

'Typerend?'

'Dat hij me daar nooit iets over heeft verteld.' Ze keek Rachel aan. 'Je zult gedeeltelijk wel gelijk hebben wat zijn beweegredenen betreft om er tegenover mij zijn mond over te houden, maar er zit meer achter. Hij was niet graag degene die het slechte nieuws kwam brengen.' Ze schudde haar hoofd. 'Wat dat betreft waren we elkaars tegenpolen: ik zag overal beren op de weg en bereidde me altijd op het ergste voor; hij was een eeuwige optimist, de gedachte dat er iets mis zou kunnen gaan kwam zelfs niet eens in hem op. Hij ging ervan uit dat het kwaad aan je voorbij zou gaan als je je ogen er maar voor sloot. Zo ging hij door het leven.'

'Misschien ook wel zo slecht nog niet.'

'*Que sera, sera*?' zei Mariah schamper.

Rachel glimlachte wijs. 'Zoiets. Pluk de dag, en wat morgen komt zien we dan wel weer.'

Op dat moment werd er geklopt. Rachel stond op en deed de deur open.

'Goedemorgen, dokter Kingman,' zei een jonge vrouw in een verpleegstersuniform. 'O, neem me niet kwalijk,' verontschuldigde ze zich toen ze Paul en Mariah zag. 'Ik kwam alleen maar zeggen dat ik er ben. Ik wist niet dat u al bezig was.'

'Ze zijn geen patiënten, hoor, Beth. Ze kwamen even langs. Ik ben zo klaar. Die tweeling van Marshall zou geloof ik vanochtend nog even langskomen voor hun allergieprikken, toch?'

De jonge vrouw knikte. 'Daarna wordt u in het bejaardente-huis verwacht voor het geven van de jaarlijkse griepinjecties.'

'O ja. Waarschuw me als die kinderen er zijn, wil je?'

'Okidoki.'

Zodra de deur weer dicht was keek Paul de arts aan. 'Zeg, Rachel, we willen je niet ophouden, maar we waren eigenlijk gekomen om je een paar vragen te stellen over het ongeluk van je ex-man.'

'Wat wil je precies weten?'

'Ik zal proberen om het kort houden. Mariah en ik hebben sterke aanwijzingen dat het ongeluk in Wenen geen ongeluk was. Toen we van het ongeluk van je ex-man hoorden, vroegen we ons af of er een verband tussen die twee gebeurtenissen bestond,' vertelde hij.

'Nu wil het geval dat David een paar maanden voor het ongeluk een ontmoeting heeft gehad met een zekere doctor Sokolov, een van de drie Russische atoomgeleerden die zich op die bewuste avond in Larry Kingmans gezelschap bevonden. De andere twee Russen in de delegatie waren naar Amerika gekomen op voorspraak van deze doctor Sokolov.'

'Nu zijn wij op een paar dingen gestuit die erop wijzen dat er iets vreemds met dit ongeluk aan de hand is,' viel Mariah hem bij.

'Wat voor dingen dan?'

'Nou, om te beginnen is het al vreemd dat ze helemaal naar Taos zijn gereden om een borrel te drinken,' antwoordde Mariah. 'We zijn naar die kroeg gereden om eens te kijken. Het was niet bepaald het soort tent waar Larry heen zou gaan, Rachel. Verder was de manier waarop het onderzoek naar het ongeluk werd uitgevoerd ook nogal vreemd.'

'In welke zin?'

'De federale overheid was vrijwel onmiddellijk ter plaatse,' vertelde Paul. 'De lokale politie en brandweer hadden niets meer in te brengen.'

'Nou,' meende Rachel. 'dat lijkt me toch niet zo vreemd, gezien de aard van Larry's werk en het feit dat die Russen ook waren omgekomen.'

'Maar er heeft helemaal geen onderzoek plaatsgevonden, Rachel,' legde Mariah uit. 'Ze hebben al het bewijsmateriaal meteen bij elkaar geveegd en afgevoerd. Dat lijkt me toch geen normale gang van zaken?'

'Nee, inderdaad.'

'Heb jij kort voor het ongeluk toevallig nog contact met Larry gehad?' vroeg Mariah.

'Ja, natuurlijk.' Ze glimlachte. 'We zijn vijf jaar geleden gescheiden, niet zozeer omdat er anderen in het spel waren, maar meer omdat we langzamerhand van elkaar vervreemd waren. Het ironische was dat we veel beter met elkaar konden opschieten toen we eenmaal weer een eigen leven leidden. Twee dagen voor het ongeluk heb ik nog samen met Larry gegeten.'

'Heeft hij het toen ook gehad over een raftingtocht die hij zou gaan maken?' vroeg Paul.

'Nou, nee,' antwoordde Rachel verbaasd. 'Dat zou ik ook vreemd hebben gevonden, want dit is niet de tijd om te raften. Het is veel te koud en er zit nauwelijks water in de rivier. Bovendien deed hij het de laatste jaren al nauwelijks meer.'

'Zijn knieën zeker,' mompelde Paul.

De arts knikte. 'Na een skiongeluk kreeg hij pinnen in zijn knieën. Maar hoe weet jij dat nou?'

'We spraken met een brandweerman in Taos,' legde hij uit. 'Een gewetensvolle kerel. Ze hadden informatie gekregen over de vermoedelijke slachtoffers en zochten naar resten voor identificatie – gebitsdelen, botresten, orthopedische pinnen – toen de zaak hun uit handen werd genomen. Maar zeg eens, Rachel, zou Larry nog in staat geweest zijn om te raften als hij moest, denk je?'

'Tja, ik denk het wel. Hij zou wel last van zijn knieën hebben gehad, maar ja, hij zou het wel hebben gekund.'

'Wat voor indruk maakte Larry op je toen je hem de laatste keer zag?' vroeg Mariah. 'Heb je iets speciaals aan hem opgemerkt, deed hij anders dan anders?'

'Niet dat ik me kan herinneren. Hij leek soms een beetje in gedachten verzonken, maar ja, we hadden het die avond ook over de goede oude tijd, dus zo verwonderlijk was dat niet.' Meewarig schudde ze haar hoofd. 'Het is wel vreemd. Toen ik van het ongeluk hoorde, vroeg ik me opeens af of hij misschien een voorgevoel had gehad van wat er ging gebeuren.'

'Hoe kwam je daar dan bij?'

'Het klinkt misschien stom, maar... achteraf bezien heeft hij die avond misschien schoon schip willen maken. Ieder mens maakt immers fouten. Over dat soort dingen hebben we het gehad, weet je. Het was een van de eerlijkste gesprekken die we de laatste jaren hebben gehad; we hebben heel veel dingen uitgepraat.'

Op dat moment ging de telefoon op haar bureau. 'Goed, Beth,' zei Rachel, nadat ze had opgenomen. 'Breng ze maar vast naar de onderzoekskamer. Ik kom eraan.'

Toen ze neerlegde maakten Paul en Mariah aanstalten om op te stappen.

'We zullen je niet langer ophouden, Rachel,' zei Mariah.

'Waar moet dit alles toe leiden?' vroeg de arts.

'Wie zal het zeggen,' antwoordde Mariah. 'Misschien tot niets. Vooralsnog is het te vroeg om conclusies te trekken.'

'Nog één ding,' zei Paul. 'Weet je toevallig iets over Bowker, die andere Amerikaan in het gezelschap?'

'Nou, ik heb hem nooit persoonlijk ontmoet, nee. Ik had wel van hem gehoord.'

'Hoezo?'

Rachel haalde haar schouders op. 'Ach, dit is een kleine gemeenschap weet je, en veel van de mensen die hier wonen, zijn patiënten van me. Ik vang wel eens een roddel op.'

'Zoals?'

'Bowker was nog niet zo lang werkzaam op het lab – zo'n anderhalf jaar. Een briljante vent, zeiden ze, maar nogal moeilijk in de omgang. Hij paste niet goed in het team, maakte ook geen nieuwe vrienden.'

'Enig idee waarom?'

Ze knikte. 'Er heerst hier nogal wat onzekerheid. Sinds het einde van de koude oorlog maakt men zich zorgen of er nog wel toekomst is voor dit soort onderzoeksinstituten. Het valt ook niet mee om plotseling te moeten omschakelen naar onderzoek ten behoeve van vreedzame doeleinden.'

'De zwaarden moeten worden omgesmeed tot ploegscharen.'

'Zoiets, ja. Toch moet je het niet onderschatten. Stel je een logge supertanker voor die opeens de andere kant op moet, dat is een lastige manoeuvre die veel tijd kost. Maar om even terug te komen op Bowker,' hernam ze. 'Hij was binnengehaald om de boel te reorganiseren, maar hij had nogal de neiging om op de schuldgevoelens van de mensen te werken als de veranderingen hem niet snel genoeg gingen. Het is ook niet prettig om onder je neus gewreven te krijgen dat het werk dat je jarenlang hebt gedaan opeens wordt beschouwd als immoreel.'

'Dus niemand zal er echt rouwig om zijn geweest dat Scott Bowker niet meer terugkwam,' mompelde Paul.

'Nou, ik geloof niet dat iemand zijn dood heeft gewenst, maar ze zullen er niet vreselijk lang om hebben getreurd.'

'Hoe dacht Larry eigenlijk over al die veranderingen, Rachel?' vroeg Mariah.

'Hij vond het hoog tijd worden. Hij is er blijven werken omdat hij toch over niet al te lange tijd met pensioen zou gaan, maar hij was al een tijd geleden tot de slotsom gekomen dat de wapenwedloop een zinloze en vooral krankzinnige aangelegenheid was.' Ze slaakte een zucht. 'Ik mis hem, weet je. Hij had ook nog zoveel goeds kunnen doen.'

Er klonk een luid gegiechel in de kamer ernaast.

'Kom, we zullen je nu maar aan je patiënten overlaten,' zei Paul.

Rachel knikte. 'Toch is me nog niet helemaal duidelijk waar jullie naartoe willen. Als ik het goed begrepen heb, denken jullie dat Larry betrokken was bij een soort moord-zelfmoordactie, maar dat lijkt me niet erg plausibel.'

'Nee,' gaf Chaney toe. 'Mij ook niet.'

'Dus?'

'We kunnen het niet bewijzen natuurlijk, maar we denken dat die vijf kerels helemaal niet dood zijn. Het zou kunnen dat iemand hun diensten heeft gekocht en dat het ongeluk en hun dood geënsceneerd zijn.'

'Wat zeg je nou? Gekocht? Maar door wie dan?'

'Er zijn heel wat organisaties die de kennis van mannen als Larry maar al te goed kunnen gebruiken, Rachel,' zei Mariah. 'Dat is nu juist het griezelige.'

'Het kan gewoon niet, Mariah. Zoiets zou Larry nooit doen.' De arts schudde gedecideerd het hoofd.

'Nou, er zijn ook nogal wat dingen waarvan ik zeker wist dat David ze nooit zou doen, maar mooi dat ik ernaast zat,' merkte Mariah op.

'We zijn tot nu toe ook nog niet veel verder gekomen dan een vermoeden, Rachel,' voegde Paul eraan toe. 'We hebben een heleboel losse stukjes die niet passen. Als er een andere uitleg bestaat voor dit alles, dan zou ik die graag weten. Overigens, Rachel, mogen we rekenen op je discretie? We willen niet nodeloos alarm slaan en vooral geen slapende honden wakker maken, als je begrijpt wat ik bedoel.'

Rachel keek hen beurtelings aan. Toen knikte ze. 'Natuurlijk,' zei ze. 'Maar ik denk dat jullie spoken zien, als ik heel eerlijk ben.'

'Misschien,' zei Mariah, terwijl ze achter Paul aan naar de deur liep. 'Het zou mooi zijn als dat het geval was, want dan snel ik terug naar mijn kind. Per slot van rekening moeten we proberen om de draad weer op te pikken na al deze ellende.'

'Je kind?' vroeg Rachel aangenaam verrast. 'Goh, ik wist helemaal niet dat jullie een kind hadden geadopteerd. Wat leuk!'

'Geadopteerd? Nee, hoor. Lindsay was het resultaat van onze hereniging,' zei Mariah met een schaapachtige grijns. 'Negen maanden nadat David naar Washington terug was gekeerd, werden we gezegend met een beeldschone dochter. Dertien is ze inmiddels. David en zij waren dol op elkaar – je had ze samen moeten zien. Ze mist hem vreselijk.'

Rachel staarde haar aan met een vreemde uitdrukking op haar gezicht.

'Rachel, wat heb je opeens?' vroeg Mariah.

De arts wierp een weifelende blik op Paul en keek toen Mariah weer aan.

'Toe maar,' drong Mariah aan. 'Je kunt alles zeggen in het bijzijn van Paul.'

'Ik...' begon de oudere vrouw. 'Neem me niet kwalijk, Mariah, maar dat kan helemaal niet.'

'Wat niet?'

'Dat jij en David een kind hebben gekregen.'

'Maar het is echt waar. Ze is momenteel bij haar grootouders. Ze is uit mijn buik gekomen. Ze bestaat echt, hoor.'

'Ja, dat geloof ik best, maar...'

'Maar wat dan?'

'Begrijp je het dan niet, Mariah? David kon geen kinderen krijgen. Na het ongeluk in het lab was hij onvruchtbaar.'

19

❧

Vordat ze het in de gaten hadden, was Mariah de spreekkamer uit gestormd. Paul zei Rachel Kingman haastig gedag en ging Mariah achterna. Buiten gekomen zag hij haar net het park ertegenover in verdwijnen. Ze negeerde zijn geroep en rende door tot aan Fuller Lodge, waar ze eindelijk bleef staan. Toen hij daar even later hijgend aankwam, stond ze bij een van de lege bankjes naar het gebouw te staren.

Tot aan 1942, toen de federale regering de jongensschool van Los Alamos confisqueerde ten behoeve van het Manhattan Project, had Fuller Lodge dienstgedaan als eetzaal. Daarna werd het de plaats waar grote geleerden als Robert Oppenheimer, Enrico Fermi, Edward Teller en vele anderen in alle ernst discussies voerden over de meest doeltreffende methode om een kernexplosie te produceren.

'Nou,' zei ze na een paar seconden op ijzige toon. 'Ben je nog van plan om het me te vragen of hoe zit dat?'

'Wat zou ik je moeten vragen?' vroeg Chaney, nog altijd niet op adem gekomen.

'Wie de echte vader van Lindsay is.'

'Nee,' antwoordde hij. 'Tenzij jij het me graag wilt vertellen.'

Bevangen door een overweldigende misselijkheid, greep ze zich vast aan de bank en sloot haar ogen. Ze had het gevoel dat de grond, nee, de hele wereld onder haar voeten wegzakte. Plotseling deed ze haar ogen open. Ze rende naar het struikgewas en leegde haar maag. Ze bleef maar overgeven, ook al was er na verloop van tijd niets meer om over te geven. Tegen de tijd dat het ophield, voelde haar middenrif beurs aan.

Toen ze Pauls hand in haar nek voelde richtte ze zich trillend op. Ze haalde een paar keer diep adem en drukte de koele zakdoek die hij bevochtigd had met sneeuw tegen haar neus en mond. Daarna sloeg hij een arm om haar heen en troonde haar mee naar het bankje, waar ze een tijdlang bleven zitten zonder iets te zeggen.

'Het is me opeens allemaal duidelijk,' zei ze.

'Wat bedoel je precies?'

'David. Hoe hij eruitzag toen hij uit Los Alamos weg was gegaan en opeens voor mijn neus stond. Hoe hij met Lindsay was. Wenen. Alles.'

Paul zei geen woord, maar aan zijn gezicht was te zien dat ze niet erg coherent overkwam. Ze slaakte een diepe zucht. 'Ik had al in geen maanden van hem gehoord toen hij plotseling op de stoep stond. Ik miste hem verschrikkelijk, maar hij reageerde noch op mijn brieven noch op mijn telefoontjes. Ik begon te vermoeden dat hij een ander had.' Ze staarde naar de grond.

'Op een dag, totaal onverwacht, stond hij opeens voor de deur,' ging ze verder. 'Hij was mager, zag er ontzettend slecht uit. Het was de enige keer, behalve die laatste weken in Wenen, dat ik hem depressief heb gezien. Hij vertelde dat er een ongeluk op het lab had plaatsgevonden, dat er een collega van hem aan de gevolgen daarvan was overleden en wat een afschuwelijke dood de arme man was gestorven, maar niet dat hij ook aan straling had blootgestaan en er ook ziek van was geworden.'

Ze sloeg haar armen over elkaar en liet haar tranen de vrije loop. 'Waarom heeft hij me dat niet verteld? Hij had toch moeten weten dat ik hem nooit om die reden zou afwijzen. Hij had het me moeten vertellen.'

Paul zweeg en wachtte geduldig tot ze weer verder zou gaan.

'Hij wilde altijd al graag kinderen,' hernam ze na een tijdje. 'Misschien is dat ook een van de redenen geweest waarom ik bij hem weg ben gegaan. Denkend aan mijn eigen jeugd moest ik er niet aan denken om een kind op de wereld te zetten.'

Ze snoot haar neus. 'Een paar weken nadat David bij me ingetrokken was, ontdekte ik dat ik zwanger was. In eerste instantie reageerde hij helemaal niet zo enthousiast als ik had verwacht – ik begrijp nu dus ook waarom. Na een paar dagen leek hij aan het idee gewend te zijn geraakt, en vanaf dat moment genoot hij met volle teugen van mijn zwangerschap. Hij was zo betrokken bij het kind in mijn buik, dat ik zelf ging geloven dat het kind van hem was.'

Een caleidoscoop van beelden trok aan haar geestesoog voorbij, beelden van David in het ziekenhuis met het piepkleine pasgeboren wezentje in zijn armen; van David liggend op zijn rug op de bank met een slapende Lindsay op zijn harige borstkas; van David die Lindsay leerde schaatsen; van David met een triomfantelijke Lindsay op zijn schouders nadat ze met haar team kampioen midgetgolf was geworden.

'Maar je had toen dus wel een vermoeden dat hij wel eens de vader niet zou kunnen zijn,' merkte Paul op.

'Ja, natuurlijk had ik dat. Ik ben toch niet achterlijk! Wat dacht je? Ik heb er nachten van wakker gelegen. Negen maanden lang droomde ik dat ik een kaal kind met borstelige wenkbrauwen ter wereld zou brengen.'

Ze glimlachte zwakjes, en er verscheen een zachte blik in haar ogen. 'Maar toen Lindsay werd geboren leek ze op niemand anders dan op zichzelf. David was onmiddellijk verliefd op haar.' Ze keek hem aan. 'Het zal je wel raar in de oren klinken, maar vanaf het moment dat ze werd geboren heb ik er nooit meer een moment aan getwijfeld dat David de vader was. Hij was ook een vader voor haar, in alle opzichten.'

Paul knikte en keek naar twee jonge moeders die met hun kinderen door het park wandelden. 'Frank Tucker,' zei hij na een lange stilte.

'Ja. Ben je erg gechoqueerd?'

'Nee. Op het feest bij hem thuis had ik al gemerkt dat jullie een speciale band met elkaar hadden.'

'Het is anders niet wat je denkt. Hij is een erg dierbare vriend van me, en we hebben nooit iets met elkaar gehad – we hebben maar één keer gevreeën. Ik heb er ook geen verklaring voor, het gebeurde gewoon. O, verdomme!' Ze sloeg met haar vuisten op haar dijbenen. 'Ik hoor het mezelf zeggen, niet te geloven. Als Lindsay met zo'n stom excuus aankomt, krijgt ze altijd de wind van voren. Dingen gebeuren niet "gewoon", zeg ik dan altijd. Je bent verantwoordelijk voor je daden.'

'We zijn mensen, Mariah. We maken allemaal fouten.'

'Frank en ik zijn wel heel stom geweest. We hadden er naderhand allebei ook vreselijk spijt van.'

'Zijn vrouw leefde toen zeker nog?'

'Ja. Het gebeurde vlak voor David naar Washington kwam. Joanne zou het niet lang meer maken, dat wist iedereen. Ze was ontzettend zwak.' Ze zuchtte. 'Op een avond hadden Frank en ik tot laat doorgewerkt. Toen we naar huis gingen, bleek mijn accu leeg te zijn. Hij had gelukkig een startkabel bij zich. Nadat hij mijn wagen weer aan de praat had gekregen, reed hij achter me aan om zeker te weten dat ik veilig thuis zou komen. Joanne en de kinderen waren een paar dagen naar haar ouders in Pennsylvania – het zou haar laatste bezoek aan hen zijn. Frank zou haar de volgende dag gaan halen.'

Ze staarden een paar tellen lang zwijgend naar een eekhoorntje dat het wandelpad overstak.

'Het was die dag een heksenketel geweest op het werk, en we hadden nog niet gegeten, dus ik vroeg hem een hapje mee te eten. Heel onschuldig. Ik ben altijd erg op hem gesteld geweest. Hij is een oude brombeer, maar hij is altijd eerlijk en recht voor zijn raap. Hij heeft niets gekunstelds. Ik was ook een van de weinigen die niet bang voor hem was – misschien dat we het daarom goed met elkaar konden vinden,' voegde ze er peinzend aan toe. 'Enfin, we aten wat, we dronken wijn, we kletsten wat; eerst over ditjes en datjes, maar gaandeweg nam het gesprek een serieuzere wending.' Even zweeg ze. 'Hij begon over Joanne te vertellen en over zijn angst om haar kwijt te raken. En toen opeens begon hij vreselijk te huilen.' Ze kreeg zelf ook weer tranen in haar ogen bij de herinnering.

'Ik was het niet van plan, hij ook niet. Ik sloeg mijn armen om hem heen om hem te troosten en toen...' Ze slaakte een diepe zucht. 'Waarom weet ik niet, maar toen kuste ik hem. Hij klemde zich aan me vast als een man die op het punt staat om te verdrinken. En voordat we het wisten lagen we in bed.' Ze drukte haar nagels in haar handpalmen.

'Naderhand voelden we ons vreselijk. Joanne was altijd heel lief voor me geweest, en Frank voelde zich ontzettend schuldig over wat hij had gedaan – zowel tegenover mij als tegenover zijn vrouw – maar het was niet zijn fout.'

Ze keek Paul aan. 'De eerste tijd konden we elkaar bijna niet aankijken, maar dat was gelukkig maar van korte duur. Een paar dagen later stond David ineens voor mijn neus, en niet lang daarna ontdekte ik dat ik in verwachting was.'

Ze stond abrupt op en begon het pad af te lopen. Paul volgde haar voorbeeld.

'Nu weet je hoe het zit,' zei ze. 'Het is niet bepaald een verhaal om trots op te zijn.'

'Je moet niet zo hard oordelen over jezelf, Mariah. Het was je bedoeling om een goede vriend te troosten. Om iemand geven en hem de helpende hand reiken is in mijn ogen geen strafbaar feit.'

'Toen jij mij wilde troosten op die bewuste avond bij de ambassadeur in Wenen heb ik jou anders wel veroordeeld.'

'Ja, misschien. Het verschil is alleen dat jij, toen ik je kuste, er niet op in bent gegaan.'

Ze aarzelde. 'Iets in mij wilde er anders best op ingaan,' gaf ze toe. 'Ik ben niet van steen, weet je.'

'Dat weet ik. Desondanks heb je je ingehouden,' zei Paul. 'Dat is alleen maar lovenswaardig te noemen.'

'Schei uit, Paul. Kijk nu toch eens wat een puinhoop ik ervan heb gemaakt.'

Hij hield zijn pas in, greep haar bij een arm. 'Luister nu eens even naar me, Mariah. Je vindt dan wel dat je stom bent geweest – iets waar ik het niet helemaal mee eens kan zijn – maar als je niet zo "stom" geweest was, zou je Lindsay nu niet hebben gehad. Samen hebben jullie David iets gegeven waarvan hij, na wat hem hier is overkomen, nooit zou hebben durven dromen. Dus laten we proberen het allemaal het een beetje binnen proporties te houden, ja?'

'Je snapt het niet! Die leugen heeft ons achterhaald en uiteindelijk onze levens verwoest. Katarina Müller moet op de een of andere reden achter de waarheid zijn gekomen. Dat is wat ze bedoelde toen ze tegen jou zei dat wij mooi weer speelden. Dat is ook hetgeen waarmee ze David heeft gechanteerd!'

'Maar hoe is ze dan aan die informatie gekomen?'

'Nou ja, iemand is in Davids verleden gaan graven, ontdekte vervolgens wat er in het lab was gebeurd en trok daaruit zijn conclusies. De kans is groot dat dat dezelfde persoon is die vervolgens Katarina Müller inschakelde.'

Hij leek niet overtuigd. 'Maar ook al zou ze hebben gedreigd om dit bekend te maken, dan kan dat voor David toch geen reden zijn geweest om bang te zijn jou kwijt te raken? Per slot van rekening had jij hier zelf aan meegedaan.'

'Hij was bang voor Lindsays reactie, Paul. Hij was immers haar grote held. Haar verdriet doen was wel het laatste wat hij wilde. Hij was als de dood dat hij haar liefde zou verliezen, en hij had er alles voor over om dat te voorkomen – zoals gebleken is.'

'Hm.' Hij staarde peinzend voor zich uit. 'Misschien weet Rachel Kingman dat.'

'Wat?'

'Of iemand ooit navraag bij haar heeft gedaan over David. Per slot van rekening was ze indertijd zijn behandelend arts. Nadat ze hadden ontdekt dat hij betrokken was bij die brand in het lab, kunnen ze haar hebben benaderd voor zijn medische gegevens.'

'Daar zou je best wel eens gelijk in kunnen hebben. Dat had ik natuurlijk meteen moeten vragen, maar na die onthulling over Davids onvruchtbaarheid kon ik gewoon niet meer normaal denken.'

'Dat was ook nogal een schok. Toch moeten we het weten. Zal ik anders even teruggaan om het te vragen?'

'Nee, laat maar.' Ze knikte in de richting van de telefooncel niet ver van de plek waar ze zaten. 'Ik bel haar wel, want ik kan haar op het moment nog niet onder ogen komen.'

'Weet je het zeker? Ik vind het geen punt, hoor.'

Ze schudde haar hoofd. 'Nee, wacht maar even. Ik ben zo terug.'

Wachtend tot er opgenomen zou worden, keek Mariah naar Paul, die met een ernstige uitdrukking op zijn gezicht sneeuwballen naar een dunne boom stond te gooien. Gisteravond nog had hij haar zijn liefde verklaard. Hij zou zich waarschijnlijk wel voor zijn kop slaan, nu hij haar ware aard kende. Het was vreemd, maar ook al had ze geen moment overwogen om iets met hem te beginnen, op de een of andere manier had ze toch het gevoel dat ze iets kwijt was geraakt.

'Praktijk van dokter Kingman. Goedemorgen.'

'Spreek ik met Beth?'

'Inderdaad.'

'O, hallo Beth, je spreekt met Mariah Bolt. Ik was daarnet bij dokter Kingman toen jij aanklopte. Zou ik haar even kunnen spreken, of is ze druk bezig op dit moment?'

'Ik weet niet of ze er nog is. Ze stond op het punt om naar het bejaardentehuis te gaan.'

'Zou je kunnen kijken of je haar misschien nog te pakken kunt krijgen?'

'Ik zal mijn best doen, maar ik geef u niet veel kans. Ze was al aan de late kant vanwege een andere onverwachte bezoeker.'

'Wil je het toch proberen? Het is nogal urgent.'

'Moment.'

Mariah sloeg intussen het telefoonboek op voor het nummer van het bejaardentehuis. Ze had het net gevonden, toen Beth weer aan de lijn kwam.

'Hallo?' zei Beth. 'Ik heb haar te pakken, hoor. Ze stond op het punt de lift in te stappen. Ze komt eraan.'

'Je bent een engel, Beth. Dank je wel.'

'Graag gedaan.'

'Mariah,' klonk even later Rachels bezorgde stem. 'Waar zit je? Gaat het weer een beetje?'

'Ja, Rachel. Sorry dat ik er opeens vandoor ging. Het was nogal een schok voor me.'

'Het spijt me, ik had er niets over moeten zeggen natuurlijk. Maar ik was zo verbaasd toen ik hoorde dat je een dochter had, dat het eruit was voor ik het wist.'

'Jij kunt het niet helpen. Je kon toch ook niet weten dat David mij daar niets van had verteld. Vlak voor hij bij me terugkwam heb ik weliswaar heel kort iets met iemand anders gehad, maar al die jaren leefde ik in de heilige veronderstelling dat David de biologische vader van Lindsay was. Misschien wel omdat ik het zo graag wilde geloven. Wat me zo'n verdriet doet, is het feit dat hij het wist, maar dat hij zijn trots heeft ingeslikt en zonder iets te zeggen het vaderschap over andermans kind op zich heeft genomen.'

'Hij wilde bij jou zijn, Mariah. Op het moment dat je met je eigen sterfelijkheid wordt geconfronteerd weet je opeens wat je prioriteiten in het leven zijn. Wat voor hem belangrijk was, was dat jij net zoveel om hem gaf als hij om jou.'

'Dat was zeker het geval, Rachel, maar onze geheimen hebben op het laatst een wig tussen ons gedreven. Ik vroeg me opeens af wie er nog meer op de hoogte was van de waarheid, want dat zou wel eens dezelfde persoon kunnen zijn die verantwoordelijk is voor het ongeluk in Wenen.'

'O ja, denk je?'

'Nou ja, het is maar een gok, maar op het moment weet ik niets beters te bedenken. Dus mijn vraag is, Rachel, heb jij enig idee welke mensen op de hoogte waren van Davids, eh... toestand?'

'Hier in Los Alamos in ieder geval niemand, kan ik je verzekeren. Tijdens zijn herstelperiode werd zijn sperma natuurlijk gecontroleerd. In eerste instantie werd er een aanzienlijke vermindering van zaadcellen geconstateerd – geheel volgens de verwachtingen. De mens is een uitermate stralingsgevoelig wezen, en zijn voortplantingsorganen zijn het kwetsbaarst.'

Mariah voelde haar maag samentrekken. 'In eerste instantie, zei je. Wil je daarmee zeggen dat er daarna verbetering optrad?'

'Ik was nog niet helemaal uitgesproken. Er zijn gevallen bekend waarin het aantal zaadcellen weer een normaal niveau bereikt, maar daar gaat over het algemeen een periode van twee jaar overheen.'

Mariah zag haar laatste hoop vervliegen. 'Er bestaat dus geen enkele kans dat David Lindsays vader is?'

'Nee, ik vrees het niet. Maar niet alleen daarom.'

'Hoe bedoel je?'

Rachel slaakte een diepe zucht. 'David was een wetenschapper, Mariah. Hij mag dan wel een vrolijke Frans zijn geweest, maar hij was niet iemand die zichzelf voor de gek hield. Hij wist dat blootstelling aan straling kan leiden tot beschadiging van je genen. En is het organisme in staat tot reproductie, dan bestaat het gevaar dat de genetische mutaties worden doorgegeven aan latere generaties. David was niet bereid om dat risico te nemen.'

'Wat probeer je me nu te vertellen, Rachel?'

'Dat David besloot zich te laten steriliseren – permanent. Ik heb hem zelf geopereerd.'

Mariah leunde tegen de wand van de telefooncel en bracht een hand naar haar voorhoofd. 'O, mijn hemel...'

'Hij geneerde zich er enigszins voor en wilde niet dat het bekend werd, dus hij vroeg of ik het misschien op de kliniek kon doen in plaats van op het lab – ik was indertijd net begonnen met het opzetten van mijn eigen praktijk. Het staat dus nergens geregistreerd. Misschien is het niet helemaal volgens het boekje wat ik heb gedaan, maar ik sta nog altijd achter mijn beslissing.'

'En dit heb je nooit aan iemand verteld? Zelfs niet aan Larry?'

'Larry was Davids baas, en David wilde niet dat het op het lab bekend werd, dus ik heb het zelfs niet aan Larry verteld. Als arts ben ik geheimhouding verplicht, maar ik moet bekennen dat er toch iemand is aan wie ik het verteld heb, iets waar ik later spijt van heb gekregen. Op dat moment zat het nationaleveiligheidsdenken echter nog diep in me verankerd.'

'Nationaleveiligheidsdenken? Wat bedoel je?'

'Kort nadat David uit Los Alamos was vertrokken, kreeg ik bezoek van iemand van de CIA. David had me toevertrouwd dat jij daar inmiddels terecht was gekomen. Kennelijk hadden jullie besloten te gaan trouwen, want de CIA-agent kwam in het kader van een routineonderzoek.'

'Dat is inderdaad gebruikelijk wanneer een CIA-medewerker met iemand "van buiten" trouwt,' zei Mariah.

'Hij was al bij het lab geweest. Hij wist van de brand af en ook dat ik David behandeld had. Het viel me nog op dat hij voor een doorsnee persoon vrij goed op de hoogte was van de effecten van radioactieve straling. Hij vroeg me de oren van het hoofd, en ik vrees dat ik hem alles heb verteld.'

'En?'

'Zijn reactie was nogal eigenaardig, moet ik zeggen. Hij leek nogal van zijn stuk. Hij verzocht me om deze informatie voor me te houden en te beschouwen als staatsgeheim. Hij vroeg me zelfs om alle eventuele aantekeningen hierover te vernietigen. Dat is toch vreemd, vind je niet?'

'Heel vreemd,' mompelde Mariah. 'Weet je toevallig nog hoe hij heette?'

'Nee, sorry, dat weet ik echt niet meer, daarvoor is het te lang geleden. Maar ik weet nog wel hoe hij eruitzag – niet bepaald het type dat je snel vergeet.'

'Hoe dan? Hoe zag hij eruit?'

'Groot. Een forse man met brede schouders. Hij was zo kaal als een biljartbal en hij had dikke, borstelige wenkbrauwen. Een vrij intimiderend voorkomen.'

'Frank.'

'Wat?'

'Frank Tucker,' zei Mariah toonloos. 'Heette hij zo, Rachel?'

'Ik zou het je niet met zekerheid kunnen zeggen, maar ergens komt hij me wel bekend voor, ja. Tucker... Ja, dat zou best wel eens kunnen.'

Mariah sloeg met haar vuist tegen de wand. 'Is er verder nog iemand bij je geweest om informatie? Recentelijk, bedoel ik. Of kan iemand misschien inzage hebben gehad in Davids dossier?'

'Zijn dossier ligt al veertien jaar veilig opgeborgen in een kluis – twee dagen geleden lag het er nog. Ik kon er niet toe komen om het te vernietigen. En verder is die, eh... Tucker de enige aan wie ik het ooit heb verteld. Maar –'

'Maar wat?'

'Ik weet niet of ik het je moet vertellen...' Rachel aarzelde en nam toen een besluit. 'Ach, vooruit. Je bent oud en wijs genoeg om te weten wat je doet. Vlak na jullie vertrek kwam er een man langs. Hij wist kennelijk dat jullie bij me waren geweest en wenste te weten waarvoor.'

'Hoe heette hij?'

'Hij stelde zich voor als George Sanders.'

'Sanders? Wat was het voor iemand?'

'Een man van in de vijftig, schat ik, zilvergrijze haren. Goed-gekleed. Een beetje glad.'

George Neville, dacht Mariah meteen. Haar hart bonsde in haar keel. 'En, wat vroeg hij?'

'Hij wist van Lindsay af, Mariah. Hij wilde meer weten over de brand in het lab en ook wie er verder nog van op de hoogte waren.'

'Heb je verteld van Tuckers bezoek?'

'Nee, al weet ik niet goed waarom niet. Hij had iets wat me te-genstond. Ik heb gezegd dat je een oude vriendin was die ik een tijd niet had gezien. Ik had alleen niet het idee dat hij me geloof-de. Hij wilde ook weten of je vragen over Larry had gesteld. Ik zei dat je me alleen gecondoleerd hebt.' Ze zweeg een ogenblik. 'Ma-riah, wat is hier in vredesnaam aan de hand?'

'Ik weet het ook niet, Rachel,' zei ze. 'Luister, ik moet ophan-gen, maar ik neem gauw weer contact met je op, goed?'

'Wacht even, Mariah –'

Maar Mariah had al opgehangen. Toen ze zich omdraaide, zag ze nog net dat Paul werd besprongen door twee mannen. Een er-van was een onbekende, de andere was de man met de havik-sneus uit Newsweek – de man die Paul had geïdentificeerd als Dieter Pflanz.

Ze rende op Paul en de twee mannen af en greep intussen naar het wapen in haar jaszak. Op dat moment hoorde ze achter zich een bekende stem.

'Hier blijven, Mariah!'

Met het vuurwapen in de aanslag draaide ze zich om. George Neville, die juist uit de struiken te voorschijn stapte, bleef prompt staan.

'Is dat nu werkelijk nodig?' vroeg hij.

'Ja,' antwoordde ze koelbloedig. 'Zeg tegen die kerels dat ze hem loslaten, Neville.'

'Nou, nou, na dat kleine akkefietje bij Operations heb je de smaak te pakken gekregen, zie ik,' merkte hij spottend op.

'Geen geintjes, Neville, ik meen het! Zeg dat ze hem moeten laten gaan.'

Hij wierp een blik in de richting van de drie vechtende man-nen en keek haar toen weer aan. 'Wind je nou niet zo op, Mariah.

We kunnen er toch ook in alle rust over praten.'

'Neville, ik waarschuw je. Ik begin mijn geduld te verliezen.'

'Daar twijfel ik geen moment aan,' zei hij ijzig kalm. 'Toch geloof ik niet dat je werkelijk zult schieten, en jij zelf ook niet, dus geef dat ding maar aan mij voor er ongelukken gebeuren.'

'Had je gedacht! Ik ben al die leugens en dat gedraai van jou zo langzamerhand spuugzat. Zeg tegen die kerels dat ze ophouden, en daarna wordt er gepraat, dat wil zeggen door jou. Jij gaat mij namelijk haarfijn uitleggen wat jij en Tucker en Pflanz en zijn grote baas allemaal in je schild voeren.'

Neville scheen even van zijn stuk gebracht. 'Hoe weet jij dat hij zo heet?' vroeg hij, in de richting van Pflanz wijzend.

'Komt er nog wat van of hoe zit dat!'

Neville keek weer naar het tafereeltje verderop. 'Nou, ik zou wel willen, Mariah, ware het niet dat ik met een klein probleem zit.' Hij keek haar weer aan. 'Pflanz heeft zich nu eenmaal voorgenomen om die journalist uit te schakelen, en of jij mij nu neerschiet of niet, het zal hem er niet van weerhouden. Ik denk dat we er beter heen kunnen gaan en proberen hem ervan te overtuigen dat jullie tweeën voor rede vatbaar zijn.'

'Waar heb je het in vredesnaam over?'

'We hebben een inschattingsfout gemaakt, Mariah,' gaf Neville toe. 'We hadden je van meet af aan opening van zaken moeten geven, maar Tucker was bang dat je het niet aankon. Ik was het niet met hem eens; in mijn ogen heb je er zelfs recht op. Als we daartoe eerder hadden besloten, dan was het nooit zo uit de hand gelopen. Dus laten we die journalist maar gaan redden voor het te laat is.'

Vanuit haar ooghoeken zag ze twee andere mannen langzaam op hen toe komen. Ze hadden hun handen diep in hun zakken en hielden haar en Neville nauwlettend in het oog. Het was duidelijk dat ze niet van plan waren om haar en Paul te hulp te komen.

'Je moet alleen wel nog even dat wapen afgeven, Mariah,' zei Neville. 'Er lopen hier vrees ik op het moment nogal wat nerveuze types rond die erg onrustig worden van dreigementen.'

Ze aarzelde. Frank had haar dat wapen toegestopt. Blijkbaar

vertrouwde hij Neville dus niet helemaal, net als zij. Aan de andere kant was Frank de enige die weet had van de leugen waarmee zij en David al die tijd hadden geleefd; Frank had moeten beseffen dat David daardoor kwetsbaar was – voor chantage bijvoorbeeld. Frank was echter ook de enige die hem daarmee had kunnen chanteren. Waarom hij zich daartoe zou verlagen was haar een raadsel, maar het stond als een paal boven water dat hij erbij betrokken was.

Op dat moment zag ze dat Pflanz Paul tegen de grond sloeg. Ze liet haar arm zakken en gaf Neville het wapen.

'Heel verstandig van je,' zei hij. Hij liet het wapen in zijn jaszak glijden en pakte haar vervolgens stevig bij haar elleboog. 'Laten we nu dan maar gauw die vriend van je uit de problemen gaan halen.'

Een paar minuten later werden Paul en zij achter in een zwarte limousine met geblindeerde ramen geduwd. Niet ver daarvandaan waren Neville en Pflanz in een verhitte discussie verwikkeld.

'Het lijkt erop dat ze het niet eens zijn over wat ze nu met ons aan moeten,' zei Paul, over zijn pijnlijke ledematen wrijvend.

'Neville hangt de rechtschapen jongen uit tegenover Pflanz,' merkte ze op. 'Maar ik vertrouw ze allebei voor geen cent. Leef je nog een beetje?'

'Jawel, hoor. Ze hebben alleen mijn armen zowat uit de kom gerukt.'

Ze begon een van zijn schouders te masseren. 'O, Paul. Het spijt me dat ik je in deze ellende heb meegesleurd.'

'Onzin, ik ben er willens en wetens in gestapt. Toen ik eenmaal wist dat dat ongeluk in Wenen geen ongeluk was, kon ik het er niet bij laten zitten; daarvoor waren jij en David me veel te dierbaar.'

Ze staarde ongelukkig uit het raampje. 'O, David,' mompelde ze voor zich heen. 'Wat heb ik je aangedaan?'

Paul pakte haar hand. 'Mariah,' zei hij zacht, 'luister even naar me. Ik weet dat je het niet zult willen horen, maar David gaat hierin niet helemaal vrijuit – hij had je moeten vertellen hoe het met hem gesteld was.'

'Ik begrijp er niets van, Paul. Hoe is het mogelijk dat twee mensen die zoveel van elkaar houden, dergelijke dingen voor elkaar geheim houden?' Ze slaakte een diepe zucht. 'Ik heb indertijd niet eens overwogen om hem te vertellen dat ik een keer met Frank had gevreeën. Ik schaamde me ervoor, ik wilde het liefst dat het nooit gebeurd was.'

'Ik kan me ook zo voorstellen dat David, toen hij eenmaal weer bij je terug mocht komen, niet het risico wilde nemen je opnieuw kwijt te raken en daarom zijn mond hield. Hij liet jou in de waan dat het kind van hem was, in de wetenschap dat dat jullie band alleen maar zou versterken.'

'Zoiets zei Rachel daarnet ook al. Weet je trouwens wat ze me vertelde? Dat Frank Tucker haar is komen opzoeken vlak nadat David en ik weer samen waren en dat hij haar allerlei vragen heeft gesteld over Davids lichamelijke conditie. Hij wist het dus. Verder is Neville bij haar geweest nadat wij waren weggegaan. Hij weet het dus kennelijk ook. Verder weet niemand ervan. Besef je wat dat betekent?'

Hij knikte langzaam. 'Het ziet er niet best uit, Mariah.' Hij wierp een blik op Neville en Pflanz, die uitgediscussieerd waren en op de auto toe liepen. 'Overigens heb ik het gevoel dat die Pflanz een persoonlijke wrok tegen me koestert.'

'Vreemd,' mompelde ze droogjes. 'Hoe zou dat toch komen?'

Neville opende het achterportier aan Mariahs kant en stapte in. Pflanz ging voorin zitten; de man die samen met hem Paul had aangevallen kroop achter het stuur.

'Waar gaan we heen?' vroeg Mariah.

'Terug naar huis en aan het werk. De vakantie is voorbij,' antwoordde Neville.

'Het is maar net wat je vakantie noemt. Vertel liever wat dit allemaal te betekenen heeft, zoals je daarnet beloofde.'

'Alles op zijn tijd, meisje,' bromde Neville met een korte hoofdknik in de richting van de chauffeur. 'Kleine potjes hebben grote oren, zeggen ze.'

Zwijgend reden ze naar een klein vliegveld buiten de stad, waar een zakenvliegtuig stond te wachten. Mariah herkende het als een van de nieuwste types waarmee je vrijwel verticaal kon opstijgen en landen, en die net als een helikopter een tijd stil in de lucht kon blijven hangen. Het bedrag op het prijskaartje dat er-aan hing, was alleen op te brengen door de echte rijken – mensen als Gus McCord.

Toen ze even later uitstapten, reed de limousine meteen weg. Neville gebaarde Paul en haar in het vliegtuig te stappen. Pflanz stapte als laatste in en sloot de deur achter zich. Ze zaten nog niet, of het toestel kwam in beweging.

Terwijl Paul en Mariah hun veiligheidsgordels vastmaakten, nam Neville in een van de fauteuils tegenover hen plaats. Mariah keek de cabine rond. In een hoek stond een bureau compleet met computer, printer, fax en telefoontoestel. Verder naar achteren stonden nog een paar fauteuils en een slaapbank.

Pflanz was intussen aan het bureau gaan zitten. Nadat ook hij zijn riemen had vastgemaakt, draaide hij zijn stoel zo dat hij goed zicht op hen had.

Ze wendde haar blik van hem af en keek naar Neville, die zijn jas zorgvuldig had opgevouwen en hem vervolgens op de lege stoel naast zich legde. Ze trok eveneens haar jas uit en hing hem over de rugleuning van haar stoel. Paul staarde uit het raampje.

Even later stegen ze op.

'Vliegen we terug naar Langley?' vroeg ze aan Neville.

Hij knikte.

'Van wie is dit vliegtuig eigenlijk?'

Neville wisselde een blik met Pflanz uit. 'Van een vriend,' antwoordde hij toen.

'McCord zeker,' zei ze.

Neville fronste zijn voorhoofd, leunde naar voren en staarde een ogenblik naar zijn handen. Na een snelle blik op Paul geworpen te hebben, keek hij haar aan. 'Het lijkt me niet noodzakelijk om Mr. Chaney te belasten met allerlei overbodige informatie,' zei hij. 'Het is niet persoonlijk bedoeld,' voegde hij eraan toe, 'maar het betreft nu eenmaal een paar zaken die nog-al gevoelig liggen, en ik zou het vervelend vinden als u als journalist daardoor in een wat ongemakkelijke positie werd gebracht.'

'Bijzonder attent van u,' zei Paul droogjes.

Neville haalde zijn schouders op. 'We doen ons best om het iedereen naar de zin te maken.'

'Ik stel het zeer op prijs, daar niet van, maar ik zie niet helemaal in wat dat uitmaakt, aangezien uw goede vriend daar toch al besloten heeft dat ik meer weet dan goed voor me is.'

'De vraag is of hij gelijk heeft. Vertel eens: wat weet u eigenlijk allemaal?'

'Hij weet helemaal niets,' zei Mariah. 'Hij heeft overal zitten vissen, maar het heeft niets opgeleverd. Het weinige dat ik weet, heb ik hem niet verteld. Laat hem lopen en hij zal zich verder gedeisd houden, hè Paul?'

Neville stak een hand op. 'Doe maar geen moeite, Chaney. Sorry, Mariah, maar nu ben je niet helemaal eerlijk tegen me. We weten namelijk al dat hij erachter is gekomen wat er in Wenen is gebeurd, en het is ons bekend dat Mr. Chaney niet de neiging heeft om de dingen snel op te geven. Wat ik graag wil weten is wat jullie hier in New Mexico doen en wat jullie hebben ontdekt.'

'Niets.'

'Het heeft geen zin, Mariah,' zei Paul. 'Deze kerels zijn echt niet van plan om ons te laten lopen.' Hij keek Neville aan. 'Zoals u al zei, ik wist van Katarina Müller, en ook dat ze Mariahs echtgenoot in een compromitterende positie had gebracht. Ik vermoedde dat het iets te maken had met zijn werk bij het IAEA en zijn strijd tegen de verspreiding van atoomwapens. Nadat ik de waarheid had ontdekt omtrent de chauffeur van de vrachtwagen die David had aangereden, meende ik daarin dat idee bevestigd te zien.'

Hij zweeg een ogenblik. 'Toen las ik in de krant dat er vijf atoomgeleerden waren omgekomen bij een ongeluk vlak buiten Taos. Ik wist van Sokolov, een van de Russen in dat gezelschap, dat hij een van hun knapste koppen was.'

'Hoe kwam je aan die wetenschap?'

'David Tardiff vertelde me een keer dat hij Sokolov in Moskou had ontmoet. Hij vertelde toen ook dat Sokolov naar Los Alamos zou gaan in het kader van het uitwisselingsprogramma tussen Rusland en de Verenigde Staten.'

Hola, dacht Mariah, dat staat in het Chaucer-dossier. Dat zegt hij om me te dekken!

'Aha,' mompelde Neville. 'Ga door.'

'Nou, ik vond het wel erg toevallig, twee van die ongelukken vlak na elkaar,' hernam Paul. 'Ik dacht, stel dat het geen ongeluk was, dan zijn er twee mogelijkheden. A: die kerels waren betrokken bij wapensmokkel en moesten worden geëlimineerd. B: hun dood werd geënsceneerd door een of andere terroristische organisatie die hun expertise nodig had voor het aanleggen van een geheim wapenarsenaal en die er dus baat bij had dat ze volledig van de aardbodem zouden verdwijnen.'

'En welke hypothese is juist gebleken?'

'Geen van beide.'

'Geen van beide?'

'Nee,' zei Paul. 'Ik ontdekte in Los Alamos dat zowel de twee Amerikanen als Sokolov zich tegen de nucleaire wapenwedloop hadden gekeerd. Waarschijnlijk geldt dat ook voor de twee andere Russen, aangezien Sokolov ze persoonlijk had uitgenodigd om mee te gaan. Het zou me dus verbazen als deze lui betrokken zouden zijn bij de verspreiding van atoomwapens.'

Na een korte pauze vervolgde hij: 'We volgden hun spoor tot in Taos; we hebben die kroeg bezocht en de plaats van het ongeluk. Hun stoffelijke resten zijn weliswaar nooit gevonden, maar er waren genoeg mensen die hen die avond in de bar hadden zien zitten, dus dat moest voldoende zijn om de identiteit van de slachtoffers vast te stellen. In minder dan geen tijd verschenen de federalen – jullie mensen, vermoed ik – om iedere poging tot diepgaand onderzoek in de kiem te smoren.'

'Maar waarom zouden wij die wetenschappers uit de weg willen ruimen?'

'Ik heb niet gezegd dat jullie dat wilden. Jullie wilden het doen voorkomen of ze dood waren. Die kerels zijn echter helemaal niet dood. Ze zijn er als een haas vandoor gegaan in de verwarring die na dat ongeluk ontstond. Ze zijn op een raft gesprongen in de buurt van Pilar en in het donker de Rio Grande afgezakt, daarbij geholpen door jullie mensen, zou ik zo denken.'

'Hm,' bromde Neville. Hij keek naar Pflanz, die hoe langer hoe chagrijniger begon te kijken. 'Een interessante theorie. Verder nog iets?'

'Nou,' ging Paul verder. 'Die Pflanz, hè. Ik had hem al eens in Wenen gezien. Hij postte voor het huis van Katarina Müller.'

Pflanz' ogen boorden zich in de zijne.

'Ik weet dat jullie oude strijdmakkers zijn en dat Pflanz tegenwoordig in dienst is van Gus McCord. McCord zal ook wel degene zijn die me bij CBN eruit heeft gewerkt. Een bijzonder stomme zet van hem, mag ik wel zeggen,' voegde Chaney eraan toe.

'Kijk eens aan. Ik had dus wel degelijk gelijk met mijn vermoeden dat McCord betrokken zou zijn bij de illegale wapenhandel, hè?' zei Mariah nijdig tegen Neville.

'Maar Mariah!' riepen Neville en Paul in koor uit.

Ze keek hen om beurten aan. 'Ach, wat kan het me ook schelen,' zei ze. 'Ik heb Paul verteld dat ik mijn rapport van jou moest aanpassen, ik heb hem ook verteld van Chaucer – dus sleep me maar voor de rechter. Je zei het al Paul, ze zullen ons toch niet laten gaan, dus we kunnen net zo goed meteen alle kaarten op tafel leggen.'

Neville leunde achterover in zijn stoel en trommelde met zijn vingers op de armleuning. 'Dus tot welke conclusie ben je gekomen?' vroeg hij. 'Dat Dieter hier samen met Gus McCord en mij over de hele wereld kernkoppen heen en weer zit te schuiven voor eigen gewin of zo? Is dat het?'

Mariah keek Neville zwijgend aan. Arrogant was hij – al te lang gewend om te opereren in het diepste geheim en zich niets van bestaande regels aan te trekken. Het was het soort beroepsdeformatie die kenmerkend was voor de spionagewereld, waarin het overtreden van wetten in andere landen een heel normale zaak was en waarin gold dat het doel alle middelen heiligt. Een wereld waarin de grens tussen wat moreel verantwoord was en wat niet, in de loop van de tijd was vervaagd, en ethiek iets heel relatiefs was geworden. Als wij hen niet pakken, pakken ze ons, luidde het devies van Operations.

De vraag was alleen: was Neville nu ook ten prooi gevallen aan de meest banale vorm van corruptie – had hij zich op het criminele pad begeven om zijn eigen zakken te vullen?

'Hou op met het spelen van stomme spelletjes,' zei ze ongeduldig. 'En vertel ons nu eindelijk eens hoe het zit. Je wilde toch weten of we voor rede vatbaar waren? Nou, kom dan maar eens met een plausibele verklaring over de brug, zou ik zeggen.'

Neville staarde een ogenblik voor zich uit, knikte toen en keek haar aan. 'Het is allemaal begonnen met Chaucer,' begon hij. 'We slaagden erin om de wapens te lokaliseren waarover Tatyana Baranova jou vertelde. Het management van het onderzoeksinstituut bleek door en door corrupt. Voor het uiteenvallen van de Sovjet-Unie stonden medewerkers van zulke onderzoeksinstituten in hoog aanzien en konden ze zich allerlei luxegoederen veroorloven. Met de val van het IJzeren Gordijn was het gedaan met de voorkeursbehandeling: Moskou draaide de geldkraan dicht en keek niet meer naar ze om, waardoor zulke afgelegen gemeenschappen uiteindelijk zelfs verstoken bleven van de elementaire levensbehoeften. Het duurde dan ook niet lang of sommigen onder hen kwamen tot de ontdekking dat ze iets bezaten waarvoor anderen bereid waren veel geld neer te tellen.'

'Wat is de rol van McCord hierin?' wilde Mariah weten.

'De rederij die McCord indertijd – overigens met medeweten van ons – overnam, verscheepte al jarenlang overtollige wapens uit het Oostblok naar terreurorganisaties over de hele wereld. Het idee was dat hij, gezien de reputatie van het bedrijf, zonder veel problemen ook aan illegale Russische kernwapens zou kunnen komen.'

'Ik snap het niet helemaal,' zei Paul.

'Je kunt als transporteur niet zomaar de illegale wapenhandel binnenstappen, Paul,' legde ze uit. 'Je moet de naam hebben "betrouwbaar" te zijn, willen kopers en verkopers met je in zee gaan. Je moet kunnen aantonen dat je bonafide bent.'

'Helemaal als je je richt op het vervoer van kernwapens,' voegde Neville eraan toe.

'Oké,' zei Paul. 'Ik ben er. Maar wat is dan de bedoeling van McCord en vriend Pflanz? Willen ze soms de markt veroveren?'

'Daar komt het in grote lijnen op neer, ja,' zei Neville.

'O, zeg dat dan meteen.' Paul leunde achterover in zijn stoel. 'Het toppunt van de Amerikaanse ondernemingsgeest – het aanboren van nieuwe commerciële markten. Tja, wie zou daar nu bezwaar tegen kunnen maken?'

Neville wierp hem een ijzige blik toe, en Mariah zou hebben gezworen dat ze Pflanz hoorde vloeken. Ze schudde het hoofd. 'Er zit meer achter,' zei ze. 'Ze hadden die vijf atoomgeleerden nodig om op de juiste manier om te gaan met die atoomwapens, dat snap ik. Maar we weten dat die zich openlijk hadden uitgesproken tegen de verspreiding van die wapens. Hoe zit dat?'

Neville zuchtte. 'Het mes snijdt aan twee kanten. Wanneer wij lucht krijgen van een corrupte Russische bron, proberen we eerst de wapens in handen te krijgen. Vervolgens sturen we er een ploeg heen die het lek dichtstopt, zogezegd. Hierin worden we bijgestaan door een paar voormalige KGB'ers.'

'Wat!' riep ze uit. 'Maar de KGB – of de opvolger daarvan – heeft Tatyana Baranova nota bene zelf uit Wenen weggehaald!

'Een typisch geval waarin de rechterhand niet weet wat de linker doet, vrees ik,' zei Neville. 'Een van hun wat behoudender ingestelde medewerkers in Wenen ontdekte dat ze in contact stond met ons en stuurde haar terug. We hebben nog geprobeerd om haar te lokaliseren, maar onze contacten binnen de Russische veiligheidsdienst zijn beperkt, en we moeten natuurlijk oppassen dat we onszelf niet verraden.'

'Het mes snijdt aan twee kanten,' zei Paul. 'Betekent dat dat jullie zowel de verkopers als de kopers kunnen traceren?'

Neville knikte. 'De wetenschappers uit New Mexico zijn naar een geheime offshorebasis gebracht waar ze het ontploffingsmechanisme onklaar maken, de radioactieve brandstof verwijderen en een chip aanbrengen. Zodra de versleutelde wapens overgaan in handen van de koper, zal de chip om de twee uur een ultrakort signaal uitzenden, dat opgepikt wordt door een van onze satellieten. We lokaliseren de wapens en grijpen de boosdoeners meteen in hun kraag.'

'Op je dooie akkertje,' zei Paul.

'Dat is de bedoeling. We hebben het plan nog niet ten uitvoer gebracht, al hebben we dankzij Chaucer een partij draagbare kernwapens te pakken kunnen krijgen. En er hebben zich intussen een paar potentiële cliënten gemeld.'

Mariah en Paul staarden Neville aan, verbijsterd door de sluwheid van het plan en door het besef dat het nog wel eens goed zou kunnen uitwerken ook. Toch was er één heikel punt waar niemand omheen kon, en het was Paul die erop wees. 'En terwijl jullie wachten op potentiële kopers van de waardeloze kernwapens, brengen McCord en Pflanz scheepsladingen vol conventionele wapens naar dezelfde idioten,' zei hij.

'Hier en daar moet je nu eenmaal concessies doen,' zei Neville schouderophalend. 'Het is de prijs meer dan waard.'

'O, kom nou toch!' riep Mariah uit.

'Kom nou toch, kom nou toch?' protesteerde Neville. 'Je hebt zelf onderzoek gedaan op dit terrein, Mariah. Je weet hoeveel handelaars in conventionele wapens er zijn. De markt is volledig toegankelijk. Iedereen die iets wil kopen, kan het zo krijgen. Wij moeten contacten in die wereld leggen en wapenhandel is de taal die ze verstaan.'

'Bovendien helpt het de kosten te dekken,' merkte ze droogjes op. 'Want zelfs in de zakken van Gus McCord en Pflanz zit een bodem.'

'Volgens de Amerikaanse wet is het illegaal,' zei Paul. 'De commissie van toezicht zal niet blij zijn als ze hoort dat de CIA zich zonder toestemming bezighoudt met wapenleveranties. Ze gaan uit hun bol als ze hier lucht van krijgen. Daarom hebben jullie McCord natuurlijk nodig, hè? Om het uit de officiële papieren te houden.'

'Gus McCord is een patriot en een filantroop.' Ze keken allen naar Pflanz, die op het puntje van zijn stoel zat. 'Hij doet het niet voor zichzelf maar om Amerika en zijn staatsburgers te beschermen,' voegde hij eraan toe.

'Hij overtreedt er alleen de wet mee,' zei Paul. 'En de wet is er ook om ons en ons land te beschermen.'

'Wat weet jij daarvan, Chaney?' snauwde Pflanz. 'Jij hebt nog nooit voor je land gevochten. Waar was jij toen wij ons door de binnenlanden van Vietnam sleepten?'

'Op de universiteit. Ik was goddank uitgeloot,' zei Paul. 'Ik weet niet wat ik zou hebben gedaan als ik was opgeroepen. Ik was faliekant tegen die oorlog, en ik ben niet van plan om me daarvoor te verontschuldigen. Maar daarom ben ik niet minder vaderlandslievend dan McCord, Pflanz, dus kom niet met dit soort onzin bij me aan! Jullie lappen de wetten en de regels van dit land – het land waarvan McCord president wil worden – aan je laars. En jij hebt het over vaderlandslievendheid? Kom nou!'

Pflanz was opgestaan en keek Neville aan. 'Nou, wat heb ik je gezegd? Een nutteloze exercitie! Hij is niet voor rede vatbaar, hij is alleen uit op een sensatieverhaal waarmee hij voor de camera kan komen!'

'Wind je nu niet zo op, Dieter. Hij geeft gewoon zijn mening, en dat is zijn goed recht. Weet je, ga jij maar even bij de piloot zitten en laat het aan mij over.'

Pflanz aarzelde, wierp Paul en Mariah een vernietigende blik toe en verdween naar de cockpit.

'En wat nu?' vroeg Paul na een korte stilte.

Neville haalde zuchtend een hand door zijn haren. 'Ik had echt gehoopt dat ik jullie zou kunnen overtuigen van het belang om dit alles geheim te houden. Er zou ook best iets moois uit onze samenwerking kunnen groeien, weet je.'

'Dit is toch geen poging tot omkoping?' vroeg Paul.

'Welnee, helemaal niet. De CIA heeft kortgeleden besloten de pers voortaan wat opener tegemoet te treden. We hebben vooral journalisten op het oog die enig benul hebben van wat wij doen. Als je wilt, kun je contacten opdoen waar je collega's jaloers op zullen zijn. We zijn echt geen monsters, weet je. Als we in het vuur van de strijd zo nu en dan buiten ons boekje gaan, dan is dat slechts met de beste bedoelingen, kan ik je verzekeren.'

'Maak dat de familie van de zevenenveertig slachtoffers van die bomaanslagen in New York, Londen en Parijs maar eens wijs,' zei Mariah. 'Ga die maar eens vertellen dat jij McCord toestemming hebt gegeven wapens te verkopen aan terroristen – met de beste bedoelingen.'

'Er bestaat geen enkel verband tussen McCords activiteiten en die aanslagen!'

'Dat hopen jullie,' zei Paul. 'Maar in feite maakt het niet uit aan welke terroristische organisatie ze worden verkocht, want die groepen staan met elkaar in contact en verhandelen de boel onderling ook.'

'Maar als we de verspreiding van kernwapens geen halt toeroepen,' hield Neville vol, 'dan komt er een dag waarop Londen, Parijs of New York gewoon van de kaart wordt geveegd.'

'Dat weet ik, maar om daartoe de wereld dan maar vol te proppen met conventionele wapens vind ik geen oplossing. Wie met pek omgaat wordt ermee besmet, zeggen ze.'

'Ach, je hebt geen idee hoe het daar toegaat,' zei Neville nijdig. 'Net zomin als die beste brave leden van het Congres. Maar Gus McCord wel, daarom heeft hij ons zijn hulp aangeboden.'

'Je vergist je, Neville,' zei Paul. 'Ik heb mijn halve leven doorgebracht in de frontlinies om te proberen het Amerikaanse volk bewust te maken van wat er in de wereld gebeurt, zodat ze beter kunnen bepalen of ze het eens zijn met het regeringsbeleid. Ik heb vele machtige, rijke dictators meegemaakt die in het geheim opereren, megalomane figuren als Gus McCord die denken te weten wat het beste is voor iedereen. Uiteindelijk zijn het altijd de gewone burgers die het slachtoffer worden.'

'Het kan het Amerikaanse volk anders heus niets schelen hoe we ons werk doen, zolang we het maar doen.'

'O nee? Waarom denk je dan dat er zoiets als verantwoording moet worden afgelegd voor iedere geheime operatie, Neville? Churchill heeft eens gezegd dat democratie het slechtste systeem ter wereld is – op alle andere na. Het Amerikaanse volk heeft Gus McCord niet gevraagd om het soort "bescherming" dat bestaat uit het overtreden van de wet en het verkopen van wapens aan terroristen – althans nog niet, en de hemel verhoede dat dat ooit gebeurt.'

Terwijl Paul aan het woord was, werd Mariah zich plotseling bewust van een verandering in het geluid van de motoren. en opeens scheen ook het zonlicht zich door de cabine te verplaatsen.

'Waarom cirkelen we rond?' vroeg ze verwonderd. Ze wierp een blik uit het raampje. 'We zijn hoogte aan het verliezen.'

Neville en Paul wierpen ook een blik naar buiten. Ver beneden hen strekten zich de lege vlakten van het oosten van New Mexico uit.

'Ik heb geen idee,' bromde Neville. Hij maakte zijn veiligheidsgordel los en stond op. 'Ik ga wel even kijken.'

Hij wilde zich net omdraaien, toen de deur van de cockpit

openging en Pflanz te voorschijn trad met een pistool in zijn hand. Hij deed een paar stappen naar voren tot hij naast Mariah stond. Toen greep hij haar hardhandig bij een schouder en drukte het vuurwapen tegen haar slaap.

'Wat heeft dit te betekenen, Dieter?' vroeg Neville ijzig kalm.

'Niets,' antwoordde Pflanz grimmig. 'We gaan wat overbodige ballast lozen, dat is alles.'

21

‘Dit kun je niet maken, Dieter,’ zei Neville langzaam.

‘O nee? Dat zullen we nog wel eens zien. Jij daar!’ blafte Pflanz tegen Paul. ‘Opstaan!’

Zonder zijn ogen van Pflanz af te wenden maakte Paul zijn gordel los en kwam overeind. ‘Ik zal doen wat je wilt, als je haar er maar buiten laat, Pflanz. Ik heb haar hierin meegesleept.’

‘Ze had ook uit de buurt moeten blijven van lui als jij,’ blafte Pflanz. ‘Ik heb haar nog geprobeerd te waarschuwen.’

‘O ja?’ riep Mariah uit. ‘Ik weet nergens van.’

‘Weet je nog die envelop waarmee je dochter thuiskwam? Daarmee heb ik geprobeerd je duidelijk te maken dat je bezig was de doos van Pandora te openen. Maar je hebt mijn waarschuwing in de wind geslagen. Als een kip zonder kop liep je achter deze gozer aan.’

‘Schoft! Kun je wel, een kind en een weerloze invalide man bedreigen?’

‘Ik wilde er alleen maar voor zorgen dat je de zaak zou laten rusten.’

‘Jij bent dus degene die Katarina Müller heeft ingehuurd.’

‘Om de dooie dood niet.’

‘Hoe kwam je dan aan die foto's?’

‘Die heb ik van haar afgepakt – vlak voor ze haar laatste adem uitblies.’

'Wat? Heb jij haar vermoord?'

Hij verstevigde zijn greep. 'Ze chanteerde je echtgenoot. Ze was ook degene achter de aanslag op je man en je dochter. Je zou me op je blote knieën moeten danken; dankzij mij hebben zij en die chauffeur hun verdiende loon gekregen.'

'En hoe zit dat met die Burton, die man die mijn huis binnen drong? Heb jij me die soms ook op mijn dak gestuurd?'

'Nee, maar ook hem heb ik uitgeschakeld.'

'Tjonge, Pflanz,' hoonde Paul. 'Je bent een ware beschermengel, zo te horen.'

'In tegenstelling tot mensen als jij die de mond vol hebben van democratie en mensenrechten, kan ik niet werkloos blijven toezien dat misdadigers ongestraft blijven. De wereld wordt overgenomen door krankzinnigen, maar jullie doen niets anders dan schreeuwen, bang als jullie zijn om je handen vuil te maken.'

'Dieter, luister eens naar me,' kwam Neville tussenbeide. 'Als je het over krankzinnig hebt, dit is krankzinnig. Ik begrijp hoe je je voelt, maar Chaney en Mariah zijn brave Amerikaanse staatsburgers. Jij en ik mogen het dan wel niet eens zijn met hun manier van denken, maar in wezen staan we allemaal aan dezelfde kant.'

'O ja? Nou, ik sta anders helemaal niet aan zijn kant. Het is door toedoen van oproerkraaiers als Chaney dat de Amerikanen in Vietnam hun strijdlust verloren. Door dit soort kerels verliest het land zijn geestkracht en de wil om te winnen. Het is goed wat we doen, George, dat weet je. We moeten zorgen dat we niet twee keer dezelfde fout maken. Deze keer zullen we de strijd tot een goed einde brengen – en geen journalist die ons daarvan af kan houden.'

'Ik kan hier niet in meegaan, Dieter,' zei Neville rustig.

'Dat moet jij weten, als je me maar niet voor de voeten loopt. Ik ben niet te beroerd om het vuile werk op te knappen.'

'Niet doen, Dieter.' Langzaam bracht Neville zijn hand naar zijn borstzak.

Pflanz greep Mariah bij de keel en kneep haar luchtpijp zowat dicht. Ze hapte naar adem.

'Je mag kiezen, George,' gromde hij.

Neville stak zijn handen in de lucht. 'Rustig maar, rustig maar.'

'Jij daar! Chaney!'

'Wat?' Met moeite maakte Paul zijn blik los van Mariahs verkrampte gezicht.

'Pak Neville zijn wapen af. Onder zijn jasje. En denk eraan, hè. Eén onverhoedse beweging, en je vriendin is er geweest.'

Paul knikte, haalde het wapen uit Nevilles schouderholster en hield het met twee vingers omhoog, zodat Pflanz het duidelijk kon zien.

'Haal het magazijn eruit en gooi dan het wapen op de bank achter je. Mooi zo. Haal nu de kogels uit het magazijn en laat ze op de grond vallen.'

De kogels verdwenen achter elkaar in de zachte, vaste vloerbedekking. Nadat Paul ook het lege magazijn had weggegooid, liet Pflanz Mariahs keel los.

'Sta op,' zei hij, zijn hand op haar schouder leggend.

Ze maakte haar gordel los en kwam overeind. Achteruitlopend en met het wapen nog steeds tegen haar slaap gedrukt, loodste Pflanz haar naar de deur van het vliegtuig. Daar bleef hij staan.

'Kom hier, Chaney,' gebood hij. 'En doe die deur open.'

'Dieter! In 's hemelsnaam, doe dit nou niet!' riep Neville.

'Kop dicht, George. Chaney, doe die deur open, zei ik!'

Paul bleef hem een ogenblik aanstaren, liep toen naar hem toe en ontgrendelde de deur. Er klonk een gesis, waarna de deur loskwam en opzijschoof. De ijskoude luchtstroom deed wat losse papieren door de cabine dwarrelen.

Pflanz duwde Mariah in Pauls armen en deed een stap opzij. 'Nou, jullie kunnen kiezen' riep hij boven het lawaai van de motoren en de gierende wind uit. 'Een voor een of samen.'

Mariah greep Paul stevig bij zijn revers vast en keek Pflanz verbijsterd aan, alsof ze nog steeds niet geloofde dat hij het serieus meende.

'Schiet op!' schreeuwde hij. 'Ik heb niet de hele dag de tijd. Stap uit of ik schiet. Dat kan ook, dan schuif ik jullie daarna alsnog naar buiten. Kom op!'

'Nee!' riep ze. 'Je dacht toch niet serieus dat je dit ongestraft kunt doen?'

'O nee? Niemand weet waar je uithangt, en tegen de tijd dat jullie lijken worden gevonden zal er niets meer van over zijn. Daar zullen de gieren en de prairiewolven wel voor zorgen.' Hij gebaarde ongeduldig met zijn wapen.

'Ik ga wel als eerste,' zei Paul uiteindelijk.

'Paul, nee!'

Hij wierp een blik door de deuropening. 'Wat moet dat moet, en ik heb de schurft aan langdurig afscheid nemen.' Hij keek haar aan en legde teder een hand tegen haar wang. 'Je bent en blijft de meest fantastische vrouw die ik ooit heb gekend,' zei hij zacht, waarna hij haar vingers langzaam van zijn revers losmaakte. Hij ging voor de opening staan, wierp een snelle blik op Pflanz, die er vlak naast stond, en draaide zich nog even om naar Mariah voor een laatste groet.

Toen volgden de gebeurtenissen elkaar snel op. Op hetzelfde moment dat Paul zich weer naar de deur toe draaide sloeg hij met een razendsnelle beweging het wapen uit Pflanz' hand. Tot Pflanz' ontzetting stuiterde het een keer op de vloer en verdween het nog voordat hij ernaar had kunnen grijpen de diepte in.

Hij herstelde zich echter snel, greep Paul bij zijn revers en liet zijn vuist vol op zijn diens jukbeen neerkomen. Paul wankelde achteruit en kwam onzacht tegen de scheidingswand van de cockpit terecht; hij gleed omlaag, maar werd vrijwel ogenblikkelijk weer door Pflanz overeind getrokken, zodat ze met hun tweeën voor het gapende gat van de deur stonden.

Duizelig van de klap had Paul nog de tegenwoordigheid van geest om Pflanz met beide handen bij zijn overhemd te grijpen. Hij klemde zich uit alle macht vast, duidelijk vastbesloten om de ex-commando mee te sleuren in zijn val.

Pflanz bracht beide armen met kracht tussen de armen van Paul omhoog, waardoor de journalist moest loslaten; toen greep Pflanz hem opnieuw bij zijn jasje. Hij stond net op het punt hem naar buiten te gooien als een lappenpop, toen hij opeens leek te aarzelen.

Mariah dacht eerst dat hij misschien even afgeleid was door haar gil, maar toen zag ze midden op zijn borst een rode vlek verschijnen die langzaam groter werd. Pflanz staarde vol ongeloof omlaag, keek toen van Paul naar haar en vervolgens de cabine in. Hij fronste zijn voorhoofd, keek Paul weer aan, die hij nog steeds vasthield, en zakte het open gat in.

Ze deed een sprong naar voren, greep Paul bij zijn broekriem en trok hem uit alle macht naar achteren, maar Pflanz' gewicht was veel groter. Haar voeten gleden weg, en langzaam dreigden ze gedrieën de diepte in te verdwijnen.

Paul probeerde zich intussen met de moed der wanhoop los te worstelen. Pflanz, wiens overhemd inmiddels doordrenkt was van het bloed, staarde hem nog altijd aan. Opeens verslapte zijn greep. Mariah gaf nog een laatste wanhopige ruk aan Pauls riem, waarop ze beiden achterover op de grond vielen. Pflanz maaide, vergeefs zoekend naar houvast, wild met zijn armen. Toen viel hij de diepte in.

Verwezen keken Paul en Mariah naar de open ruimte die achter de deur gaapte. Toen keken ze naar Neville, die achter een van de fauteuils op de grond geknield zat, met zijn armen rustend op een van de armleuningen en in zijn uitgestoken rechterhand een wapen.

Het was het wapen dat hij haar had afgenomen in het park en vervolgens in zijn jaszak had gestopt, realiseerde Mariah zich – Franks wapen.

Neville stond op en liep naar de deur. Na een korte blik naar buiten te hebben geworpen, trok hij hem dicht en schoof hij de grendel ervoor. Toen keek hij hen aan. 'Alles in orde met jullie?' informeerde hij.

Ze knikten, niet in staat een woord te uiten.

'Ik zou zeggen: maak het je gemakkelijk. Ik ga even een babbeltje met de piloot maken en een paar telefoontjes plegen. We gaan nu echt op huis aan.' Hij verdween de cockpit in, en even later begon het vliegtuig weer te klimmen.

Mariah keek Paul aan en sloeg zonder iets te zeggen haar armen om zijn nek. Een hele tijd lang hield hij haar stevig vast.

'Bedankt dat je me naar binnen hebt getrokken,' zei hij na verloop van tijd met schorre stem. 'Ik dacht werkelijk dat ik er geweest was.'

'Ik was ook bang dat je er geweest was, maar ik kon het gewoon niet geloven,' zei ze zacht.

Hij deed zijn best om te glimlachen, maar zijn gezwollen jukbeen weerhield hem ervan. Ze beroerde de pijnlijke plek eerst met haar vingers en vervolgens met haar lippen. Toen, heel voorzichtig, kuste ze hem vluchtig op de lippen. De kus die erop volgde was dieper, en zonder voorbehoud.

Tegen de tijd dat Neville terug naar de cabine kwam zaten ze samen achterin op de bank te praten, hand in hand en met hun gezichten dicht bij elkaar.

'Ik heb even een zoekactie geregeld. Er is al een team op weg als het goed is,' zei de adjunct-directeur, terwijl hij in een fauteuil tegenover hen ging zitten.

'Nou, dat zou hij voor ons mooi niet hebben gedaan,' merkte Mariah schamper op.

'Het spijt me dat dit is gebeurd,' zei Neville. 'Ik wil het zeker niet goedpraten, maar in wezen was Dieter Pflanz geen kwade jongen. Hij is nooit uit geweest op persoonlijke macht of gewin. Ik geef toe, iedere vorm van subtiliteit was hem vreemd, maar hij geloofde werkelijk dat hij zich inzette voor een goede zaak. Uiteindelijk heeft hij toch de scheidslijn tussen goed en kwaad een beetje uit het oog verloren, vrees ik. Misschien hebben we dat allemaal wel gedaan, trouwens. Hij wist niet meer wie nu de werkelijke vijand was.'

'Was hij een persoonlijke vriend?' vroeg Paul.

'We hebben samen een hoop meegemaakt. Ik heb mijn leven meer dan eens aan hem te danken gehad.'

'Dan zal het niet gemakkelijk zijn geweest om die trekker over te halen,' zei Mariah.

'Ik had geen keus. Toch ben ook ik niet zo'n slechte kerel, Mariah. Ik weet dat je niet zo'n erg hoge dunk van me hebt of van de dingen die ik doe, maar in een wereld vol gevaren heb je niet altijd een keus. We willen niet graag een kernraket op ons dak krijgen, maar we willen evenmin onze troepen de hele tijd overal heen sturen om de rest van de wereld te beschermen. Ik moest een keus maken en heb in mijn ogen voor de minst slechte optie gekozen. Dat is mijn werk nu eenmaal.'

'Wat gaat er nu gebeuren?'

'Nou, het is duidelijk dat deze operatie afgeblazen wordt, alleen al omdat we hem niet kunnen voortzetten zonder Pflanz – hij was de verbindende schakel. Hoe dan ook, Mr. Chaney, als u er niet toevallig op was gestuit, zou vroeg of laat een ander erachter zijn gekomen, en zoals u al zei, het Congres zal hier niet blij mee zijn. Mijn carrière is, kan ik met een gerust hart zeggen, ten einde. Ik zou u alleen wel om een gunst willen vragen,' voegde Neville eraan toe.

'En die is?'

'Het is niet voor mezelf. We hebben momenteel overal mensen in die wereld zitten die onderhandelen met potentiële kopers van die waardeloze Russische kernwapens. Zodra dit verhaal naar buiten komt, zijn ze ten dode opgeschreven, dat begrijpt u zeker wel. Ik zou dus graag zien dat u het naar buiten brengen van deze geschiedenis nog even uitstelde.'

'Kunt u me dan de verzekering geven dat McCord zich terugtrekt uit de wapenhandel?'

Neville knikte. 'Op mijn erewoord. Dat onderdeel van de operatie wordt onmiddellijk stilgelegd.'

'Nou, aangezien ik momenteel toch geen werkgever heb, heb ik er geen haast mee.' Paul keek Mariah aan. 'Niet dat ik me hierin heb vastgebeten vanwege de nieuwswaarde, trouwens.'

'Ik stel uw medewerking ten zeerste op prijs, Mr. Chaney,' zei Neville.

'Ik ben wel van plan om de boel nauwlettend te volgen, Neville. En als ik merk dat jullie je weer in illegale activiteiten storten – voor welk nobel doel dan ook – dan zal ik geen moment aarzelen om daar ruchtbaarheid aan te geven. Want dat is nu eenmaal mijn werk.'

'Daar ben ik me van bewust. Hoewel ik van tijd tot tijd vind dat ook de moraal van de media ver te zoeken is, heb ik genoeg totalitaire regimes van dichtbij meegemaakt om te beseffen wat het belang is van vrijheid van meningsuiting. Mag ik ervan uitgaan dat we bij deze tot overeenstemming zijn gekomen?'

Paul knikte, waarop Neville Mariah aankeek.

'Geldt dat ook voor jou, Mariah?' vroeg Neville.

'Wat mij betreft zijn we nog niet klaar.'

'Hoezo?'

'Ik zit nog met een paar vragen, Mr. Neville. Zoals: wie gaf Katarina Müller de opdracht om mijn man te chanteren? Kunt u me daar antwoord op geven?'

'Wij zijn er eigenlijk altijd van uitgegaan dat dat het werk was van dezelfde groep als die welke Tatyana Baranova ontvoerde. Dat denk ik nog steeds, ook al vertelde Müller aan Dieter Pflanz een ander verhaal.'

'Wat voor verhaal dan?'

'Ze schijnt haar opdrachtgevers nooit te hebben ontmoet. Ze kreeg haar opdracht via de telefoon, en de betaling werd elektronisch overgemaakt. De persoon in kwestie sprak Engels met een Amerikaans accent, had ze gezegd.'

'Vindt u dat niet vreemd?'

'De methode niet, nee. Het gebeurt vaak; elektronische geldstromen kunnen heel moeilijk getraceerd worden. Wat het accent betreft: er zijn genoeg KGB-agenten die daar speciaal op getraind zijn. Toen bleek dat Müller en die chauffeur geliquideerd waren, meende ik ook dat dat het werk van de Russen was, totdat Pflanz vertelde dat hij grote schoonmaak had gehouden.'

'Maar als Müller nu eens niet door de Russen was ingehuurd?'

'Hoe kom je op het idee dat het niet de Russen waren?'

'Weet u ook waarmee Müller mijn man chanteerde? Ik bedoel: voor ze hem mee naar haar bed sleepte?'

Neville knikte. 'Toen mijn mannen in Wenen erachter kwamen, vertelde David dat ze jullie dochtertje bedreigde. Die slaapkamerfoto's waren waarschijnlijk een manier om hem extra onder druk te zetten. Hij wilde alleen zijn kind beschermen.'

'Weet u ook welk dreigement ze gebruikte?'

Neville aarzelde en keek Paul aan.

'Hij weet alles,' zei Mariah.

'Ik neem aan dat David Tardiff niet haar biologische vader was. Voor Müller stierf, bekende ze aan Pflanz dat ze je man in haar macht kreeg door te dreigen jullie dochter te verklappen dat ze een onecht kind was.'

'En waar had ze die informatie vandaan?'

'Van haar opdrachtgever, lijkt me.'

'Van uw mensen, Mr. Neville!'

'Wat!'

'Dat kan niet anders. Behalve David en zijn arts was er verder maar één persoon hiervan op de hoogte, en dat was Frank Tucker. Hij heeft het u verteld, en u maakte gebruik van die informatie. Wat ik niet begrijp, is waarom u ons dit aan moest doen.'

Neville leunde achterover in zijn stoel en keek haar met stomheid geslagen aan. 'Dit is je reinste waanzin, Mariah! Ik wist hier helemaal niets van totdat Pflanz het me gisteravond vertelde. Als Frank Tucker het wist, dan heeft hij het mij in ieder geval nooit verteld. Maar,' zo ging hij verder, 'wie zegt dat jij het niet zelf bekokstoofd hebt? Paul en jij zouden immers je gang kunnen gaan als David eenmaal het veld had geruimd.'

Het was dat Chaney haar tegenhield, maar anders was ze Neville naar de keel gesprongen.

'Hou toch op, Neville,' zei hij kwaad. 'Dat snijdt absoluut geen hout, en dat weet je!'

'Nou, het is in ieder geval een stuk plausibeler dan wat zij daar suggereert,' snauwde Neville. 'Verdomme, Mariah! Waarom probeer je me toch de hele tijd af te schilderen als een boeman? Ik ben heus geen heilige, maar ik bescherm mijn eigen mensen altijd wel, en jij bent daar een van. Ik zweer je dat ik hier niets van wist tot ik het gisteravond van Dieter hoorde.'

Mariah liet zich weer op de bank vallen. 'Ik hoorde het zelf vanochtend pas voor het eerst.'

'Hè? Wist je het zelf niet eens?'

'Ik heb nooit geweten dat David in Los Alamos blootgesteld was geweest aan straling en geen kinderen meer kon verwekken. Toen ik zwanger was, heb ik wel even gedacht dat er een kans bestond dat hij niet de vader zou zijn, maar ik hoopte van wel. In de loop van de tijd veranderde mijn hoop in overtuiging.'

'Maar Tucker wist het wel? Al die tijd?'

Ze knikte.

Neville vernauwde zijn ogen tot spleetjes. 'Mariah, is Frank Tucker soms de vader van je kind?'

Ze wendde haar blik af en knikte met tegenzin.

'Allemachtig.' Neville slaakte een zucht. 'Ik zal een onderzoek naar hem moeten laten instellen. Dit ziet er verdraaid beroerd uit.'

'Laat me eerst met hem praten,' zei ze.

'Lijkt me geen goed idee.'

'Toe. Ik wil hem in ieder geval de kans geven om het me uit te leggen, want ondanks alles kan ik gewoon niet geloven dat hij corrupt zou zijn, of dat hij mij of mijn gezin opzettelijk in gevaar zou brengen. Laat mij nu eerst proberen om erachter te komen hoe het zit.'

Neville haalde zijn schouders op. 'Vooruit dan maar. Maar ik wil wel dat je een microfoon omdoet. Als hij zich tegen ons heeft gekeerd, kan hij wel eens zeer gevaarlijk zijn.'

'Nee, hij zal mij geen kwaad doen, dat weet ik zeker.'

'Ik stuur iemand met je mee – dat is mijn enige voorwaarde. Aan jou de keus.'

'Goed,' zei Mariah.

Vroeg in de avond arriveerden ze op het hoofdkantoor in Langley. De bewaking meldde desgevraagd dat Frank Tucker al naar huis was, waarop Neville Mariah meenam naar de technische dienst voor een microfoontje. Vervolgens liet hij haar naar huis brengen, zodat ze met haar eigen auto naar Frank kon gaan. Paul bleef bij Neville op het hoofdkantoor. Het was klokslag half acht toen ze bij Frank op de stoep stond.

'Mariah! Waar heb je in vredesnaam al die tijd gezeten?' Hij trok haar naar binnen, sloot de voordeur en keek haar ernstig aan. 'Patty probeerde je gisteren bij Davids ouders te bereiken, maar zij beweerden dat je die ochtend vroeg terug naar Washington was gegaan. Toen belde Neville me met de mededeling dat je opeens spoorloos was verdwenen – of ik enig idee had waar je zou kunnen zijn. Wat is er aan de hand?'

'Ik ben op stap geweest.'

'Op stap? Waarheen dan?'

'Naar Los Alamos.'

Hij werd bleek en deed een stap achteruit.

'Ik moet met je praten.'

Hij knikte en volgde haar naar de zitkamer.

'Wat ben jij aan het doen?' vroeg ze, toen ze zag dat de vloer bezaaid was met kinderboeken en speelgoed.

'Ben de zolder een beetje aan het opruimen. Carol had gevraagd om haar oude spullen – voor de kleine, dus nu ben ik aan het uitzoeken wat van haar was en wat van Stephen. Geef me je jas maar.'

Ze schudde haar hoofd en staarde naar het kinderspeelgoed.

'Ga toch zitten, Mariah.'

Ze negeerde zijn opmerking en keek hem aan. 'Ik heb in Los Alamos met Rachel Kingman gesproken, Frank.'

Hij liet zich in een stoel zakken zonder zijn blik van haar gezicht af te wenden. 'En?'

'Ze wist zich jou nog te herinneren.'

'Mariah –'

'Al die jaren, Frank, al die jaren heb jij geweten dat Lindsay van jou was, en je hebt er nooit iets over tegen mij gezegd. Hoe heb je dat kunnen doen?'

'Wat moest ik anders?'

'O, Frank! Ik weet hoe moeilijk je het had, maar liet het je dan helemaal koud dat een andere man het vaderschap van je kind opeiste?'

'Nee, helemaal niet. Integendeel zelfs. Maar nog afgezien van mijn eigen situatie, ik kon toch moeilijk zeggen dat ik de vader was, terwijl jij zo overduidelijk wilde dat David de vader was?'

'David wist het ook, en ook hij heeft zijn mond erover gehouden. En ik al die jaren maar denken dat ik jullie goed kende, maar niets blijkt minder waar.'

'David valt anders niets te verwijten. Het was mijn idee.'

'Jouw idee? Hebben jullie het nog besproken ook? Jullie hebben dit samen bekonkeld en besloten om mij in het ongewisse te houden?'

'Wat zou je ermee opgeschoten zijn als je de waarheid had geweten?'

'Onwetendheid maakt anders niet gelukkig, Frank!'

'Misschien niet, maar de waarheid onder ogen zien is ook geen sinecure, kan ik je wel vertellen. De ziekte van Joanne heeft al die jaren als een zwaard van Damocles boven mijn hoofd en dat van de kinderen gehangen; zoiets wilde ik jou niet aandoen. Ik wilde jullie de tijd die jullie nog samen gegund was, niet ontnemen.'

'Waarom heeft hij het voor me verzwegen?'

'Hij was bang. Hij wist dat je genoeg over straling wist om te kunnen concluderen wat hem in de loop van de tijd te wachten stond.'

'Waarom ben je indertijd naar Los Alamos gegaan?'

'Toen jullie weer gingen samenwonen, vroeg ik de veiligheidsdienst om Davids antecedenten te onderzoeken – standaardprocedure, zoals je weet. Gezien de aard van zijn werk zou hij ongetwijfeld brandschoon zijn, maar ik vond het nogal verdacht dat hij opeens uit de hemel kwam vallen. En ergens was ik misschien ook wel een beetje jaloers,' gaf hij ruiterlijk toe. 'Niet dat ik verwachtte dat er meer uit onze relatie zou voortkomen, dat niet. Wat er tussen ons is voorgevallen, is een vergissing geweest. Je had medelijden met me, je wilde me troosten. Dat wist ik. Toch heeft het veel voor me betekend, Mariah. Door jou kreeg ik weer hoop. Tot op dat moment had ik het gevoel dat mijn leven voorbij was. Het zal wel heel egoïstisch klinken, en ik ben er ook absoluut niet trots op, maar op dat moment begon ik weer te geloven dat er een leven na Joanne zou zijn; dat ik, hoe moeilijk het ook zou zijn zonder haar, verder kon leven.'

Mariah sloot haar ogen en knikte. Ze begreep maar al te goed wat hij bedoelde. Sinds het ongeluk in Wenen had ze immers ook het gevoel gehad in een groot, zwart gat te zijn gevallen. Zelfs de wetenschap dat ze Lindsay nog had kon de angst en de eenzaamheid die ze vanbinnen voelde niet verdrijven. Niemand zou ooit de plaats van David kunnen innemen. En toen was Paul Chaney in haar leven verschenen. Hij gaf haar dat kleine sprankje hoop dat ze nodig had; door hem begon ze weer te geloven dat er misschien wel eens licht aan het einde van de tunnel zou kunnen zijn.

'Hoe dan ook,' hernam Frank, 'net op het moment dat jij aankondigde zwanger te zijn, kreeg ik het rapport binnen waarin stond waarom David weggegaan was bij het lab. Ik had er geen goed gevoel over en ben toen zelf poolshoogte gaan nemen. Ik heb een gesprek met dokter Kingman gehad, en toen ik weer terug was heb ik David verteld wat ik te weten was gekomen.'

'Wist hij dat jij de vader was?'

Hij haalde zijn schouders op. 'Ik weet het niet – misschien heeft hij het geraden. Ik heb alleen tegen hem gezegd dat de vader van het kind getrouwd was en niet van plan was om tussen jullie te komen. Hij scheen daar genoegen mee te nemen.'

Mariah ging op de bank zitten en staarde naar de vloer.

Frank liep op haar toe en kwam naast haar zitten. 'Mariah,' zei hij zacht. 'Begrijp me alsjeblieft, zie het niet alsof ik jou en je kind in de steek heb gelaten. Jullie waren niet voor mij bestemd, daar heb ik nooit enige illusie over gekoesterd. De eer aan David laten leek op dat moment de juiste oplossing.'

'David heeft ons wel een hoop ellende bespaard, hè?'

Misschien wel, ja. Wat had ik moeten doen? Het aan Joanne vertellen? Tegen de kinderen zeggen: "Het is heel jammer dat jullie moeder doodgaat, maar niet getreurd hoor, want pap heeft een nieuwe vriendin en rara, ze is al in verwachting"? Ik was drieënveertig, Mariah, en ik had een doodzieke vrouw en twee kinderen in de puberteit. Jij was vijfentwintig en verliefd op een andere man, je had je hele leven nog voor je. Daar kon ik toch niet tegenop? David was een betere vader voor Lindsay dan ik ooit had kunnen zijn – dan ik ooit ben geweest.'

Mariah keek hem aan. Toen legde ze zuchtend een hand op zijn arm. 'O, Frank, het spijt me dat ik er zo'n puinhoop van heb gemaakt.'

'Als iemand zichzelf hier iets te verwijten heeft, ben ik het, Mariah. Jij gaf me de kracht om verder te gaan, maar jij bleef zelf met de brokken zitten. Ik wou dat ik de tijd kon terugdraaien en alles ongedaan kon maken.'

'Ik niet. Het zou betekenen dat ik Lindsay niet had. Dat had David heel goed begrepen.' Ze keek hem recht in de ogen. 'Ik

denk dat je het juiste hebt gedaan, Frank, ook al is het nog zo verdrietig. Overigens zou je een goede vader geweest zijn – je bént
een goede vader. Daar mag je niet aan twijfelen.'

Er klonk een verachtelijk gesnuif in de hal. Mariah voelde haar
maag ineenkrimpen toen ze een brede gestalte in de deuropening zag verschijnen.

'Stephen!'

'Hoelang sluip jij hier al rond?' gromde Frank.

'Lang genoeg om het een en ander te hebben opgevangen. Ik
zag haar auto voor de deur staan.'

'Wat doe je hier? Moet je niet werken?'

'Ik heb vanavond vrij. Carol zei dat je haar spullen aan het uitzoeken was, dus ik kom even kijken of je geen dingen van mij
aan het weggeven was.'

'Dat zou ik nooit doen.'

'Nee, dat is waar ook. De ideale vader doet zoiets niet.' Hij
snoof opnieuw en keek hen beurtelings aan. 'Fraai stel zijn jullie
samen. Ik heb altijd al gedacht dat jullie elkaar vroeg of laat weer
zouden vinden.'

'Wat bedoel je?'

'Ik had altijd al een vermoeden, weet je. Je deed altijd zo raar
wanneer zij er was. En mam...' Hij schudde zijn hoofd. 'Goedge-
lovig als ze was had ze geen flauw idee wat er pal onder haar neus
gebeurde. Maar ik heb me altijd afgevraagd of je niet stiekem iets
met Mariah had.'

Frank sprong overeind. 'Genoeg!'

'En toen ontdekte ik hoe het zat. Dat je mam wel degelijk bedroog! En jij,' ging hij verder tegen Mariah, 'jij speelde mooi
weer tegen David. Je liet hem geloven dat Lindsay van hem was.
David was een goede vent, maar jij zette hem voor paal.'

'Je gaat te ver, Stephen!'

'Toe, Frank,' zei Mariah. 'Zo zat het niet, Stevie. Je hebt het verkeerd begrepen.'

'Ach, kom nou! Allemaal rotsmoesjes.'

'We zijn stom geweest – één keer. En als iemand daar schuld
aan heeft, ben ik het, niet je vader. Hij hield dolveel van je moeder, dat moet je toch weten.'

'Hij was gek op jou, toen al en nu nog!'

'Nou heb ik er genoeg van, Stephen! Hou op en bied onmiddellijk je excuses aan!'

'Had je gedacht! Geef het maar toe, pa. Geef toe dat je haar niet kunt vergeten. Dat je nog altijd aan haar denkt. Vertel maar wat je wachtwoord is.'

'Wat?'

'Welk wachtwoord gebruik je op je werk? Toen ik daarachter kwam wist ik het helemaal zeker.'

'Mijn wachtwoord? Hoe kom jij daaraan?'

'Zo'n anderhalf jaar geleden ben ik eens in het systeem gaan snuffelen. Toen ontdekte ik dat jouw wachtwoord "Mariah" was. Lekker makkelijk te onthouden zeker, hè? Toen de wachtwoord een paar weken later veranderd dienden te worden, ben ik weer eens gaan kijken.' Stephen keek Mariah aan. 'Driemaal raden wat hij toen als wachtwoord had genomen.'

Mariah haalde haar schouders op.

'Raad nou eens!'

'Ik zou het echt niet weten, Stevie.'

'"Lindsay"! En weet je wat het de maand daarop werd? Weer "Mariah".' Hij stak een vermanende wijsvinger op tegen zijn vader. 'Dat mag niet, pa. Je moet elke keer een ander wachtwoord bedenken, maar dat doe jij nooit, hè? Jij houdt het bij "Mariah"-"Lindsay"-"Mariah"-"Lindsay".'

'Het heeft helemaal niets te betekenen, Stephen. Zoek er niet meer achter dan nodig is.'

'Het heeft niets te betekenen? Waarom heb je vorig jaar dan je testament veranderd?'

Frank wist niet wat hij hoorde. 'Hoe weet je dat?'

'Toen ik met mijn spelletjes de markt op ging, had ik een juridisch adviseur nodig. Ik ben toen naar jouw notaris gegaan. Hij had kennelijk net een nieuwe secretaresse; ze gaf me een aantal paperassen om door te nemen, maar wist kennelijk niet dat Stephen F. Tucker en F. Tucker twee verschillende personen waren en gaf me dus de verkeerde. Pas toen ik begon te lezen, besefte ik wat ik in handen had.'

'O, nee,' verzuchtte Frank.

'Ik heb niets laten merken. Ik wilde niet dat ze problemen zou krijgen.'

Frank bracht een hand naar zijn voorhoofd en slaakte een diepe zucht.

'Wat is daar zo erg aan, Frank?' vroeg Mariah.

'Hij heeft zijn testament laten veranderen,' zei Stephen. 'Een derde van zijn vermogen gaat nu naar een anonieme begunstigde van wie alleen de notaris de naam zou weten: het kind dat hij verwekt had bij Mariah Bolt.'

'O, Frank! Waarom heb je dat gedaan?'

'Het was het enige wat ik kon doen – het enige wat ik haar kon geven.'

'Maar ze zal jouw geld helemaal niet nodig hebben, Frank. Ze zal straks een aardig kapitaal op de bank hebben staan. Na de dood van mijn moeder werd ik de enige erfgenaam van Benjamin Bolt. Zijn boeken worden nog steeds goed verkocht, en het geld van de royalty's blijft maar binnenstromen. Maar ik hoef zijn geld niet. Het gaat naar een spaarrekening op Lindsays naam die ik heb geopend op de dag dat ze werd geboren.'

'Het is niet zozeer het geld,' zei Frank ernstig. 'Zoveel is het trouwens niet. Het leek me niet meer dan rechtvaardig.'

'Ha! Hoe durf jij het over rechtvaardigheid te hebben?' riep Stephen smalend uit. 'Je hebt de twee dierbaarste mensen in mijn leven bedrogen – mam en David Tardiff. Waaraan hadden ze dat verdiend?'

Mariah keek naar Stephens betraande, van haat en woede vertrokken gezicht.

Hij draaide zich naar haar om. 'En jij bent al geen haar beter. David was zo goedig om jou zwanger en wel terug te nemen en jullie kind op te voeden als zijn eigen kind. En wat kreeg hij? Stank voor dank! Terwijl David lag te sterven, wierp jij je in de armen van die Chaney!'

'Dat is niet waar!'

'Nou en of het waar is. Ik heb jullie wel gezien hier op die borrel van laatst. Chaney kon zijn poten niet van je afhouden. Slim van je om Lindsay bij Carol te parkeren, hadden jullie thuis lekker het rijk alleen.'

'Nee, Stephen!' riep ze wanhopig uit. 'Zo zit het niet. Ik hield zielsveel van David. Hoe kun je nu zoiets zeggen? Hoe kun je zoiets überhaupt denken? Dat was helemaal niet de reden waarom ik Lindsay die nacht bij Carol liet logeren. Ik had tijd nodig om thuis de boel op te ruimen. Het was een puinhoop na dat gedoe met die inbreker, en ik wilde niet dat ze dat zou zien. Ze zou zich alleen maar rot schrikken.'

'Die Rollie Burton had ook gewoon zijn werk moeten doen.'

Er viel een ijzige stilte in de kamer, waarin alleen het tikken van de klok te horen was. Buiten stopte een auto voor de deur.

'Hoe weet je dat hij zo heette?' vroeg Frank.

Stephen verplaatste zijn gewicht van de ene op de andere voet, zijn donkere ogen flitsten onrustig heen en weer. Hij opende zijn mond, maar sloot hem weer. Op dat moment hoorden ze iemand een sleutel in het slot van de voordeur steken en omdraaien.

'Joehoe! Ik ben het!' riep Carol vanuit de hal. 'Ik kom even helpen met het uitzoeken van de spullen.' Glimlachend en met haar jas al half uit kwam ze de zitkamer binnen. 'Wat een vol huis, zeg. Gezellig. Hallo, Mariah, ik wist niet dat je –' Toen zag ze hun gezichten. 'Zeg, wat is hier gaande? Pap? Wat is er aan de hand?'

Frank keek haar aan, stak zijn hand op en richtte zich toen weer tot zijn zoon. 'Ik wil antwoord op mijn vraag, Stephen. Hoe ken jij de naam van de man die Mariah heeft aangevallen?'

'Jij hebt het me toch verteld?'

'Ik weet zeker van niet.'

'Dan zal ik het wel van Mariah hebben gehoord, op het feest.'

Mariah schudde haar hoofd. 'Ik wist toen nog helemaal niet wie hij was. Dat hoorde ik pas van de politie toen ik die avond thuiskwam, en sinds die tijd heb ik jou niet meer gezien.'

'Dan zal ik het wel ergens in een of ander dossier hebben zien staan toen ik weer in het systeem aan het snuffelen was.'

'Hierover wordt niets vermeld in onze dossiers, Stephen.'

De twee mannen staarden elkaar zwijgend aan.

'Was jij het, Stephen? Heb jij Burton in de arm genomen om Mariah om zeep te helpen?'

'Maar, pap!' riep Carol. 'Hoe kom je daarbij? Zoiets vreselijks zou hij toch nooit doen? Waar of niet, Stevie? Stevie. Zeg nou eens wat!'

'Het zou niet gehoeven hebben,' zei Stephen. 'Als zij in die auto had gezeten in plaats van David...' Zijn stem brak. Hij sloeg zijn ogen ten hemel. 'O, David,' jammerde hij, 'waarom moest jij ook in die auto zitten? Het spijt me zo. Het was nooit de bedoeling dat jij eraan zou gaan!'

Pas op dat moment besefte Mariah dat Stephens gevoelens voor David veel dieper gingen dan die van een puber voor zijn held of die tussen vrienden.

Stephen propte zijn gebalde vuisten in zijn zakken en staarde voor zich uit. 'Ik heb David verteld wat ik voor hem voelde,' bekende hij. 'Ik was bang dat hij misschien van me zou walgen en niets meer van me zou willen weten, maar dat gebeurde niet. Hij reageerde heel rustig. Zei dat hij erg op me gesteld was, maar nooit op die manier van me kon houden. Dat hij toch hoopte dat we vrienden konden blijven,' zei hij met een stem waarin verwondering doorklonk.

'Stevie, ik hield ook van hem.'

'Maar je verdiende zijn liefde niet! Toen ik ontdekte wat je hem – en mijn moeder – had aangedaan, besloot ik je een koekje van eigen deeg te geven.'

'Katarina Müller.'

'Wie is Katarina Müller nu weer?' vroeg Carol.

'Een vrouw in Wenen die David verleidde en chanteerde en die daarna heeft geprobeerd me om te brengen, maar in plaats daarvan David en Lindsay te grazen nam,' antwoordde Mariah. 'Ze was ingehuurd door Stephen.'

'Wat zeg je? Maar, Mariah!' riep Carol uit. 'Hoe kan dat nou? Dat soort mensen kent hij toch niet? Hij kent sowieso geen mensen. Hij gaat nooit ergens heen, dat weet je net zo goed als ik. Stevie heeft de nodige problemen, dat is zo, maar dat hij moordenaars zou inhuren? Nee, dat wil er bij mij echt niet in.'

Mariah bestudeerde het gezicht van de man die haar zo hartgrondig haatte dat hij huurmoordenaars in de arm had genomen; een contactgestoorde man die leefde in een door hemzelf gecreëerde, virtuele wereld van computerspelletjes waarin de boosdoeners geëlimineerd konden worden met een druk op een knop van het toetsenbord.

'Hij hoefde er anders niet de deur voor uit,' zei ze langzaam. 'Hij heeft alles in huis om het op afstand te kunnen regelen: een computer, een modem, een telefoontoestel. Toegang tot het internet, waar je alles kunt vinden als je de weg weet – en hij weet de weg als geen ander. Zo zal hij Katarina Müller hebben gevonden, en die Burton ook, zou ik me zo kunnen voorstellen. En met het vele geld dat hij met zijn computerspelletjes verdiende, kon hij zich hun diensten gemakkelijk veroorloven.'

'Maar waarom, Stephen?' vroeg Frank. 'Ik bedoel, we hebben het wel over moord.'

'Ik was in eerste instantie ook niet van plan om haar uit de weg te laten ruimen,' zei Stephen toonloos. 'Ik wilde haar alleen een lesje leren. Ze moest maar eens aan den lijve ondervinden wat het is om bedrogen te worden. Müller zou David in bed lokken, en foto's daarvan moesten bij Mariah terechtkomen. Het probleem was alleen dat David zich niet zomaar liet versieren. Müller zei dat ze van alles had geprobeerd, maar dat hij geen belangstelling toonde. Totdat ik haar gegevens verschafte waardoor hij niet anders kon.'

'En zo betrok je Lindsay erbij.'

'Nou, per slot van rekening maakte ze van begin af aan deel uit van het hele verhaal,' snauwde Stephen. Toen verzachtten zijn trekken. 'Het is nooit mijn bedoeling geweest om haar iets aan te doen; zij kon het verder ook niet helpen. Ik kan er niets aan doen dat ze het slachtoffer is geworden van dat ongeluk. Ik weet ook niet waarom ze hadden besloten om het zo aan te pakken.'

'Wat heeft je dan doen besluiten om haar uit de weg te laten ruimen?' vroeg Frank.

'Ik volgde de berichten die er over en weer gingen naar Wenen, en ik wist dat David probeerde om er weg te komen. Ik was bang dat ze de dans weer zou ontspringen en dus niet haar verdiende loon zou krijgen. Toen las ik de aantekening in het Chaucer-dossier over de plotselinge verdwijning van die Russische informant. Ja, dat had je niet gedacht, hè Mariah. Ik wist allang van het bestaan van dat dossier.' Hij grijnsde.

'Dat bericht was een geschenk uit de hemel, ik zag meteen mijn kans,' hernam hij. 'Als jou iets zou overkomen, zou dat ongetwijfeld meteen in verband worden gebracht met Chaucer. Helaas ging het toen allemaal mis, en dat was jouw schuld, Mariah.' Hij keek haar aan met een blik vol haat. 'Jij, en niet David had in die auto moeten zitten. Toen ik David later in dat verpleeghuis terugzag, besloot ik het je betaald te zetten. Toen heb ik Burton in de arm genomen om de klus af te maken.'

Stephen deed een stap achterwaarts in de richting van de deur en haalde zijn handen uit zijn zakken. In zijn rechterhand had hij een pistool, dat hij op Mariah richtte.

'Maar ook Burton verknalde het,' ging hij verder. 'Ik had het kunnen weten. Je kunt tegenwoordig niets aan een ander overlaten. Je kunt niemand vertrouwen, uiteindelijk laten ze je altijd zitten. Dat zal me niet nog een keer overkomen; deze keer doe ik het zelf.'

'Doe dat ding weg, Stephen,' gebood Frank. 'Het spel is uit. Dit zal je niet verder helpen, en dat weet je.'

'Het kan me geen donder meer schelen nu David er niet meer is. Het is allemaal haar schuld en ik zal ervoor zorgen dat ze niet vrijuit gaat!' gilde Stephen.

'Vrijuit?' riep Mariah verontwaardigd. 'Ik vrijuit? Terwijl ik mijn man en mijn kind zo heb moeten zien lijden?'

'Dat is niet voldoende!'

'Stephen,' zei Frank. 'In wezen ben je kwaad op mij, niet op Mariah. Laat haar erbuiten.'

'Welja, ga haar nog een beetje zitten beschermen ook, zeg. Je vergist je, pa. Ik ben niet kwaad op je, ik haat je uit de grond van mijn hart. Ik wil niets liever dan jou zien lijden, en ik weet precies hoe ik dat voor elkaar moet krijgen.' Hij richtte het vuurwapen weer op Mariah.

'Stevie!' riep Carol. 'Hou op. Dit is waanzin!'

'Je hebt geen idee wat ze allemaal op hun kerfstok hebben, Carol, bemoei je er niet mee. Hier begrijp jij toch niets van.'

"Wat weet ik niet, Stephen? Waar begrijp ik niets van? Dat

Lindsay een halfzusje van ons is? Dat weet ik allang.'

Stephen draaide zijn hoofd met een ruk naar haar om. 'Hè?'

'Dat weet ik allang,' herhaalde Carol. 'Doe in vredesnaam dat ding weg, Stevie.'

'Maar Carol,' bracht Mariah ontdaan uit. 'Hoe ben je daar achter gekomen?'

'Mijn argwaan werd gewekt toen jullie terugkeerden uit Wenen en ik Lindsay weer zag. In de drie jaar dat ik haar niet gezien had, was ze enorm gegroeid – ze was ineens een hele jongedame geworden.'

'Maar hoe –'

Carol was naar de boekenkast gelopen en haalde er een oud fotoalbum uit. Na wat bladeren vond ze wat ze zocht, waarna ze Mariah het opengeslagen album aanreikte. 'Toen ik klein was, keek ik altijd graag naar deze oude foto's,' zei ze.

Mariah bestudeerde de vergeelde zwart-witfoto met gekartelde randjes die Carol haar aanwees. Het was een foto van een bruidspaar omringd door familie en vrienden. Rechts boven op de foto stond een meisje met een bleke huid, donkere ogen en een dikke bos haar. Ondanks het feit dat het een zwart-witfoto was, was het duidelijk dat de kleur van haar haren rood moest zijn.

'Lindsay,' fluisterde Mariah ademloos.

Carol knikte. 'Over een jaar of twee, denk ik. Dit is paps moeder. Ze was hier toen vijftien. De bruid is haar oudere zuster.' Ze glimlachte. 'Kleine Alex is ook rossig, maar wat Lindsay betreft is er geen twijfel mogelijk: ze is een echte Tucker.'

'O, Carol...'

Carol nam het album van haar over en zette het terug in de boekenkast. 'Dus, Stevie, je ziet het. Ik weet het. Natuurlijk duurde het even voordat ik begreep waarom Lindsay me opeens zo bekend voorkwam. Ik heb toen de foto opgezocht terwijl pap op het werk was. Ik moet bekennen dat ik in eerste instantie best geschokt was toen het tot me doordrong hoe het zat. Maar, Stevie, ze is en blijft een zusje van ons, en het is nog een leuk kind ook!'

'Daar gaat het helemaal niet om! Het gaat om hen, en om wat ze mam hebben aangedaan!'

'Wat hebben ze haar dan aangedaan volgens jou?'

'Je bent toch niet achterlijk, Carol! Begrijp je dan echt niet dat dit haar verdriet zou hebben gedaan?'

'Vast wel, maar ze wist er niets van, dus...'

'Carol, het spijt me,' zei Frank. 'Ik hield zielsveel van je moeder. Toen ik haar verloor, had ik het gevoel dat de wereld verging. Ik heb haar nooit verdriet willen doen, echt niet.'

'Dat weet ik ook, pap. Ze hield ook zielsveel van jou.' Carol keek haar broer aan. 'Zal ik jou eens vertellen wat haar verdriet deed, Stevie? Het idee dat ze pap alleen moest achterlaten. Weet je wat ze me toevertrouwde toen ze op het laatst in het ziekenhuis lag? Mariah en David waren toen net getrouwd. Ik was alleen met haar, en voor de verandering deden we eens niet of we niet wisten wat er ging komen. Ze had behoefte om te praten. Op een gegeven moment zei ze dat ze het ergens wel jammer vond dat David ineens ten tonele was verschenen; ze had zo'n stille hoop gehad dat na haar dood Mariah pap weer een beetje gelukkig zou kunnen maken.'

'Dit wil ik helemaal niet horen!' gilde Stephen.

'Je zult wel moeten, Stephen,' zei Carol. 'Je bent weliswaar mijn broer, en ik hou ook van je, maar je bent altijd zo met jezelf bezig, dat je de dingen nooit eens van een andere kant kunt zien – vooral niet van paps kant. Hij is dan misschien niet de meest voorbeeldige vader van de wereld, maar hij is altijd dol op ons geweest. Hij heeft ook zijn best gedaan om het leven zo normaal mogelijk te houden voor ons. Hij zorgde voor mam, hij deed het huishouden, en dat allemaal naast zijn werk. Dat zal lang niet altijd gemakkelijk voor hem zijn geweest. Begrijp nu toch eens een keer dat hij Superman niet is en vergeef hem zijn fouten.'

'Maar in mijn ogen was hij Superman,' schreeuwde Stephen. 'En hij vond mij altijd maar een zwakkeling die niets kon. Ik heb geprobeerd om net zo te worden als hij, maar ik kon het niet en daarom moet hij me niet.'

'Dat is niet waar,' Stephen,' wierp Frank tegen. 'Ik heb nooit gewild dat je net zo zou worden als ik.'

'Je hebt me nooit geaccepteerd zoals ik ben! Je hebt me nooit geknuffeld, nooit gezegd dat je van me hield. Je was altijd zo af-standelijk – dat ben je nog!'

'Ik... Dat doe ik niet bewust, Stephen. Zo ben ik nu eenmaal opgevoed, vrees ik. Bij ons in de familie werd niet geknuffeld, en over gevoelens werd ook niet gepraat. Ik weet dat dat niet goed is, maar ik zou niet weten hoe ik het anders moest doen. Jij bent mijn zoon en ik hou van je. Ik heb altijd van je gehouden, ook al heb ik niet altijd evenveel begrip voor je getoond.'

'Mam begreep me tenminste. En David. David was de enige vriend die ik ooit gehad heb. Nu zijn ze er allebei niet meer en ik mis ze zo vreselijk!'

'Ik weet het,' zei Frank zacht. Hij deed een stap naar Stephen toe. 'Toe, geef me dat wapen nou maar, jongen.'

'Nee!' Stephen sprong met verrassende snelheid buiten be-reik. 'Deze keer mag ze de dans niet ontspringen!'

'Stephen! Leg dat ding weg!' schreeuwde Carol. 'Mam zou zich omdraaien in haar graf als ze je zo zou zien. Denk nu ver-domme eens een keer aan een ander in plaats van uitsluitend aan jezelf! Sta er nu eens even bij stil, Stevie,' ging ze op rustiger toon verder. 'Wij weten hoe vreselijk het is om je moeder te verliezen. Lindsay heeft haar vader al verloren; de enige vader die ze heeft gekend, op wie ze stapelgek was. Is het nu werkelijk nodig dat ze nu ook nog haar moeder verliest?'

Stephen aarzelde. Hij beefde over zijn hele lichaam. Mariah hield hem scherp in de gaten, klaar om weg te duiken zodra ze zijn vinger die om de trekker lag, zou zien bewegen.

Plotseling zag ze een schaduw langs het raam achter hem glip-pen – een van Nevilles mannen, wist ze. Of Stephen haar nu neerschoot of niet, het spel was uit.

Stephen stormde de kamer uit, de hal in.

'Nee!' schreeuwde Mariah. 'Niet naar buiten gaan, Stevie! Frank, hou hem tegen! Laat hem niet de deur uit gaan met dat wapen in zijn hand!'

Frank keek naar haar gezicht en vervolgens naar het raam. Hij begreep meteen wat er aan de hand was en rende achter zijn zoon aan, maar het was al te laat. Op het moment dat Stephen de voordeur opendeed, brak de hel los; iemand schreeuwde, en ze hoorden het geluid van snelle voetstappen. Toen klonk er een oorverdovend salvo van pistoolschoten, en twee tellen later was het doodstil.

Epiloog

⌣⌣

Op nieuwjaarsdag, negentien dagen nadat Stephen Tucker op de stoep van zijn ouderlijk huis door pistoolschoten om het leven was gekomen, werd een lijnvliegtuig gekaapt dat op weg was van West-Afrika naar Parijs. Een analyse van de gesprekken in de cockpit wees uit dat de kapers van Libische afkomst waren. De piloot werd gedwongen naar het Kennedy International Airport in New York te vliegen, waar de kapers een aantal passagiers vrijlieten. Een van de passagiers had een lijst van eisen bij zich.

De kapers eisten de vrijlating van een aantal kameraden die waren opgepakt wegens terroristische activiteiten en in verschillende West-Europese gevangenissen verbleven; een tweede eis luidde de uitlevering aan Libië van de Amerikaanse militairen die verantwoordelijk waren voor de luchtaanval op een van kolonel Khadafi's militaire kampen in de woestijn, teneinde ze voor een oorlogstribunaal te brengen. Ten slotte eisten de kapers twintig miljoen dollar in baar goud. Als aan hun eisen niet tegemoet zou worden gekomen, dreigden ze een kleine kernbom tot ontploffing te brengen die de stad New York van de kaart zou vegen.

In een telefoontje naar de New York Times herhaalden de kapers hun eisen en voegden eraan toe dat ze allen deel uitmaakten van een zelfmoordcommando en zich met liefde zouden opofferen in het kader van de Heilige Oorlog.

De belegering van het vliegveld duurde al met al zesendertig uur. Achter de schermen vond koortsachtig overleg plaats tussen allerlei instanties. Om te voorkomen dat er massahysterie zou uitbreken en alle wegen rond New York zouden dichtslibben, werd de mogelijkheid dat het werkelijk om een kernbom zou gaan, gebagatelliseerd. Onder journalisten deden echter geruchten de ronde dat de kapers een experimenteel wapen in handen hadden dat zou zijn gestolen uit een Russisch instituut voor atoomtechnologie. Officiële bronnen verwezen dit verhaal naar het rijk der fabelen en wezen nog eens op het bestaan van de ontwapeningsafspraken die juist waren gemaakt om dit soort calamiteiten te voorkomen.

Om vier uur 's ochtends op de derde dag van de crisis werd het vliegtuig bestormd door een speciaal daartoe opgeleid commando. De drie kapers werden gedood; tien gijzelaars werden met schotwonden in het ziekenhuis opgenomen, van wie er een korte tijd later overleed. Hoewel de bevrijding van de gijzelaars alles bij elkaar slechts vier minuten in beslag had genomen en de overlevenden daarna snel in veiligheid waren gebracht, meende een journalist van een lid van het commando te hebben opgevangen dat ze tot de aanval waren overgegaan nadat de bom wel tot ontbranding was gebracht, maar niet was ontploft.

Later die dag op de persconferentie toonde de federale politie zeven vuistvuurwapens, drie machinegeweren en verscheidene granaten en messen, die het volledige wapenarsenaal van de kapers zouden hebben uitgemaakt. Er was aan boord, zo antwoordden ze desgevraagd, geen atoombom aangetroffen. Het dreigement om New York van de kaart te vegen was een loos dreigement geweest.

Dagen daarna nog werd er door de media druk gespeculeerd over de ware toedracht. Sommige journalisten vermoedden dat er van alles in de doofpot werd gestopt; anderen hadden daar zo hun twijfels over, maar meenden wel dat dit soort incidenten onvermijdelijk was. Een enkele commentator suggereerde dat er wel degelijk sprake was geweest van een echte atoombom, maar dat de kapers door gebrek aan deskundigheid het ding niet hadden kunnen gebruiken.

In de daaropvolgende weken ging het gerucht dat tijdens een

geheime operatie het trainingskamp van de kapers was ont-
ruimd en de toevoerlijn waarlangs ze hun wapens hadden verkregen, was opgerold. Intussen riepen het IAEA, alsook verschillende regeringen waaronder Washington, op tot verscherpte
waakzaamheid inzake de verspreiding van nucleaire wapens.

Het was een spreekwoordelijk geval van de put dempen nadat
het kalf verdronken is.

❦

Op een koude, heldere zaterdagmiddag in januari stonden Paul
Chaney en Mariah Bolt aan de rand van de ijsbaan in het
centrum van Washington te kijken naar zijn zoon en haar dochter.

'Lindsay doet het goed, hoor,' merkte Paul op. 'Het scheelt niet
veel of ze is weer helemaal de oude.'

Mariah knikte tevreden. 'Het is een koppige tante. Ze zal niet
rusten voor ze overal beter in is dan voor het ongeluk. In New
Hampshire heeft ze ook iedere dag op de ijsbaan gestaan. Bovendien wil ze volgend jaar in aanmerking komen voor het mei-
denteam op school.'

'Jack is dit jaar ook met ijshockey begonnen.'

'Een leuk joch is het, Paul. Ik heb het idee dat jullie het heel gezellig hebben samen.'

'Het was even afwachten hoe het zou gaan. Meestal hebben we
maar een paar uurtjes samen; het is voor het eerst dat hij een heel
weekend bij me is. Ik moet wel een beetje oppassen natuurlijk,'
voegde hij eraan toe. 'Ik wil niet het gras voor de voeten van zijn
stiefvader wegmaaien. Phyllis en haar man vonden het ook best
moeilijk, maar Jack vroeg er zelf om. We hebben nu afgesproken
dat hij zo nu en dan een weekend bij mij komt en ook in de
schoolvakanties een paar dagen.'

Daar hoorde ze van op. 'Betekent dat dat je hier in de States
blijft?'

Hij keek haar aan. 'Ja. Sinds gisteren heb ik een contract bij
ABC. Voor je staat de presentator en co-producer van een nieuw,
wekelijks terugkerend programma over de achtergronden van

het nieuws dat deze lente van start zal gaan. Volgende maand beginnen we met de productie.'

'O, echt waar? Maar dat is geweldig, Paul. Gefeliciteerd!'

'Dank je. Het is een interessant concept en ik kan bijna niet wachten om ermee aan de slag te gaan. Verder kan ik je nog vertellen dat we het programma hier vanuit Washington gaan uitzenden.'

Haar maag maakte een salto. 'Zo, zo, vanuit Washington,' mompelde ze veel kalmer dan ze zich voelde.

Hij knikte. 'Precies wat ik wilde – dat was juist een van de redenen waarom ik solliciteerde naar de functie van bureauchef bij CBN. Ik was dan ook behoorlijk giftig toen ze me eruit gooiden. Ik zag mezelf alweer in de loopgraven zitten.'

'Goh, New York had me toch meer iets voor jou geleken. Er gebeurt daar een hoop, en bovendien zit je daar dichter bij Jack in de buurt.'

'Ach wat, je bent er zo. Vergeleken bij de afstanden die ik de afgelopen jaren moest afleggen, zit ik nu zowat om de hoek. Ik had bovendien nog een reden om in Washington te blijven.' Hij keek haar doordringend aan.

'O ja, natuurlijk. De onweerstaanbare aantrekkingskracht van Capitol Hill.'

'Dat ook,' gaf hij toe. Hij tuurde weer naar de kinderen op de ijsbaan. 'Maar ik heb ook een meer persoonlijk motief om hier te willen blijven.'

Ze wist niet goed hoe ze moest reageren. Vroeg of laat zou de kwestie toch aan de orde komen, wist ze.

Na het drama van Stephens dood had George Neville ervoor gezorgd dat Stephens lichaam werd weggevoerd en de politie weer vertrok zonder vragen te stellen. Omdat Mariah op dat moment niets voor de ontroostbare Frank en Carol kon doen, was ze maar naar huis gegaan.

Paul was, zodra hij vernam dat het voorbij was, door een van Nevilles mannen naar haar huis gebracht. Toen hij haar de garage had zien binnen gaan, had hij de chauffeur bedankt en was hij de auto uit gesprongen. Hij was haar achterna gerend en had haar in zijn armen genomen.

Dat was precies wat ze op dat moment nodig had. Die nacht hadden ze met elkaar geslapen.

Toen ze de volgende ochtend op het vliegveld afscheid hadden genomen – Paul ging terug naar New Mexico om de auto van zijn vader te halen, en Mariah vertrok naar New Hampshire om de feestdagen door te brengen bij Davids ouders – hadden ze stilzwijgend afgesproken om het hier voorlopig maar even bij te laten en niet op de dingen vooruit te lopen.

Ze hadden in de kerstvakantie een paar keer telefonisch contact gehad. Paul vertelde dat hij naar New York zou gaan in verband met een mogelijke nieuwe baan, maar verder was er niet over belangrijke dingen gesproken. Daarna hoorde ze wekenlang niets meer van hem, tot hij de vorige avond ineens aan de telefoon had gehangen. Hij was terug in Washington en had zijn zoon te logeren. Ze hadden afgesproken om de volgende dag met zijn vieren naar de ijsbaan te gaan – hun eerste weerzien sinds ze met elkaar hadden gevreeën.

'Paul,' zei ze na een lange stilte. 'Ik weet niet of ik –'

'Er al aan toe ben. Ik wist dat je dat ging zeggen. Ik weet dat het ook een beetje erg kort op Davids overlijden is, en het is ook absoluut niet de bedoeling om je onder druk te zetten – of je af te schrikken – maar ik wil in de buurt zijn wanneer je denkt dat je er wel aan toe bent. Maar misschien dat ik een beetje op de zaken vooruitloop.'

Ze slaakte een diepe zucht. 'Het is niet dat ik niets voor je voel, dat weet je ook wel. Daar ligt het ook niet aan. Het punt is dat ik niet alleen aan mezelf mag denken; ik heb ook rekening te houden met Lindsay. Het gaat op het moment redelijk goed met haar, dat is duidelijk, maar ze heeft het nog steeds moeilijk, zowel emotioneel als fysiek. Het leven is al niet zo'n pretje als je dertien bent, maar zij heeft er het afgelopen jaar nog de nodige ellende bovenop gekregen. Ik ben bang dat ik het behoorlijk bij haar kan verknallen als ik nu niet een beetje voorzichtig ben, snap je. We hebben tijd nodig om een beetje tot rust te komen, zowel zij als ik.'

'Daar heb ik alle begrip voor,' zei hij knikkend. 'Heb je al besloten of je... je weet wel?'

'Of ik haar de waarheid zal vertellen? Nee. Aan de ene kant heb ik absoluut geen zin meer om poppenkast te spelen en allerlei dingen te verzwijgen – het heeft ons allemaal alleen maar een hoop ellende bezorgd. Maar ik heb het met Frank en Carol besproken. Ze waren het met me eens dat het beter is om Lindsay haar goede herinneringen aan David niet af te nemen. Voor haar was hij haar vader, hij hield van haar en zij van hem, en dat is wat telt, zeker nu.'

Ze zweeg een ogenblik. 'Ik ben blij dat George Neville erin geslaagd is de details van Stephens dood buiten de pers te houden. Lindsay denkt nu dat het een ongeluk was. En Carol is zo ontzettend aardig. Het liefst zou ze haar kleine zusje vierentwintig uur om haar heen hebben. Misschien dat er ooit een moment komt waarop ik Lindsay kan vertellen hoe het zit, ik weet het niet. Voorlopig laten we het maar even voor wat het is.'

'En hoe is het met Frank?'

'Hij is erg verdrietig. Hij zit vol zelfverwijt, iets wat ik volkomen onterecht vind.' Ze schudde haar hoofd. 'O, kon ik het allemaal maar ongedaan maken!'

'En Lindsay dan? Die zou je dan nu niet hebben,' zei hij. 'Bovendien is het de vraag of Frank en zijn zoon dan wel goed met elkaar overweg hadden gekund. Hun probleem is niet uniek natuurlijk. Het komt mij voor dat Stephen nooit helemaal lekker in zijn vel heeft gezeten en dat hij altijd al het idee heeft gehad dat hij in de schaduw van zijn vader stond. Dat hij zich ongelukkig voelde komt heus niet door jou.'

'Misschien heb je gelijk. Maar ik heb hem ook niet erg veel steun gegeven, ben ik bang. Niet dat ik erg veel medelijden voor hem kan opbrengen na wat hij David en Lindsay heeft aangedaan, maar ik heb wel erg met Frank te doen. Gelukkig heeft hij Pat, die sleept hem er wel doorheen. Het zou me niets verbazen als ze, wanneer alles weer een beetje tot rust gekomen is, besluiten om toch maar in het huwelijksbootje te stappen. Frank heeft ook meteen maar besloten om de knoop door te hakken en vervroegd met pensioen te gaan. Heel verstandig, want hij heeft al veel te lang veel te hard gewerkt. Het zal wel even wennen zijn in Langley, zo zonder hem.'

'En jij? Kom jij nu op zijn stoel te zitten?'

'Nee,' antwoordde ze glimlachend. 'Ze hebben me een functie aangeboden bij de sectie nucleaire non-proliferatie. Daar houden ze zich uitsluitend bezig met het uitzoeken wie hoeveel kernwapens waar heeft liggen en naar wie ze heen gaan.'

'Goh, dat doet me opeens denken aan die vijf atoomgeleerden die zogenaamd bij dat auto-ongeluk in Taos zijn omgekomen. Wat is daarmee gebeurd?'

'Dit blijft wel onder ons, hè?'

'Natuurlijk. Ik ben gewoon nieuwsgierig.'

'Ze hebben een andere identiteit gekregen en doen advieswerk. Nee,' voegde ze er haastig aan toe, toen ze zijn gezicht zag. 'Niet dat soort advieswerk. Neville heeft wat dat betreft zijn woord gehouden. Het Chaucer-dossier is definitief gesloten. Maar de komende jaren zouden hun adviezen nog wel eens hard nodig kunnen zijn, verwachten we.'

'Die niet-ontplofte en zogenaamd niet-bestaande bom waarmee die kapers New York dreigden op te blazen – was dat soms hun werk? Neville zei toch dat ze een koper hadden gevonden?'

Ze haalde haar schouders op. 'Geen idee. Ik heb het allemaal niet gevolgd, ik was met vakantie. Maar het zou me niets verbazen. Denk erom, hè, dit mag absoluut niet uitlekken.'

'Mariah, nou moet je eens goed luisteren. Ik ben van plan om nog heel lang heel goede vrienden met je te blijven – zo niet meer. Ik beloof je hierbij plechtig dat ik nooit iets van alle dingen die wij bespreken naar buiten zal brengen, tenzij jij me daar expliciet toestemming voor geeft.'

'Dank je wel, Paul.'

'Dus wat nu, neem je die nieuwe baan?'

'Ik weet het nog niet,' zei ze. 'Ergens heb ik schoon genoeg van die wereld, moet ik je bekennen. Toen ik begon was ik er heilig van overtuigd dat ik me inzette voor een goede zaak, maar hoe meer ik me erin verdiep, hoe meer ik het gevoel krijg dat de zaken toch niet zo eenvoudig liggen als ik altijd had gedacht.'

'Je bedoelt, wat de één een terrorist noemt, is voor de ander een vrijheidsstrijder.'

'Dat is toch ook zo? Je kunt de dingen niet zwart-wit stellen; het zijn allemaal grijstinten.'

'Oftewel: waar zou je je dus nog voor inzetten?'

Ze fronste haar voorhoofd en keek naar Jack en Lindsay, die te midden van een heel stel andere kinderen in een grote sliert over het ijs zwierden. 'Weet je waarvoor ik me wel wil blijven inzetten, Paul? Voor een veiliger wereld, niet alleen voor onze kinderen, maar voor alle kinderen en hun kinderen. Dat is ook altijd Davids drijfveer geweest.'

'Het lijkt me dat je daar een hele klus aan zult hebben. Op dat gebied is er voorlopig nog een hoop werk aan de winkel.'

'Zeker weten.' Glimlachend draaide ze zich naar hem om. Haar glimlach verdween echter als sneeuw voor de zon toen ze een drietal mensen uit een grote zwarte limousine zag stappen.

Paul zag de verandering op haar gezicht en volgde haar blik. 'Kijk eens aan,' mompelde hij. 'Wie hebben we daar – George Neville en Angus McCord. Maar wie is die vrouw die ze daar bij zich hebben... Ken jij haar?'

Maar Mariah liep het drietal al tegemoet. 'Het is Tanya!' riep ze over haar schouder.

'Tanya?'

'Ja, Tatyana Baranova, Paul. Die Russische vrouw uit Wenen, weet je wel, die opeens spoorloos verdwenen was.'

Tanya zag er slecht uit, constateerde ze, haar pas versnellend. Ze zag bleek en ze had donkere wallen onder haar ogen. Haar blonde haren waren dof en slap. Ze droeg een dikke wollen jas, maar desondanks zag Mariah dat ze vreselijk mager was geworden.

Niemand zei een woord toen de twee vrouwen elkaar om de hals vlogen.

'O, Tanya!' zei Mariah ontroerd. 'Wat goed om je te zien. Je hebt geen idee.'

'Ik ben ook heel blij om jou weer te zien, Mariah,' zei de Russische glimlachend. 'En zo verschrikkelijk blij dat ik hier ben.'

'Hoe is het met je? Wat is er met je gebeurd?'

Tanya haalde haar schouders op. 'Ik was weer een keer op weg naar jou. Onderweg naar het museum ben ik waarschijnlijk gevolgd door iemand van de ambassade. Ik weet nog dat er een auto naast me stopte; van wat er daarna gebeurde herinner ik me alleen nog vage flarden. Ze zullen me wel platgespoten hebben, denk ik. Ik werd terug naar Rusland gebracht. Ze hebben me eindeloos ondervraagd. Toen ik me eindelijk weer enigszins bewust werd van mijn omgeving, bleek ik in de gevangenis te zitten. Daar heb ik maanden gezeten – tot drie dagen geleden. En nu ben ik hier.'

'Ach, Tanya. En dat is mijn schuld – het spijt me vreselijk. Ik –'

'Jouw schuld? Ben je gek. Ik ben uit eigen vrije wil naar je toe gekomen. Het was ook een juiste beslissing, waar ik nog steeds geen spijt van heb. Iemand moest zijn mond toch een keer opendoen.'

'Je bent een moedig mens, Tatyana Baranova.'

Ze haalde haar schouders op. Toen keek ze Mariah bezorgd aan. 'Ik heb inmiddels gehoord dat je man is overleden.'

Mariah knikte.

'Wat erg voor jullie. Ik mocht hem graag; hij was een integere, geestige man.'

'Dat was hij, Tanya. We missen hem ook heel erg.'

'En hoe is het met Lindsay?'

'Alles bij elkaar genomen gaat het eigenlijk vrij goed. Ze staat daar op de ijsbaan, kom maar even mee.'

Tanya streek haar dunne haren naar achteren en schudde haar hoofd. 'Ik ben niet op mijn best, en ik wil eigenlijk liever niet dat ze me zo ziet. Ze zou er niets van begrijpen. Over een tijdje misschien. Dan komen jullie me gezellig opzoeken in Californië – daar kwam jij toch vandaan?'

'Ga je naar Californië?'

'Ja. Op uitnodiging van Mr. McCord en zijn vrouw.'

Mariah wendde zich tot de man die schuin achter Tanya stond. Ze kende hem natuurlijk al wel van foto's en van de televisie, maar in levenden lijve zag hij er veel gewoner uit dan ze zich had voorgesteld. Alleen de doordringende blik in zijn ogen verried zijn grenzeloze ambitie.

'Je mag wat ons betreft zo lang blijven als je wilt, Tanya,' zei McCord. 'Daarna zullen we ervoor zorgen dat je een huis krijgt – waar je maar wilt, en wanneer je denkt dat je eraan toe bent.'

George Neville deed een stap naar voren. 'Mariah Bolt, Paul Chaney, dit is Mr. Angus McCord.'

'Zeg maar gewoon Gus, dat doet iedereen,' zei McCord, terwijl hij hun een stevige hand gaf. 'Ms. Bolt, Mr. Chaney, het is me een waar genoegen u beiden te ontmoeten. Ik heb veel goeds over u vernomen.'

'Wij hebben ook al het een en ander over jou gehoord, Gus,' zei Mariah droogjes.

'Mr. McCord is verantwoordelijk voor het feit dat Ms. Baranova Rusland heeft mogen verlaten, Mariah,' zei Neville op enigszins bestraffende toon. 'We hadden haar na veel moeite dan wel gevonden, maar zonder de invloed van Mr. McCord zouden we haar nooit de gevangenis, laat staan het land uit hebben gekregen. Het is in Rusland momenteel één grote chaos, en het was dan ook volslagen onduidelijk bij wie we nu precies moesten zijn om haar vrijlating te eisen.'

'Maar in dergelijke gevallen kan geld een hoop wonderen verrichten, nietwaar?' merkte Mariah op.

'Ik ben me altijd bewust geweest van het feit dat ik een zeer gezegend en bevoorrecht mens ben,' zei McCord. 'Als ik een beetje geluk kan verspreiden door mijn rijkdom ter beschikking te stellen voor een goede zaak, zal ik dan ook geen moment aarzelen.'

'Nou,' zei ze met een blik op Tanya. 'Dit was beslist een goede zaak.'

'Dat geloof ik ook,' zei McCord. 'Deze dame heeft naar mijn mening meer moed getoond dan de meesten van ons, en ik beschouw het als mijn plicht om ervoor te zorgen dat het haar de rest van haar leven aan niets zal ontbreken.'

'Komen jij en Lindsay me gauw opzoeken, Mariah?' vroeg Tanya. 'Dat zou ik echt heel leuk vinden.'

Mariah knikte. 'Het is lang geleden sinds ik voor het laatst in Californië ben geweest,' zei ze glimlachend. 'Misschien wordt het eens tijd dat ik Lindsay laat zien waar haar familie vandaan komt. Misschien is het een idee voor de paasvakantie.'

'Mr. Chaney,' zei McCord intussen tegen Paul. 'Ik zou graag iets zakelijks met u willen bespreken. Ik weet dat u op het moment zonder werk zit –'

'Ik zát zonder werk, Mr. McCord.'

'O, ik begrijp het. Ik ben blij dat te horen. Ik had eigenlijk ook niet anders verwacht van een man van uw kaliber. In feite heb ik mijn collega-bestuursleden bij CBN vorige week nog gezegd dat het een grote vergissing was om u te laten gaan. We waren het erover eens dat we u de mogelijkheid moesten bieden om terug te keren, en wel in een functie van uw keuze. Wat denkt u, bent u daartoe over te halen?'

'Nee, ik vrees het niet. Overigens heb ik de cheque die ik bij mijn vertrek ontving, inmiddels teruggestuurd.'

'Dat had helemaal niet gehoeven.'

'Naar mijn mening wel. U kunt heel veel gedaan krijgen met geld, Mr. McCord, maar ik ben niet te koop. En wat betreft wijlen uw vriend Dieter Pflanz –'

'Mr. Chaney!' waarschuwde Neville. 'U denkt toch niet dat Mr. McCord zich ooit zou hebben kunnen vinden in –'

'Misschien niet. Ik zou willen dat ik daar zeker van kon zijn. Hoe dan ook, de man was bij u in dienst. U beseft zeker wel dat ik indertijd bij terugkeer uit New Mexico stampei had kunnen maken. Dat ik dat niet heb gedaan, hebt u aan Neville te danken – we hebben een deal gesloten. Ik zal me aan mijn afspraak houden, zolang u zich er ook aan houdt.' Hij wierp een blik op Tanya en Mariah en keek McCord toen weer aan. 'U bent er deze keer gemakkelijk van afgekomen, maar als u weer zo'n stunt als met die illegale wapenhandel uit de kast haalt, dan zal ik niet aarzelen om het van de daken te schreeuwen.'

McCord opende zijn mond om iets te zeggen, sloot hem weer en knikte toen.

'Tot slot nog één ding,' zei Paul. 'Na deze onverkwikkelijke geschiedenis zult u zeker geen gooi meer naar het presidentschap gaan doen, mag ik aannemen?'

'Als ik het niet doe, dan doen anderen het, Mr. Chaney. En onder degenen die het hoogste ambt ambiëren zijn er nogal wat met minder vaderlandslievende motieven dan ik.'

'Dat zal best, maar geen van hen boezemt me zo'n angst in als u, Mr. McCord.'

McCord keek hem doordringend aan. 'Ooit gehoord van de wet van Webster, Mr. Chaney?'

'Webster?'

'Daniel Webster deed eens de volgende uitspraak: "De veiligheid van het vaderland kan uitsluitend gewaarborgd worden door het volk zelf; wordt de veiligheid echter toevertrouwd aan anderen, dan zullen volk en vaderland reddeloos verloren zijn". Dat is ongeveer zoals ik erover denk.'

'Ik denk anders niet dat Daniel Webster u daarbij persoonlijk in gedachten had toen hij deze gedachte onder woorden bracht, Mr. McCord. Integendeel zelfs. Ik geloof dat hij bedoelde dat ieder van ons zijn steentje moet bijdragen aan de maatschappij en de wereld waarin we leven. Dat houdt in dat we moeten kijken naar wat er om ons heen gebeurt en moeten meedenken over oplossingen, en niet moeten zitten wachten tot een of andere vaderfiguur zich aandient en de boel voor ons opknapt. Het houdt ook in dat we mensen als u die in de positie zijn om macht en invloed te kopen, in het oog moeten houden, willen we niet op een dag tot de ontdekking komen dat onze democratie ongemerkt het veld heeft geruimd voor een dictatoriaal bewind.'

McCord haalde zijn schouders op en knikte in de richting van Capitol Hill. 'Nou, u kunt gerust zijn, Mr. Chaney. Ik heb niet zo'n zin om mijn tijd te verspillen tussen al die slippendragers daar. Je moet een masochist zijn om in de politiek te willen. Nee, het wordt tijd dat ik met pensioen ga. De gezondheid van mijn vrouw laat nogal te wensen over, en we worden er nu eenmaal niet jonger op. Ik ben van plan om eindelijk eens wat meer tijd en aandacht aan mijn familie te wijden. Dus hier is een primeurtje voor u: Gus McCord zal zich niet kandidaat stellen voor het presidentschap. Het wordt tijd om de fakkel door te geven aan de volgende generatie.'

'Dit lijkt me een goed moment om afscheid te nemen,' zei Neville. 'We moeten ervandoor, Gus. Je vliegtuig staat te wachten.' Hij wendde zich tot Mariah. 'Ik hoop niet dat je het erg vindt dat ik je achterna ben gekomen, maar Tanya wilde je graag zien en ik dacht dat jij ook wel wilde weten dat ze in veilige handen is.'

'Het is het beste nieuws dat ik in tijden heb gekregen,' zei Mariah. 'Tanya, bel je me zodra je een beetje gesetteld bent? Mr. Neville heeft mijn adres en telefoonnummer wel. Dan kunnen we wat uitgebreider bijkletsen, goed?'

'Dat doe ik, Mariah. Doe Lindsay de hartelijke groeten van me, wil je?'

Even later stapte het drietal in de limousine.

'Gaat McCord werkelijk met pensioen, denk je?' vroeg Mariah aan Paul, terwijl ze de limousine nakeek.

'Ik denk dat hij daarnet meende wat hij zei,' antwoordde Paul. 'De vraag is echter: denkt hij er morgen nog zo over. Kerels als Gus McCord gaan niet met pensioen voor ze in het graf liggen. We zullen wel zien.'

Ze draaiden zich om en liepen terug naar de ijsbaan. 'In Langley verwachten ze ieder moment dat Neville zijn pensioen gaat aankondigen,' zei Mariah.

'Is er bij jullie nog iets van de snode plannen van ons illustere drietal uitgelekt, dat je weet?'

'Geen idee. Ook Frank was niet op de hoogte van alle details. Hij heeft wel meegewerkt aan het plan om die wapens te onderscheppen waar Tanya ons van vertelde, maar van de illegale wapenhandel wist hij niets. Neville heeft het zo veel mogelijk in eigen hand gehouden,' zei ze. 'Maar hij weet dat jij er weet van hebt en dat je het op een kwade dag openbaar kunt maken, als je dat zou willen. Ik heb dan ook het idee dat ze Tanya hierheen brachten niet zozeer om mij een plezier te doen, als wel om jou duidelijk te maken dat hun motieven zuiver waren, ook al deugde de methode van geen kant.'

'Ik ben anders niet van plan om dit naar buiten te brengen.'

Ze keek hem aan. 'Dat weet ik. Ik weet ook waarom. Om Lindsay en mij te beschermen.'

Hij knikte. 'Het ironische is alleen dat deze hele geschiedenis in wezen helemaal niets met jou te maken heeft. Nevilles plannetjes zouden waarschijnlijk nooit aan het licht zijn gekomen als Stephen niet zo nodig wraak had moeten nemen op jou.'

'Geen wonder dat Neville zo vreemd keek toen ik hem op Franks borrel confronteerde met al die ellende die me was overkomen. Hij snapte er niets van natuurlijk. Nou ja, het is nu gelukkig allemaal achter de rug.'

'Kunnen we eindelijk weer een beetje normaal ademhalen,' bromde Paul.

'Waar waren jullie opeens?' vroeg Lindsay, die samen met Jack aan de rand van de ijsbaan stond te wachten.

'We zagen opeens een oude vriendin van me,' antwoordde Mariah. 'Maar dat vertel ik je later wel.'

'Hoe ging het, jongens?' informeerde Paul. 'Zijn jullie al moe?'

'Ben je gek? Natuurlijk niet!' protesteerde Jack.

'Nee, hoe kom je erbij,' viel Lindsay hem bij. 'Zeg mam, jij zou ook nog gaan schaatsen, weet je wel.'

'Ach, Lins. Moet dat nou echt? Je weet, ik ben dol op water, maar dan wel in vloeibare vorm.'

'Kom op, mam. Niet zo flauw. Zo moeilijk is het niet. En je hebt niet voor niets mijn oude schaatsen meegenomen.'

'Niet te geloven. Mijn kind heeft al een grotere schoenmaat dan ik,' bromde Mariah. 'Ik ben oud aan het worden.'

Paul grinnikte. 'Ik ben toch bang dat er geen ontkomen aan is, Mariah.'

'Jij moet ook komen, hoor, pap,' zei Jack.

'Al goed, al goed,' zei Paul. 'Even mijn schaatsen aandoen.'

'Jullie krijgen vijf minuten,' riep Lindsay streng. 'En anders slepen we jullie zonder schaatsen het ijs op, hè, Jack?'

'Zeker weten!'

'Een stelletje tirannen zijn jullie!'

Luid giechelend schaatste het tweetal weg, hoofdschuddend nagekeken door Mariah.

'Ik snap niet waarom ik me zo gek laat krijgen,' mopperde ze, terwijl ze op een bankje ging zitten om Lindsays oude schaatsen onder te binden.

Paul, die al een van zijn schaatsen aanhad, keek haar van opzij aan. 'Mariah?'

'Ja?'

'Ik weet dat dit noch de juiste plaats noch het juiste moment is en ik wil je ook absoluut niet onder druk zetten, maar ik zou nog graag één ding van je willen weten.'

'En dat is?'

Hij ging rechtop zitten. 'Ik ben een vent met veel geduld, en ik kan ook heel lang wachten wanneer het de moeite waard is,' zei hij. 'Ik denk dat wij iets met elkaar hebben dat de moeite van het wachten waard is. Maar zeg eens eerlijk, ben ik gek of heb ik wel degelijk een kans?'

Mariah ging eveneens rechtop zitten en haalde diep adem. 'Ik heb in Wenen veel slechts over je gedacht, en daar heb ik ook veel spijt van. Maar dat je gek zou zijn, nee, dat heb ik nooit gedacht.'

'Oké,' zei hij. 'Dat is alles wat ik wilde weten.' Hij maakte zijn andere schaats vast en hielp haar met de hare. Toen trok hij haar overeind. 'Nou, ben je er klaar voor?'

'Denk eraan, Paul,' waarschuwde ze. 'Kalm aan een beetje.'

'We hebben het nu toch wel over schaatsen, hè?'

'Ook, ja.'

'Begrepen. Hou me maar goed vast, Mariah. Ik zal zorgen dat je niets overkomt.'

'We hebben het nu toch wel over schaatsen, hè?' vroeg ze glimlachend.

Hij grinnikte. 'Ook, ja.'

'Dat soort dingen kun je niet garanderen, Paul. Pijn hoort bij het leven. Wie bang is voor pijn moet langs de lijn blijven – en we hebben van dichtbij gezien dat je daar niet erg veel gelukkiger van wordt.'

Hij knikte. 'Nou, zullen we dan maar?'

Ze wierp een meewarige blik omlaag en stak een arm door de zijne. 'Dat ik me ooit nog eens met jou op glad ijs zou wagen,' mompelde ze, waarop ze al glibberend de ijsbaan op stapte.

Ook verschenen bij MIRA BOOKS:

Alex Kava – Duister kwaad

Als er drie maanden na de executie van een seriemoordenaar een lijk met alle kenmerken van diens werkwijze wordt gevonden, wordt FBI-profiler Maggie O'Dell te hulp geroepen bij het onderzoek.

'Alex Kava is een van de grootste verrassingen van het afgelopen jaar!'
Crimezone.nl

ISBN 90 8550 030 3 – 440 pagina's – € 9,95

Erica Spindler – De indringster

Met de adoptie van een baby denkt een kinderloos echtpaar de kroon op een gelukkig huwelijk te hebben gezet. Maar de biologische moeder dringt hun leven binnen en verandert hun droom in een nachtmerrie.

'Superspannend. Ik kreeg er af en toe gewoon hartkloppingen van!'
Amazon.com

ISBN 90 8550 031 1 – 400 pagina's – € 9,95

Heather Graham – Teken de dood

Wanneer in de Everglades het verminkte lijk van een vrouw wordt gevonden, is de gelijkenis met een reeks vijf jaar eerder gepleegde moorden onmiskenbaar. Is destijds de verkeerde achter de tralies gezet?

'Graham hanteert niet alleen een strakke plot, ze weet de spanning perfect te doseren.' Publisher's Weekly

ISBN 90 8550 014 1 – 416 pagina's – € 9,95

Meg O'Brien – Fataal bewijs

In Seattle wordt een prostituée mishandeld en verkracht door vijf mannen – politiemannen, volgens haar. Ze wordt vermoord voor de zaak kan voorkomen, maar haar advocate heeft een cruciaal bewijsstuk in handen.

'Een intrigerende thriller die tot op het laatst spannend blijft.'
ISBN 90 8550 017 6 – 336 pagina's – € 9,95 Midwest Book Review

Taylor Smith – Dood door schuld

Op een koude winternacht wordt oorlogsweduwe Grace Meade mishandeld, vermoord en achtergelaten in een brandend huis. Haar op het nippertje geredde dochter verdwijnt spoorloos.

'Uitstekende politieke thriller, spannend en intelligent...'
Booklist

ISBN 90 8550 003 6 – 448 pagina's – € 16,95